Estatística Prática para Cientistas de Dados
50 Conceitos Essenciais

Estatística Prática para Cientistas de Dados
50 Conceitos Essenciais

Peter Bruce e Andrew Bruce

ALTA BOOKS
GRUPO EDITORIAL
Rio de Janeiro, 2019

Estatística Prática para Cientistas de Dados - 50 Conceitos Essenciais
Copyright © 2019 da Starlin Alta Editora e Consultoria Eireli. ISBN: 978-85-508-0603-7

Translated from original Practical Statistics for Data Scientists © 2017 by Peter Bruce and Andrew Bruce. All rights reserved. ISBN 978-1-491-95296-2. This translation is published and sold by permission of O'Reilly Media, Inc the owner of all rights to publish and sell the same. PORTUGUESE language edition published by Starlin Alta Editora e Consultoria Eireli, Copyright © 2019 by Starlin Alta Editora e Consultoria Eireli.

Todos os direitos estão reservados e protegidos por Lei. Nenhuma parte deste livro, sem autorização prévia por escrito da editora, poderá ser reproduzida ou transmitida. A violação dos Direitos Autorais é crime estabelecido na Lei nº 9.610/98 e com punição de acordo com o artigo 184 do Código Penal.

A editora não se responsabiliza pelo conteúdo da obra, formulada exclusivamente pelo(s) autor(es).

Marcas Registradas: Todos os termos mencionados e reconhecidos como Marca Registrada e/ou Comercial são de responsabilidade de seus proprietários. A editora informa não estar associada a nenhum produto e/ou fornecedor apresentado no livro.

Impresso no Brasil — 1ª Edição, 2019 — Edição revisada conforme o Acordo Ortográfico da Língua Portuguesa de 2009.

Publique seu livro com a Alta Books. Para mais informações envie um e-mail para autoria@altabooks.com.br

Obra disponível para venda corporativa e/ou personalizada. Para mais informações, fale com projetos@altabooks.com.br

Produção Editorial Editora Alta Books **Gerência Editorial** Anderson Vieira	**Produtor Editorial** Juliana de Oliveira Thiê Alves **Assistente Editorial** Illysabelle Trajano	**Marketing Editorial** marketing@altabooks.com.br **Editor de Aquisição** José Rugeri j.rugeri@altabooks.com.br	**Vendas Atacado e Varejo** Daniele Fonseca Viviane Paiva comercial@altabooks.com.br	**Ouvidoria** ouvidoria@altabooks.com.br
Equipe Editorial	Adriano Barros Bianca Teodoro Ian Verçosa	Kelry Oliveira Keyciane Botelho Maria de Lourdes Borges	Paulo Gomes Thales Silva Thauan Gomes	
Tradução Luciana Ferraz	**Copidesque** Alessandro Thomé	**Revisão Gramatical** Hellen Suzuki Rochelle Lassarot	**Revisão Técnica** José G. Lopes Estatístico pela Universidade de Brasília	**Diagramação** Lucia Quaresma

Erratas e arquivos de apoio: No site da editora relatamos, com a devida correção, qualquer erro encontrado em nossos livros, bem como disponibilizamos arquivos de apoio se aplicáveis à obra em questão.

Acesse o site www.altabooks.com.br e procure pelo título do livro desejado para ter acesso às erratas, aos arquivos de apoio e/ou a outros conteúdos aplicáveis à obra.

Suporte Técnico: A obra é comercializada na forma em que está, sem direito a suporte técnico ou orientação pessoal/exclusiva ao leitor.

A editora não se responsabiliza pela manutenção, atualização e idioma dos sites referidos pelos autores nesta obra.

Dados Internacionais de Catalogação na Publicação (CIP) de acordo com ISBD

> B886e   Bruce, Peter
>   Estatística Prática para Cientistas de Dados: 50 Conceitos Essenciais / Peter Bruce, Andrew Bruce ; traduzido por Luciana Ferraz. - Rio de Janeiro : Alta Books, 2019.
>   320 p. ; il. ; 17cm x 24cm.
>
>   Tradução de: Practical Statistics for Data Scientists
>   Inclui bibliografia e índice.
>   ISBN: 978-85-508-0603-7
>
>   1. Ciência de dados. 2. Estatística. I. Bruce, Andrew. II. Ferraz, Luciana. III. Título.
>
> 2019-460   CDD 005.13
>   CDU 004.82

Elaborado por Vagner Rodolfo da Silva - CRB-8/9410

Rua Viúva Cláudio, 291 — Bairro Industrial do Jacaré
CEP: 20.970-031 — Rio de Janeiro (RJ)
Tels.: (21) 3278-8069 / 3278-8419
www.altabooks.com.br — altabooks@altabooks.com.br
www.facebook.com/altabooks — www.instagram.com/altabooks

Dedicamos este livro à memória de nossos pais Victor G. Bruce e Nancy C. Bruce, que nutriam uma grande paixão por matemática e ciência; aos nossos primeiros mentores John W. Tukey e Julian Simon, e ao querido amigo de longa data Geoff Watson, que nos inspirou a seguir uma carreira em estatística.

Sumário

Prefácio XV

1. Análise Exploratória de Dados 1

Elementos de Dados Estruturados — 2

    Leitura Adicional — 4

Dados Retangulares — 5

    Quadros de Dados e Índices — 6

    Estruturas de Dados Não Retangulares — 7

    Leitura Adicional — 8

Estimativas de Localização — 8

    Média — 9

    Mediana e Estimativas Robustas — 10

    Exemplo: Estimativas de Localização de População e
Taxas de Homicídio — 12

    Leitura Adicional — 13

Estimativas de Variabilidade — 13

    Desvio-padrão e Estimativas Relacionadas — 15

    Estimativas Baseadas em Percentis — 17

    Exemplo: Estimativas de Variabilidade de População Estadual — 18

    Leitura Adicional — 19

Explorando a Distribuição de Dados — 19

    Percentis e Boxplots — 20

    Tabela de Frequências e Histogramas — 21

Estimativas de Densidade 24

Leitura Adicional 26

Explorando Dados Binários e Categóricos 26

Moda 28

Valor Esperado 28

Leitura Adicional 29

Correlação 29

Gráficos de Dispersão 32

Leitura Adicional 34

Explorando Duas ou Mais Variáveis 34

Compartimentação Hexagonal e Contornos
(Representando Numéricos versus Dados Numéricos) 35

Duas Variáveis Categóricas 37

Dados Categóricos e Numéricos 38

Visualizando Variáveis Múltiplas 40

Leitura Adicional 42

Resumo 42

2. Distribuições de Dados e Amostras...... 43

Amostragem Aleatória e Viés de Amostra 44

Viés 46

Seleção Aleatória 47

Tamanho versus Qualidade: Quando o tamanho importa? 48

Média Amostral versus Média Populacional 49

Leitura Adicional 49

Viés de Seleção 50

Regressão à Média 51

Leitura Adicional 53

Distribuição de Amostragem de uma Estatística 53

Teorema de Limite Central 55

Erro-padrão 56

Leitura Adicional 57

O Bootstrap 57

Reamostragem versus Bootstrapping 60

Leitura Adicional 61

Intervalos de Confiança	61
Leitura Adicional	64
Distribuição Normal	64
Normal Padrão e Gráficos QQ	66
Distribuições de Cauda Longa	68
Leitura Adicional	70
Distribuição t de Student	70
Leitura Adicional	72
Distribuição Binomial	73
Leitura Adicional	75
Poisson e Distribuições Relacionadas	75
Distribuições Poisson	76
Distribuição Exponencial	76
Estimando a Taxa de Falha	77
Distribuição Weibull	77
Leitura Adicional	78
Resumo	78

3. Experimentos Estatísticos e Teste de Significância 79

Testagem A/B	80
Por que Ter um Grupo de Controle?	82
Por que apenas A/B? Por que Não C, D...?	83
Leitura Adicional	84
Testes de Hipótese	85
A Hipótese Nula	86
Hipótese Alternativa	87
Teste de Hipótese Unilateral, Bilateral	87
Leitura Adicional	88
Reamostragem	88
Teste de Permutação	89
Exemplo: Aderência Web	90
Testes de Permutação Exaustiva e Bootstrap	93
Testes de Permutação: A conclusão para a Ciência de Dados	93
Leitura Adicional	94

Significância Estatística e Valores P	94
Valor P	96
Alfa	97
Erros Tipo 1 e Tipo 2	98
Ciência de Dados e Valores P	99
Leitura Adicional	99
Testes t	100
Leitura Adicional	101
Testagem Múltipla	102
Leitura Adicional	105
Graus de Liberdade	105
Leitura Adicional	107
ANOVA	107
Estatística F	110
ANOVA Bidirecional	111
Leitura Adicional	112
Teste de Qui Quadrado	112
Teste de Qui Quadrado: Uma Abordagem à Reamostra	113
Teste de Qui Quadrado: Teoria Estatística	114
Teste Exato de Fisher	116
Relevância para a Ciência de Dados	118
Leitura Adicional	119
Algoritmo de Bandido Multibraços	119
Leitura Adicional	123
Potência e Tamanho de Amostra	123
Tamanho da Amostra	124
Leitura Adicional	126
Resumo	127
4. Regressão e Previsão	**129**
Regressão Linear Simples	129
A Equação de Regressão	131
Valores Ajustados e Resíduos	133
Mínimos Quadrados	134

Previsão versus Explicação (Profiling) 135
Leitura Adicional 136
Regressão Linear Múltipla 136

Exemplo: Dados Imobiliários de King County 137
Avaliando o Modelo 138
Validação Cruzada 140
Seleção de Modelo e Regressão Passo a Passo 141
Regressão Ponderada 144
Previsão Usando Regressão 145

Os Perigos da Extrapolação 145
Intervalos de Confiança e Previsão 146
Variáveis Fatoriais em Regressão 148

Representação de Variáveis Fictícias 148
Variáveis Fatoriais com Muitos Níveis 151
Variáveis de Fator Ordenado 152
Interpretando a Equação de Regressão 153

Preditoras Correlacionadas 154
Multicolinearidade 155
Variáveis de Confundimento 156
Interações e Efeitos Principais 157
Testando as Suposições: Diagnósticos de Regressão 159

Outliers 160
Valores Influentes 161
Heteroscedasticidade, Não Normalidade e Erros Correlacionados 164
Gráficos Residuais Parciais e Não Linearidade 167
Regressão Polinomial e Spline 169

Polinomial 170
Splines 171
Modelos Aditivos Generalizados 173
Leitura Adicional 175
Resumo 175

5. Classificação 177

Naive Bayes 178
Por que a Classificação Bayesiana Exata é Impraticável 179

A Solução Naive 180
Variáveis Preditoras Numéricas 182
Leitura Adicional 182
Análise Discriminante 183

Matriz de Covariância 184
Discriminante Linear de Fisher 184
Um Exemplo Simples 185
Leitura Adicional 187
Regressão Logística 188

Função de Resposta Logística e Logito 189
Regressão Logística e o GLM 190
Modelos Lineares Generalizados 191
Valores Previstos a Partir da Regressão Logística 192
Interpretando os Coeficientes e as Razões de Chances 193
Regressão Linear e Logística: Semelhanças e Diferenças 194
Avaliando o Modelo 196
Leitura Adicional 199
Avaliando Modelos de Classificação 199

Matriz de Confusão 200
O Problema da Classe Rara 202
Precisão, Revocação e Especificidade 202
Curva ROC 203
AUC 205
Lift 206
Leitura Adicional 208
Estratégias para Dados Desequilibrados 208

Undersampling 209
Oversampling e Ponderação Acima/Abaixo 210
Geração de Dados 211
Classificação Baseada em Custos 212
Explorando as Previsões 212
Leitura Adicional 214
Resumo 214

6. Aprendizado de Máquina Estatístico 215

K-Vizinhos Mais Próximos   216

  Um Pequeno Exemplo: Prevendo Inadimplência em Empréstimos 217
  Métricas de Distância 219
  One Hot Encoder 220
  Padronização (Normalização, Escores Z) 221
  Escolhendo K 223
  KNN como um Motor de Característica 224
Modelos de Árvore 226

  Um Exemplo Simples 227
  O Algoritmo Recursivo de Repartição 229
  Medindo Homogeneidade ou Impureza 230
  Fazendo a Árvore Parar de Crescer 232
  Prevendo um Valor Contínuo 233
  Como as Árvores São Usadas 234
  Leitura Adicional 235
Bagging e a Floresta Aleatória 235

  Bagging 236
  Floresta Aleatória 237
  Importância da Variável 240
  Hiperparâmetros 242
Boosting 243

  O Algoritmo de Boosting 245
  XGBoost 245
  Regularização: Evitando Sobreajuste 247
  Hiperparâmetros e Validação Cruzada 251
Resumo 254

7. Aprendizado Não Supervisionado 255

Análise dos Componentes Principais 256

  Um Exemplo Simples 257
  Calculando os Componentes Principais 259
  Interpretando os Componentes Principais 260
Leitura Adicional 262

Agrupamento por K-Médias	263
Um Exemplo Simples	263
Algoritmo de K-Médias	266
Interpretando os Agrupamentos	267
Escolhendo o Número de Grupos	269
Agrupamento Hierárquico	271
Um Exemplo Simples	272
O Dendrograma	272
O Algoritmo Aglomerativo	273
Medidas de Dissimilaridade	274
Agrupamento Baseado em Modelos	276
Distribuição Normal Multivariada	276
Misturas de Normais	278
Selecionando o Número de Grupos	280
Leitura Adicional	282
Escalonamento e Variáveis Categóricas	282
Escalonando as Variáveis	283
Variáveis Dominantes	285
Dados Categóricos e Distância de Gower	286
Problemas com Agrupamento de Dados Mistos	288
Resumo	290

Bibliografia 291

Índice 293

Prefácio

Este livro se destina a cientistas de dados que já têm alguma familiaridade com a linguagem de programação R e exposição prévia (talvez pontual ou efêmera) à estatística. Nós dois viemos do mundo da estatística para o mundo da ciência de dados, então reconhecemos a contribuição que a estatística pode trazer à arte da ciência de dados. Ao mesmo tempo, sabemos bem das limitações do ensino tradicional de estatística, que, como disciplina, tem um século e meio de idade, e que a maioria dos livros e cursos de estatística é repleta do dinamismo e da inércia de um transatlântico.

Dois objetivos fundamentam este livro:

- Expor, de forma digerível, navegável e de fácil referencial, conceitos-chave da estatística que são relevantes para a ciência de dados.
- Explicar quais conceitos são importantes e úteis, da perspectiva da ciência de dados, quais são menos importantes e o porquê.

O que Esperar

> ### Termos-chave
>
> A ciência de dados é uma fusão de múltiplas disciplinas, incluindo estatística, ciências da computação, tecnologia da informação e campos de domínio específico. Consequentemente, podem-se utilizar muitos termos diferentes para se referir a um dado conceito. Os termos-chave e seus sinônimos serão destacados através do livro em caixas como esta.

Convenções Usadas Neste Livro

As seguintes convenções tipográficas são utilizadas neste livro:

Itálico

> Indica termos novos, URLs, endereços de e-mail, nomes de arquivo e extensões de arquivo.

`Ubuntu-Regular`

> Usada para listagens de programas e também dentro do texto ao se referir aos elementos dos programas como variáveis ou nomes de funções, bancos de dados, tipos de dados, variáveis de ambiente, declarações e palavras-chave.

`Ubuntu-Negrito`

> Mostra comandos ou outro texto que deva ser digitado literalmente pelo usuário.

`Ubuntu-Itálico`

> Mostra texto que deva ser substituído com valores fornecidos pelo usuário ou por valores determinados pelo contexto.

> Este elemento simboliza uma dica ou sugestão.

> Este elemento simboliza um comentário geral.

> Este elemento simboliza um aviso ou advertência.

Utilizando Exemplos de Código

Materiais complementares (exemplos de código, exercícios etc.) estão disponíveis para download em *https://github.com/andrewgbruce/statistics-for-data-scientists* (conteúdo em inglês), ou no site da Editora Alta Books; busque pelo ISBN do livro.

Agradecimentos

Os autores agradecem às muitas pessoas que ajudaram a tornar este livro realidade.

Gerhard Pilcher, CEO da empresa de pesquisa de dados Elder Research, leu os primeiros rascunhos deste livro e ofereceu correções e comentários úteis e detalhados. Da mesma forma, Anya McGuirk e Wei Xiao, estatísticos na SAS, e Jay Hilfiger, autor membro da O'Reilly, forneceram feedbacks úteis sobre os rascunhos iniciais do livro.

Na O'Reilly, Shannon Cutt nos encaminhou através do processo de publicação com bom ânimo e a quantidade certa de estímulos, enquanto Kristen Brown guiou nosso livro suavemente pela fase de produção. Rachel Monaghan e Eliahu Sussman corrigiram e melhoraram nossa escrita com cuidado e paciência, enquanto Ellen Troutman-Zaig preparou o índice. Agradecemos também à Marie Beaugureau, que iniciou nosso projeto na O'Reilly, bem como Ben Bengfort, autor da O'Reilly e instrutor na statistics.com, que nos apresentou à O'Reilly.

Nós, e este livro, nos beneficiamos também das muitas conversas que Peter teve ao longo dos anos com Galit Shmueli, coautora em outros livros.

Finalmente, gostaríamos de agradecer especialmente à Elizabeth Bruce e Deborah Donnell, cuja paciência e apoio tornaram esta empreitada possível.

AVISO

Para melhor entendimento as figuras coloridas estão disponíveis no site da editora Alta Books. Acesse: *www.altabooks.com.br* e procure pelo nome do livro ou ISBN.

CAPÍTULO 1
Análise Exploratória de Dados

A disciplina de estatística se desenvolveu muito no último século. A teoria das probabilidades — o fundamento matemático da estatística — foi desenvolvida nos séculos XVII e XIX com base no trabalho de Thomas Bayes, Pierre-Simon Laplace e Carl Gauss. Ao contrário da natureza puramente teórica da probabilidade, a estatística é uma teoria aplicada, relacionada à análise e modelagem de dados. A estatística moderna, como rigorosa disciplina científica, tem sua origem no final dos anos 1800, com Francis Galton e Karl Pearson. R. A. Fisher, no começo do século XX, foi um pioneiro líder da estatística moderna, apresentando ideias-chave de *design experimental* e *estimação de máxima verossimilhança*. Esses e muitos outros conceitos estatísticos estão muito presentes nas entranhas da ciência de dados. O principal objetivo deste livro é ajudar a esclarecer esses conceitos e explicar sua importância — ou a falta dela — no contexto da ciência de dados e big data.

Este capítulo se concentra no primeiro passo de qualquer projeto de ciência de dados: explorar os dados. A *análise exploratória de dados*, ou *AED*, é uma área relativamente nova da estatística. Já a estatística clássica se concentrava quase que exclusivamente em *inferência*, um conjunto muitas vezes complexo de procedimentos, para tirar conclusões sobre grandes populações com base em pequenas amostras. Em 1962, John W. Tukey (Figura 1-1) sugeriu uma reforma na estatística em seu inovador estudo "O Futuro da Análise de Dados". Ele propôs uma nova disciplina científica chamada *análise de dados*, que incluiu a inferência estatística como apenas um de seus componentes. Tukey firmou laços com comunidades de engenharia e ciências da computação (ele criou os termos *bit*, abreviação de binary digit, e *software*), e suas crenças originais são surpreendentemente duráveis e fazem parte dos fundamentos da ciência de dados. O campo da análise de dados exploratórios nasceu com o, agora clássico, livro de Tukey, *Exploratory Data Analysis* (Análise Exploratória de Dados, em tradução livre), de 1977.

Figura 1-1. John Tukey, o ilustre estatístico cujas ideias, apresentadas há mais de 50 anos, formam o fundamento da ciência de dados.

Com a disponibilidade de capacidade computacional e expressivos softwares de análise de dados, a análise exploratória de dados evoluiu muito além de seu escopo original. As principais características dessa modalidade têm sido o rápido desenvolvimento de novas tecnologias, o acesso a dados maiores e em maior quantidade e o maior uso de análises quantitativas em diversas modalidades. David Donoho, professor de estatística na Universidade de Stanford e ex-aluno de Tukey na graduação, escreveu um artigo excelente com base em sua palestra no workshop do centenário de Tukey em Princeton, New Jersey (Donoho, 2015). Donoho traça os primórdios da ciência de dados até o pioneiro trabalho de Tukey em análise de dados.

Elementos de Dados Estruturados

Os dados vêm de diversas fontes: medições por sensores, eventos, textos, imagens e vídeos. A *Internet das Coisas* (do inglês *Internet of Things*, IoT) está jorrando rios de informação. Muitos desses dados não são estruturados: imagens são um conjunto de pixels, sendo que cada pixel contém informações de cor RGB (red, green, blue — vermelho, verde, azul); textos são sequências de palavras e caracteres non-word, geralmente organizados em seções, subseções e assim por diante; clickstreams são sequências de ações de um usuário interagindo com um aplicativo ou página da internet. Na verdade, um dos maiores desafios da ciência de dados é trabalhar essa torrente de dados brutos e transformá-la em informação acionável. Para aplicar os conceitos estatísticos contidos neste livro, os dados brutos não estruturados devem ser processados e manipulados, para tomarem uma forma estruturada — pois podem vir de uma base de dados relacional — ou ser coletados de um estudo.

Termos-chave para Tipos de Dados

Contínuos

Dados que podem assumir qualquer valor em um intervalo.

Sinônimos

intervalo, flutuação, numérico

Discretos

Dados que podem assumir apenas valores inteiros, como contagens.

Sinônimos

inteiro, contagem

Categóricos

Dados que podem assumir apenas um conjunto específico de valores representando um conjunto de possíveis categorias.

Sinônimos

enumeração, enumerado, fatores, nominal, politômico

Binários

Um caso especial de dados categóricos com apenas duas categorias de valores (0/1, verdadeiro/falso).

Sinônimos

dicotômico, lógico, indicador, booleano

Ordinais

Dado categórico que tem uma ordem explícita.

Sinônimo

fator ordenado

Existem dois tipos básicos de dados estruturados: numérico e categórico. Os dados numéricos aparecem de duas formas: *contínua*, como velocidade do vento ou tempo de duração, e *discreta*, como a contagem de ocorrências de um evento. *Dados categóricos* assumem apenas um conjunto fixo de valores, como um tipo de tela de TV (plasma, LCD, LED etc.) ou o nome de um estado (Alabama, Alasca etc.). *Dados binários* são um importante caso especial de dados categóricos que assumem apenas um de dois valores, como 0/1, sim/não ou verdadeiro/falso. Outro tipo útil de dados categóricos é o dado *ordinal*, no qual as categorias são ordenadas. Um exemplo disso é uma classificação numérica (1, 2, 3, 4 ou 5).

Por que nos importamos com uma taxonomia de tipos de dados? Acontece que, para fins de análise de dados e modelagem preditiva, o tipo de dados é importante para ajudar a determinar o tipo de exposição visual, análise de dados ou modelo estatístico. Inclusive, softwares de ciência de dados, como R e Python, utilizam esses tipos de dados para me-

Elementos de Dados Estruturados | 3

lhorar seu desempenho computacional. Além disso, o tipo de dados para uma variável determina como o software processará os cálculos para aquela variável.

Os engenheiros de software e os programadores de bancos de dados podem se perguntar por que precisamos da noção de dados *categóricos* e *ordinais* para análises. Afinal, as categorias são meramente um conjunto de valores de texto (ou numéricos), e o banco de dados subjacente processa automaticamente a representação interna. No entanto, a identificação explícita dos dados como categóricos, como diferente de texto, oferece algumas vantagens:

- Saber que os dados são categóricos, como um sinal informando ao software como procedimentos estatísticos — como produzir um gráfico ou ajustar um modelo — devem se comportar. Em particular, os dados ordinais podem ser representados como `ordered.factor` em R e Python, preservando uma ordenação especificada pelo usuário em gráficos, tabelas e modelos.
- O armazenamento e a indexação podem ser otimizados (como em uma base de dados relacional).
- Os possíveis valores que uma variável categórica pode assumir são reforçados no software (como uma enumeração).

O terceiro "benefício" pode levar a um comportamento não intencional ou inesperado: o comportamento predefinido das funções de importação de dados no R (por exemplo, `read.csv`) é converter automaticamente uma coluna de texto em um `factor`. As operações subsequentes naquela coluna presumirão que os únicos valores admissíveis naquela coluna são aqueles importados originalmente, e atribuir um novo valor de texto introduzirá um aviso e produzirá um `NA` (valor faltante).

Ideias-chave

- Os dados geralmente são classificados por tipo nos softwares.
- Os tipos de dados incluem contínuo, discreto, categórico (que inclui binário) e ordinal.
- A tipagem de dados em um software atua como um sinal para o software de como processar os dados.

Leitura Adicional

- Os tipos de dados podem ser confusos, pois podem se sobrepor, e a taxonomia em um software pode ser diferente daquela em outro. O site R-Tutorial trata da taxonomia para R. Disponível em http://www.r-tutor.com/r-introduction/basic--data-types (conteúdo em inglês).

- Os bancos de dados são mais detalhados em sua classificação de tipos de dados, incorporando considerações de níveis de precisão, campos de comprimento fixo ou variável e mais. Consulte W3Schools guide for SQL (http://www.w3schools.com/sql/sql_datatypes_general.asp — conteúdo em inglês).

Dados Retangulares

O quadro de referências típico para uma análise em ciência de dados é um objeto de *dados retangulares*, como uma planilha ou tabela de banco de dados.

Termos-chave para Dados Retangulares

Quadro de dados
Os dados retangulares (como uma planilha) são a estrutura básica de dados para modelos estatísticos e aprendizado de máquina (machine learning).

Característica
Uma coluna na tabela costuma ser chamada de característica.

Sinônimos
atributo, entrada, indicador, variável

Conclusão
Muitos projetos de ciência de dados envolvem a previsão de uma conclusão — geralmente, uma conclusão sim/não (na Tabela 1-1, é "o leilão foi competitivo ou não"). As *características* algumas vezes são usadas para prever a *conclusão* em um experimento ou estudo.

Sinônimos
variável dependente, resposta, alvo, resultado

Registros
Uma linha na tabela costuma ser chamada de registro.

Sinônimos
caso, exemplo, instância, observação, padrão, amostra

Dado retangular é basicamente uma matriz bidimensional com linhas indicando registros (casos) e colunas indicando características (variáveis). Os dados nem sempre começam dessa forma: dados não estruturados (por exemplo, texto) devem ser processados e tratados de modo a serem representados como um conjunto de características nos dados retangulares (veja "Elementos de Dados Estruturados", anteriormente, neste capítulo). Na maioria das tarefas de análise e modelagem de dados, os dados em bancos de dados relacionais devem ser extraídos e colocados em uma única tabela. Na Tabela 1-1 existe um mix de dados medidos ou contados (ou seja, duração e preço) e dados categóricos (ou seja, categoria e moeda). Como mencionado anteriormente, uma forma especial de variável categórica é uma variável binária (sim/não ou 0/1), vista na coluna mais à direita na Tabela 1-1 — uma variável indicadora mostrando se um leilão foi competitivo ou não.

Tabela 1-1. Um formato de dados típico

Categoria	Moeda	ClassVend	Duração	DiaFinal	PreçoFim	PreçoInício	Competitivo?
Música/Filme/Game	US	3249	5	Seg	0.01	0.01	0
Música/Filme/Game	US	3249	5	Seg	0.01	0.01	0
Automotivo	US	3115	7	Ter	0.01	0.01	0
Automotivo	US	3115	7	Ter	0.01	0.01	0
Automotivo	US	3115	7	Ter	0.01	0.01	0
Automotivo	US	3115	7	Ter	0.01	0.01	0
Automotivo	US	3115	7	Ter	0.01	0.01	1
Automotivo	US	3115	7	Ter	0.01	0.01	1

Quadros de Dados e Índices

As tabelas de banco de dados tradicionais têm uma ou mais colunas designadas como um índice. Isso pode melhorar muito a eficiência em certas buscas SQL. No *Python*, com as bibliotecas `pandas`, a estrutura básica de dados retangulares é um objeto `DataFrame`. Por predefinição, um índice automático completo é criado para um `DataFrame` com base na ordem das linhas. Nas `pandas` também é possível ajustar índices multiníveis/hierárquicos para melhorar a eficiência de certas operações.

No *R*, a estrutura básica de dados retangulares é um objeto `data.frame`. Um `data.frame` tem também um índice completo implícito, baseado na ordem de linhas. Uma chave personalizada pode ser criada através do atributo `row.names`, mas o `data.frame` R nativo não suporta índices especificados pelo usuário ou multinível. Para superar essa deficiência, dois novos pacotes têm sido usados: `data.table` e `dplyr`. Ambos suportam índices multinível e oferecem boa aceleração no trabalho com um `data.frame`.

Diferenças de Terminologia

A terminologia para dados retangulares pode ser confusa. Estatísticos e cientistas de dados utilizam termos diferentes para a mesma coisa. Para um estatístico, *variáveis preditoras* são usadas em um modelo para prever uma *resposta* ou *variável dependente*. Para um cientista de dados, *características* são usadas para prever um *alvo*. Um sinônimo é particularmente confuso: cientistas da computação utilizam o termo *amostra* para uma única linha e, para um estatístico, uma *amostra* significa uma coleção de linhas.

Estruturas de Dados Não Retangulares

Existem outras estruturas além dos dados retangulares.

Dados de séries temporais registram medições sucessivas da mesma variável. São o material bruto para os métodos de previsão estatística, além de serem um componente-chave dos dados produzidos por dispositivos — a Internet das Coisas.

Estruturas de dados espaciais, que são usadas em análises de mapeamento e localização, são mais complexas e variadas que as estruturas de dados retangulares. Na representação do *objeto*, o foco do dado é um objeto (por exemplo, uma casa) e suas coordenadas espaciais. O *campo* visão, por outro lado, foca pequenas unidades de espaço e o valor de uma métrica relevante (brilho de pixel, por exemplo).

Estruturas de dados gráficos (ou de rede) são usadas para representar relacionamentos físicos, sociais e abstratos. Por exemplo, um gráfico de uma rede social, como Facebook ou LinkedIn, pode representar conexões entre pessoas na rede. Centros de distribuição conectados por estradas são um exemplo de uma rede física. Estruturas gráficas são úteis para certos tipos de problemas, como otimização de redes e sistemas de recomendação.

Cada um desses tipos de dados tem sua metodologia especializada em ciência de dados. O foco deste livro são os dados retangulares, o bloco fundamental para a construção da modelagem preditiva.

Gráficos em Estatística

Em ciências da computação e tecnologia da informação, o termo *gráfico* geralmente se refere a uma representação das conexões entre entidades e as estruturas de dados subjacentes. Em estatística, *gráfico* é usado para se referir a uma variedade de diagramas e *visualizações*, não apenas de conexões entre entidades, e o termo se aplica apenas à visualização, não à estrutura de dados.

Ideias-chave

- A estrutura básica de dados na ciência de dados é uma matriz retangular, em que linhas são registros e colunas são variáveis (características).
- A terminologia pode ser confusa. Existem diversos sinônimos resultantes das diferentes disciplinas que contribuem com a ciência de dados (estatística, ciências da computação e tecnologia da informação).

Leitura Adicional

- Documentation on data frames in R (https://stat.ethz.ch/R-manual/R-devel/library/base/html/data.frame.html — conteúdo em inglês).
- Documentation on data frames in Python (http://pandas.pydata.org/pandas-docs/stable/dsintro.html#dataframe — conteúdo em inglês).

Estimativas de Localização

Variáveis com dados de medição ou contagem podem ter milhares de valores diferentes. Um passo fundamental na exploração de seus dados é definir um "valor típico" para cada característica (variável): uma estimativa de onde a maioria dos dados está localizada (ou seja, sua tendência central).

Termos-chave para Estimativas de Localização

Média
A soma de todos os valores, dividida pelo número de valores.

Sinônimo
média aritmética simples

Média ponderada
A soma de todos os valores, multiplicada por um peso e dividida pela soma dos pesos.

Sinônimo
média aritmética ponderada

Mediana
O valor que ocupa a posição central dos dados.

Sinônimo
50° percentil

Mediana ponderada
Valor cuja posição está no centro da soma dos pesos, estando metade da soma antes e metade depois desse dado.

Média aparada
A média de todos os valores depois da exclusão de um número fixo de valores extremos.

Sinônimo
média truncada

Robusto
Não sensível a valores extremos.

> *Sinônimo*
> > resistente
>
> **Outlier**
> Um valor de dados que é muito diferente da maioria dos dados.
> *Sinônimo*
> > valor extremo

À primeira vista, resumir os dados pode parecer bem simples: apenas tire a *média dos dados* (veja "Média", a seguir). Na verdade, apesar de a média ser fácil de computar e conveniente de usar, nem sempre é a melhor medida para um valor central. Por isso os estatísticos desenvolveram e promoveram diversas estimativas alternativas à média.

Métricas e Estimativas

Estatísticos costumam usar o termo *estimativas* para valores calculados a partir dos dados em mãos, para traçar uma diferença entre o que vemos dos dados e a verdade teórica ou a situação real. Os cientistas de dados e analistas de negócios costumam se referir a esses valores como uma *métrica*. A diferença reflete a abordagem estatística *versus* ciência de dados: a contabilização de incertezas está no centro da disciplina estatística, enquanto os objetivos concretos corporativos ou organizacionais são o foco da ciência de dados. Portanto, estatísticos estimam e cientistas de dados medem.

Média

A estimativa de localização mais básica é a média, ou valor *médio*. A média é a soma de todos os valores, dividida pelo número de valores. Considere o seguinte conjunto de números: {3 5 1 2}. A média é (3 + 5 + 1 + 2) / 4 = 11 / 4 = 2,75. Você encontrará o símbolo $\bar{x}$ (chamado "x barra") para representar a média de uma amostra de população. A fórmula para computar a média para um conjunto de valores n $x_1, x_2, ..., x_N$ é:

$$\text{Mean} = \bar{x} = \frac{\sum_{i}^{n} x_i}{n}$$

> N (ou n) se refere ao número total de registros ou observações. Em estatística, ele é maiúsculo se for referente a uma população, e minúsculo se for referente a uma amostra de população. Em ciência de dados, essa distinção não é vital, então, pode ser visto das duas formas.

Uma variação da média é uma *média aparada*, a qual se calcula excluindo um número fixado de valores selecionados em cada ponta, e então tirando uma média dos valores restantes. Representando esses valores selecionados por $x_{(1)}, x_{(2)}, ..., x_{(n)}$, em que $x_{(1)}$ é o menor valor, e $x_{(n)}$ o maior, a fórmula para computar a média aparada com os maiores e menores valores p omitidos é:

$$\text{Trimmed mean} = \bar{x} = \frac{\sum_{i = p + 1}^{n - p} x_{(i)}}{n - 2p}$$

Uma média aparada elimina a influência dos valores extremos. Por exemplo, em uma competição internacional de mergulho, as notas máximas e mínimas dos cinco juízes são descartadas, e a nota final é a média dos três juízes restantes (Wikipedia, 2016). Isso dificulta a manipulação do placar por um único juiz, talvez em favor do competidor de seu país. As médias aparadas são muito usadas, e em muitos casos são preferíveis no lugar da média comum (veja "Mediana e Estimativas Robustas", a seguir, para maiores informações).

Outro tipo de média é a *média ponderada*, a qual se calcula pela multiplicação de cada valor de dado x_i por um peso w_i e dividindo sua somatória pela soma de todos os pesos. A fórmula para a média ponderada é:

$$\text{Weighted mean} = \bar{x}_w = \frac{\sum_{i = 1}^{n} w_i x_i}{\sum_{i}^{n} w_i}$$

Existem duas razões principais para o uso da média ponderada:

- Alguns valores são intrinsecamente mais variáveis que outros, e observações altamente variáveis recebem um peso menor. Por exemplo, se estivermos tirando a média de diversos sensores e um deles for menos preciso, então devemos diminuir o peso dos dados desse sensor.
- Os dados coletados não representam igualmente os diferentes grupos que estamos interessados em medir. Por exemplo, por causa do modo como um experimento online é conduzido, podemos não ter um conjunto de dados que reflita precisamente todos os grupos na base de usuários. Para corrigir isso, podemos conferir um peso maior aos valores dos grupos que foram sub-representados.

Mediana e Estimativas Robustas

A *mediana* é o número central em uma lista de dados classificada. Se houver um número par de valores de dados, o valor central é aquele que não está realmente no conjunto de dados, mas sim a média dos dois valores que dividem os valores classificados nas metades superior e inferior. Comparada à média, que usa todas as observações, a mediana depende apenas dos valores no centro dos dados classificados. Ainda que isso pareça uma desvantagem, já que a média é muito mais sensível aos dados, existem muitos casos nos quais a mediana é uma métrica melhor para localização. Digamos que queiramos observar os rendimentos familiares em bairros próximos a Lake Washington, em Seattle. Ao comparar o bairro Medina com o bairro Windermere, usando a média teríamos resultados muito diferentes, pois Bill Gates mora em Medina. Se usarmos a mediana, não importa a fortuna de Bill Gates — a posição da observação central permanecerá a mesma.

Pela mesma razão que se usa uma média ponderada, também é possível computar uma *mediana ponderada*. Da mesma forma que com a mediana, primeiro classificamos os dados, porém cada valor de dado tem um peso associado. Em vez do número central, a mediana ponderada é um valor cuja soma dos pesos é igual para as metades superior e inferior da lista classificada. Como a mediana, a mediana ponderada é resistente a outliers.

Outliers

A mediana é chamada de estimativa *robusta* de localização, pois não é influenciada por *outliers* (casos extremos), que podem enviesar os resultados. Um outlier é qualquer valor que seja muito distante dos outros valores em um conjunto de dados. A definição exata de um outlier é bastante subjetiva, apesar de algumas convenções serem utilizadas em diversos sumários e gráficos de dados (veja "Percentis e Boxplots", adiante, neste capítulo). Ser um outlier por si só não torna um valor de dado inválido ou errado (como no exemplo anterior com Bill Gates). Ainda assim, os outliers costumam ser o resultado de erros de dados, como misturar dados de unidades diferentes (quilômetros versus metros) ou leituras ruins de um sensor. Quando os outliers são resultado de dados ruins, a média resultará em uma má estimativa de localização, enquanto a mediana ainda será válida. Em qualquer caso, os outliers devem ser identificados e costumam ser dignos de maior investigação.

Detecção de Anomalias

Ao contrário da análise de dados comum, em que os outliers, às vezes, são informativos e, às vezes, um empecilho, na *detecção de anomalias*, os pontos de interesse são os outliers, e a maior massa de dados serve principalmente para definir o "normal" contra o qual as anomalias são medidas.

A mediana não é a única estimativa de localização robusta. Na verdade, a média aparada é muito usada para evitar a influência de outliers. Por exemplo, aparar os 10% iniciais

Estimativas de Localização | 11

e finais (uma escolha comum) dos dados oferecerá, quase sempre, uma proteção contra outliers, exceto nos conjuntos de dados menores. A média aparada pode ser vista como um meio-termo entre a mediana e a média: é robusta com valores extremos nos dados, mas usa mais dados para calcular a estimativa de localização.

Outras Métricas Robustas para Localização

Estatísticos desenvolveram uma infinidade de outros estimadores para localização, principalmente a fim de desenvolver um estimador mais robusto que a média e também mais *eficiente* (ou seja, mais capaz de discernir pequenas diferenças de localização entre conjuntos de dados). Esses métodos podem ser muito úteis para pequenos conjuntos de dados, mas não costumam oferecer maiores benefícios para conjuntos de dados de tamanho grande ou moderado.

Exemplo: Estimativas de Localização de População e Taxas de Homicídio

A Tabela 1-2 mostra as primeiras linhas do conjunto de dados contendo a população e as taxas de homicídio (em unidades de homicídios a cada 100 mil pessoas por ano) em cada estado.

Tabela 1-2. Algumas linhas do data.frame estado da população e taxa de homicídio por estado

	Estado	População	Taxa de Homicídio
1	Alabama	4.779.736	5,7
2	Alasca	710.231	5,6
3	Arizona	6.392.017	4,7
4	Arkansas	2.915.918	5,6
5	Califórnia	37.253.956	4,4
6	Colorado	5.029.196	2,8
7	Connecticut	3.574.097	2,4
8	Delaware	897.934	5,8

Calcule a média, a média aparada e a mediana para a população utilizando R:

```
> state <- read.csv(file="/Users/andrewbruce1/book/state.csv")
> mean(state[["Population"]])
[1] 6162876
> mean(state[["Population"]], trim=0.1)
[1] 4783697
> median(state[["Population"]])
[1] 4436370
```

A média é maior que a média aparada, que é maior que a mediana.

Isso se dá porque a média aparada exclui os cinco maiores e cinco menores estados (`trim=0.1` exclui 10% de cada ponta). Se quisermos calcular a taxa média de homicídios para o país, precisamos usar uma média ponderada ou mediana ponderada para contabilizar diferentes populações nos estados. Como a base R não tem uma função para mediana ponderada, precisamos instalar um pacote como o `matrixStats`:

```
> weighted.mean(state[["Murder.Rate"]], w=state[["Population"]])
[1] 4.445834

> library("matrixStats")
> weightedMedian(state[["Murder.Rate"]], w=state[["Population"]])
[1] 4.4
```

Nesse caso, a média ponderada e a mediana ponderada são quase iguais.

Ideias-chave

- A métrica básica para localização é a média, mas esta pode ser sensível a valores extremos (outlier).
- Outras métricas (mediana, média aparada) são mais robustas.

Leitura Adicional

- Michael Levine (Purdue University) publicou alguns slides úteis sobre cálculos básicos para medidas de localização em http://www.stat.purdue.edu/~mlevins/STAT511_2012/Lecture2standard.pdf (conteúdo em inglês).
- O clássico de John Tukey de 1977, *Exploratory Data Analysis* (Análise Exploratória de Dados, em tradução livre), ainda é muito lido.

Estimativas de Variabilidade

A localização é apenas uma dimensão na sumarização de uma característica. Uma segunda dimensão, *variabilidade*, também chamada de *dispersão*, mede se os valores de dados estão compactados ou espalhados. A variabilidade fica no centro da estatística: medindo, reduzindo, distinguindo variabilidade aleatória de real, identificando as diversas fontes de variabilidade real e tomando decisões em sua presença.

Termos-chave para Métricas de Variabilidade

Desvios

A diferença entre os valores observados e a estimativa de localização.

Sinônimos

erros, resíduos

Variância

A soma dos quadrados dos desvios da média, divididos por $n - 1$, em que n é o número de valores de dados.

Sinônimo

erro médio quadrático

Desvio-padrão

A raiz quadrada da variância.

Sinônimos

norma l2, norma Euclidiana

Desvio absoluto médio

A média do valor absoluto dos desvios da média.

Sinônimos

norma l1, norma Manhattan

Desvio absoluto mediano da mediana

A mediana do valor absoluto dos desvios da mediana.

Amplitude

A diferença entre o maior e o menor valor no conjunto de dados.

Estatísticas ordinais

Métricas baseadas nos valores de dados classificados do menor ao maior.

Sinônimo

classificações

Percentil

Valor tal que P por cento dos valores assumam esse valor ou menos, e $(100 - P)$ por cento assumam esse valor ou mais.

Sinônimo

quantil

Amplitude interquartílica

A diferença entre o 75° percentil e o 25° percentil.

Sinônimo

IQR

14 | Capítulo 1: Análise Exploratória de Dados

Da mesma forma que há modos diferentes de medir a localização (média, mediana etc.), há também modos diferentes de medir a variabilidade.

Desvio-padrão e Estimativas Relacionadas

As estimativas de variação mais utilizadas são baseadas nas diferenças, ou *desvios*, entre a estimativa de localização e o dado observado. Para um conjunto de dados {1, 4, 4}, a média é 3 e a mediana é 4. Os desvios da média são as diferenças: 1 − 3 = −2, 4 − 3 = 1, 4 − 3 = 1. Esses desvios nos dizem o quanto os dados estão dispersos em torno do valor central.

Um jeito de medir a variabilidade é estimar um valor típico para esses desvios. Ponderar os desvios sozinhos não nos diria muito — os desvios negativos compensam os positivos. Aliás, a soma dos desvios da média é exatamente zero. Em vez disso, uma abordagem simples é tirar a média dos valores absolutos dos desvios da média. No exemplo anterior, o valor absoluto dos desvios é {2 1 1} e sua média é (2 + 1 + 1) / 3 = 1,33. Isso é conhecido como *desvio absoluto médio* e é calculado com a fórmula:

$$\text{Mean absolution deviation} = \frac{\sum_{i=1}^{n} |x_i - \bar{x}|}{n}$$

em que $\bar{x}$ é a média da amostra.

As estimativas de variabilidade mais conhecidas são a *variância* e o *desvio-padrão*, que são baseados em desvios quadráticos. A variância é uma média dos desvios quadráticos, e o desvio-padrão é a raiz quadrada da variância.

$$\text{Variance} = s^2 = \frac{\sum (x - \bar{x})^2}{n - 1}$$
$$\text{Standard deviation} = s = \sqrt{\text{Variance}}$$

O desvio-padrão é mais fácil de interpretar do que a variância, pois está na mesma escala que os dados originais. Ainda assim, com sua fórmula mais complicada e menos intuitiva, pode parecer estranho que o desvio-padrão seja preferido na estatística, em vez do desvio absoluto médio. Ele deve sua preferência à teoria estatística: matematicamente, trabalhar com valores quadráticos é mais conveniente do que com valores absolutos, especialmente em modelos estatísticos.

Graus de Liberdade e n ou n – 1?

Em livros de estatística, existe sempre a discussão sobre por que temos $n - 1$, em vez de n, no denominador da fórmula de variância, levando ao conceito de *graus de liberdade*. Essa distinção não é importante, pois n costuma ser grande a ponto de não fazer muita diferença se você divide por n ou $n - 1$. Mas, se estiver interessado, o caso é o seguinte. Isso é baseado na premissa de que você quer fazer estimativas de uma população com base em uma amostra.

Se utilizarmos o denominador intuitivo de n na fórmula de variância, subestimaremos o valor real da variância e o desvio-padrão da população. Isso se chama estimativa *enviesada*. No entanto, se dividirmos por $n - 1$, em vez de n, o desvio-padrão se torna uma estimativa *não enviesada*.

A explicação completa sobre por que o uso de n leva a uma estimativa enviesada envolve a noção de graus de liberdade, o que leva em consideração o número de restrições no cálculo de uma estimativa. Nesse caso, existem $n - 1$ graus de liberdade, já que há uma restrição: o desvio-padrão depende do cálculo da média da amostra. Em muitos problemas, os cientistas de dados não precisam se preocupar com graus de liberdade, mas existem casos em que o conceito é importante (veja "Escolhendo K", no Capítulo 6).

Nem a variância, nem o desvio-padrão, nem o desvio absoluto médio são robustos frente a outliers e valores extremos (veja em "Mediana e Estimativas Robustas", anteriormente, neste capítulo, uma discussão sobre estimativas robustas para localização). A variância e o desvio-padrão são especialmente sensíveis aos outliers, pois são baseados em desvios quadráticos.

Uma estimativa de variabilidade robusta é o *desvio absoluto mediano da mediana* ou MAD:

$$\text{Median absolute deviation} = \text{Median}(|x_1 - m|, |x_2 - m|, ..., |x_N - m|)$$

em que m é a mediana. Como a mediana, o MAD não é influenciado por valores extremos. Também é possível calcular um desvio-padrão aparado, análogo à média aparada (veja "Média", anteriormente, neste capítulo).

A variância, o desvio-padrão, o desvio absoluto médio e o desvio absoluto mediano da mediana não são estimativas equivalentes, mesmo nos casos em que os dados vêm de uma distribuição normal. Na verdade, o desvio-padrão é sempre maior do que o desvio absoluto médio, que é maior do que o desvio absoluto mediano. Às vezes, o desvio absoluto mediano é multiplicado por um fator de escalonamento de constante (isso acontece para desenvolver a 1.4826) para colocar o MAD na mesma escala que o desvio-padrão no caso de uma distribuição normal.

Estimativas Baseadas em Percentis

Uma abordagem diferente para estimar dispersão é com base na observação da distribuição dos dados classificados. A estatística baseada em dados classificados (ordenados) é chamada de *estatística ordinal*. A medida mais básica é a *amplitude*: a diferença entre o maior e o menor número. É bom conhecer os valores máximos e mínimos, que são úteis na identificação dos outliers, mas a amplitude é extremamente sensível aos outliers e não é muito útil como medida geral da dispersão dos dados.

Para evitar a sensibilidade aos outliers, podemos observar a amplitude dos dados depois da exclusão dos valores de cada ponta. Formalmente, esses tipos de estimativas são baseados em diferenças entre *percentis*. Em um conjunto de dados, o percentil P é um valor em que ao menos P por cento dos valores assume esse valor ou menos, e ao menos $(100 - P)$ por cento dos valores assume esse valor ou mais. Por exemplo, para encontrar o 80° percentil, classifique os dados. Então, começando com o menor valor, avance 80% em direção ao maior valor. Note que a mediana é a mesma coisa que o 50° percentil. O percentil é basicamente o mesmo que um *quantil*, com quantis indexados por frações (então o quantil .8 é igual ao 80° percentil).

Uma medida comum da variabilidade é a diferença entre o 25° percentil e o 75° percentil, chamada de *amplitude interquartil (ou IQR)*. Aqui está um exemplo simples: 3, 1, 5, 3, 6, 7, 2, 9. Classificamos então em 1, 2, 3, 3, 5, 6, 7, 9. O 25° percentil está em 2,5, e o 75° percentil está em 6,5, então a amplitude interquartil é 6,5 – 2,5 = 4. Softwares podem ter abordagens ligeiramente diferentes que geram respostas diferentes (veja a nota a seguir). Geralmente essas diferenças são menores.

Para conjuntos de dados muito grandes, calcular os percentis exatos pode ser muito caro computacionalmente, pois exige a classificação de todos os valores do dado. Softwares estatísticos e de aprendizado de máquina utilizam algoritmos especiais, como Zhang-Wang-2007, para conseguir um percentil aproximado que pode ser calculado muito rapidamente e certamente tem alguma precisão.

Percentil: Definição Precisa

Se tivermos um número par de dados (n é par), então o percentil é ambíguo, conforme a definição anterior. Na verdade, podemos assumir qualquer valor entre as estatísticas ordinais $x_{(j)}$ e x_{j+1}, em que j satisfaz:

$$100 * \frac{j}{n} \leq P < 100 * \frac{j+1}{n}$$

Geralmente, o percentil é a média ponderada:

$$\text{Percentile}(P) = (1 - w)x_{(j)} + wx_{(j+1)}$$

para alguns pesos w entre 0 e 1. Softwares estatísticos têm abordagens ligeiramente diferentes na escolha de w. Na realidade, a função quantil de R oferece nove alternativas diferentes para calcular o quantil. Exceto em conjuntos de dados pequenos, não costuma ser necessário se preocupar com o modo específico pelo qual o percentil é calculado.

Exemplo: Estimativas de Variabilidade de População Estadual

A Tabela 1-3 (convenientemente replicada da Tabela 1-2 anterior) mostra as primeiras linhas do conjunto de dados contendo a população e as taxas de homicídio de cada estado.

Tabela 1-3. Algumas linhas do data.frame estado da população e taxa de homicídios por estado

	Estado	População	Taxa de homicídio
1	Alabama	4.779.736	5,7
2	Alasca	710.231	5,6
3	Arizona	6.392.017	4,7
4	Arkansas	2.915.918	5,6
5	Califórnia	37.253.956	4,4
6	Colorado	5.029.196	2,8
7	Connecticut	3.574.097	2,4
8	Delaware	897.934	5,8

Usando as funções integradas de R para desvio-padrão, amplitude interquartis (IQR) e desvio absoluto mediano da mediana (MAD), podemos calcular estimativas de variabilidade para os dados de população estaduais:

```
> sd(state[["Population"]])
[1] 6848235
> IQR(state[["Population"]])

[1] 4847308
> mad(state[["Population"]])
[1] 3849870
```

O desvio-padrão é quase o dobro de MAD (no R, a escala predefinida do MAD é ajustada para estar na mesma escala da média). Isso não é novidade, já que o desvio-padrão é sensível aos outliers.

Ideias-chave

- A variância e o desvio-padrão são as estatísticas de variabilidade mais difundidas e comumente registradas.
- Ambos são sensíveis aos outliers.
- Métricas mais robustas incluem desvios absolutos médio e de mediana da média e percentis (quantis).

Leitura Adicional

1. O recurso estatístico online de David Lane tem uma seção sobre percentis. Disponível em http://onlinestatbook.com/2/introduction/percentiles.html (conteúdo em inglês).
2. Kevin Davenport tem uma postagem útil sobre desvios da mediana e suas propriedades robustas no R-Bloggers. Disponível em https://www.r-bloggers.com/absolute-deviation-around-the-median/ (conteúdo em inglês).

Explorando a Distribuição de Dados

Cada uma das estimativas que vimos resume os dados em um único número para descrever a localização ou variabilidade dos dados. É útil também para explorar como os dados são distribuídos em geral.

Termos-chave para Explorar a Distribuição

Boxplot
Um gráfico apresentado por Tukey como um modo rápido de visualizar a distribuição dos dados.
Sinônimo
gráfico de caixa e capilar

Tabela de frequências
Um registro da contagem de valores numéricos de dados que caem em um conjunto de intervalos (colunas).

> **Histograma**
> Um gráfico da tabela de frequências com as colunas no eixo x e a contagem (ou proporção) no eixo y.
>
> **Gráfico de densidade**
> Uma versão simplificada do histograma, frequentemente usado em estimativas de densidade Kernel.

Percentis e Boxplots

Em "Estimativas Baseadas em Percentis", anteriormente, exploramos como os percentis podem ser usados para medir a dispersão dos dados. Os percentis também são valiosos para resumir toda a distribuição. É comum registrar os quartis ($25°$, $50°$ e $75°$ percentis) e os decis ($10°$, $20°$, ..., $90°$ percentis). Percentis são especialmente valiosos para resumir as *caudas* (a amplitude externa) da distribuição. A cultura popular cunhou o termo *um por cento* para se referir às pessoas no $99°$ percentil superior de riqueza.

A Tabela 1-4 exibe alguns percentis da taxa de homicídios por estado. Em R, isso seria produzido pela função `quantile`:

```
quantile(state[["Murder.Rate"]], p=c(.05, .25, .5, .75, .95))
   5%   25%   50%   75%   95%
1.600 2.425 4.000 5.550 6.510
```

Tabela 1-4. Percentis de taxa de homicídio por estado

5%	25%	50%	75%	95%
1.60	2.42	4.00	5.55	6.51

A mediana é de 4 homicídios por 100 mil pessoas, porém existe certa variabilidade: o $5°$ percentil é de apenas 1.6, e o $95°$ percentil é de 6.51.

Os *boxplots*, apresentados por Tukey (Tukey, 1977), são baseados em percentis e são um modo rápido de visualizar a distribuição dos dados. A Figura 1-2 mostra um boxplot da população por estado produzido pelo R:

```
boxplot(state[["Population"]]/1000000, ylab="Population (millions)")
```

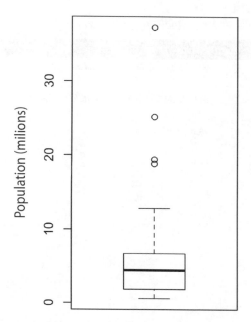

Figura 1-2. Boxplot de populações por estado[1]

As partes superior e inferior da caixa são o 75° e o 25° percentis, respectivamente. A mediana é mostrada pela linha horizontal na caixa. As linhas pontilhadas, chamadas de *whiskers*, se estendem do topo e da base para indicar a variação da massa de dados. Existem muitas variações de um boxplot. Veja, por exemplo, a documentação para a função boxplot do R (R-base, 2015). Por predefinição, a função estende os whiskers até o ponto mais longe além da caixa, porém não vai além de 1.5 vez o IQR (outros softwares podem ter uma regra diferente). Quaisquer dados fora da whiskers são representados como pontos únicos.

Tabela de Frequências e Histogramas

Uma tabela de frequências de uma variável divide a amplitude variável em segmentos igualmente espaçados e nos diz quantos valores caem em cada segmento. A Tabela 1-5 mostra as frequências da população por estado calculada em R:

```
breaks <- seq(from=min(state[["Population"]]),
              to=max(state[["Population"]]), length=11)
pop_freq <- cut(state[["Population"]], breaks=breaks,
              right=TRUE, include.lowest = TRUE)
table(pop_freq)
```

---

[1] N.E.: As figuras relacionadas a códigos foram mantidas com o texto original em inglês.

Tabela 1-5. Uma tabela de frequências de população por estado

NúmCat	AmpCat	Cont	Estados
1	563.626– 4.232.658	24	WY,VT,ND,AK,SD,DE,MT,RI,NH,ME,HI,ID,NE,WV,NM,NV,UT,KS,AR,MS,IA,CT,OK,OR
2	4.232.659– 7.901.691	14	KY,LA,SC,AL,CO,MN,WI,MD,MO,TN,AZ,IN,MA,WA
3	7.901.692– 11.570.724	6	VA,NJ,NC,GA,MI,OH
4	11.570.725– 15.239.757	2	PA,IL
5	15.239.758– 18.908.790	1	FL
6	18.908.791– 22.577.823	1	NY
7	22.577.824– 26.246.856	1	TX
8	26.246.857– 29.915.889	0	
9	29.915.890– 33.584.922	0	
10	33.584.923– 37.253.956	1	CA

O estado menos populoso é Wyoming, com 563.626 pessoas (censo de 2010), e o mais populoso é a Califórnia, com 37.253.956 pessoas. Isso nos dá uma amplitude de 37.253.956 – 563.626 = 36.690.330, que devemos dividir em colunas de mesmo tamanho, digamos, dez colunas. Com dez colunas do mesmo tamanho, cada coluna terá uma largura de 3.669.033, logo, a primeira coluna vai de 563.626 a 4.232.658. Em contrapartida, a coluna superior, de 33.584.923 a 37.253.956, tem apenas um estado: a Califórnia. As duas colunas imediatamente abaixo da Califórnia estão vazias, até chegarmos ao Texas. É importante incluir as colunas vazias. O fato de não haver valores naquelas colunas é uma informação útil. Pode ser útil também experimentar com diferentes tamanhos de colunas. Se forem muito grandes, as características importantes da distribuição podem ser ocultadas. Se forem muito pequenas, o resultado será muito granular, e a capacidade de ver um panorama maior se perderá.

Tanto as tabelas de frequências quanto os percentis resumem os dados por meio da criação de colunas. Em geral, os quartis e decis terão a mesma contagem em cada coluna (colunas de mesma contagem), mas os tamanhos das colunas serão diferentes. A tabela de frequências, por outro lado, terá contagens diferentes nas colunas (colunas de mesmo tamanho).

22 | Capítulo 1: Análise Exploratória de Dados

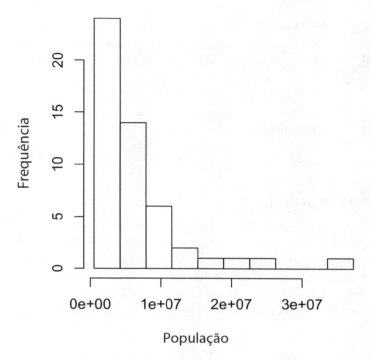

Figura 1-3. Histograma de populações estaduais

Um histograma é um jeito de visualizar uma tabela de frequências, com as colunas no eixo x e a contagem de dados no eixo y. Para criar um histograma correspondente com a Tabela 1-5 em R, use a função hist com o argumento breaks:

```
hist(state[["Population"]], breaks=breaks)
```

O histograma está na Figura 1-3. Em geral os histogramas são representados de modo que:

- As colunas vazias sejam incluídas no gráfico.
- As colunas tenham largura igual.
- O número de colunas (ou, igualmente, o tamanho das colunas) seja opção do usuário.
- As barras sejam contínuas — sem espaços vazios entre elas, a menos que seja uma coluna vazia.

> **Momentos Estatísticos**
>
> Em teoria estatística, a localização e a variabilidade são chamadas de primeiro e segundo *momentos* daquela distribuição. O terceiro e o quarto momentos são chamados de *assimetria* e *curtose*. A assimetria indica se um dado está inclinado a valores maiores ou menores, e a curtose indica a propensão dos dados a terem valores extremos. Geralmente, as métricas não são usadas para medir assimetria e curtose. Em vez disso, estas são descobertas através de exibições visuais como as Figuras 1-2 e 1-3.

Estimativas de Densidade

Relacionado ao histograma, existe um gráfico de densidade, que mostra a distribuição dos valores dos dados como uma linha contínua. Um gráfico de densidade pode ser visto como um histograma simplificado, apesar de ser tipicamente calculado diretamente a partir dos dados através de uma *estimativa de densidade de Kernel* (veja em Duong, 2001, um pequeno tutorial). A Figura 1-4 mostra uma estimativa de densidade sobreposta em um histograma. Em R, pode-se calcular a estimativa de densidade utilizando a função `density`:

```
hist(state[["Murder.Rate"]], freq=FALSE)
lines(density(state[["Murder.Rate"]]), lwd=3, col="blue")
```

Uma diferença-chave do histograma exibido na Figura 1-3 é a escala do eixo y: um gráfico de densidade corresponde à representação do histograma como uma proporção, em vez de contagens (especifica-se isso em R utilizando o argumento `freq=FALSE`).

> **Estimação de Densidade**
>
> A estimação de densidade é um tópico rico com uma longa história na literatura estatística. Na verdade, mais de 20 pacotes R publicados oferecem funções para estimação de densidade. Deng-Wickham (2011) faz uma revisão abrangente dos pacotes R, com uma recomendação específica para `ASH` ou `KernSmooth`. Para muitos problemas de ciência de dados, não há a necessidade de se preocupar com os muitos tipos de estimativas de densidade. É suficiente utilizar as funções básicas.

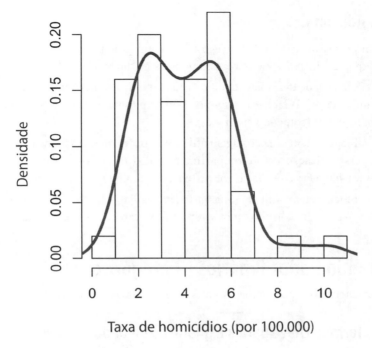

Figura 1-4. Densidade das taxas de homicídio estaduais

> ### Ideias-chave
>
> - Um histograma de frequências registra contagens de frequências no eixo y e valores variáveis no eixo x. Isso dá uma ideia da distribuição dos dados de forma rápida.
> - Uma tabela de frequências é uma versão tabular das contagens de frequências encontradas em um histograma.
> - Um boxplot — com o topo e a base da caixa no 75° e 25° percentis, respectivamente — também dá uma ideia rápida da distribuição dos dados. Costuma ser usado em exibições lado a lado para comparar as distribuições.
> - Um gráfico de densidade é a versão simplificada de um histograma. Precisa de uma função para estimar um gráfico com base nos dados (é possível fazer múltiplas estimativas, obviamente).

Leitura Adicional

- Um professor da SUNY Oswego oferece um guia passo a passo para criar um boxplot em http://www.oswego.edu/~srp/stats/bp_con.htm (conteúdo em inglês).

- A estimação de densidade em R é vista na publicação de mesmo nome de Henry Deng e Hadley Wickham, disponível em http://vita.had.co.nz/papers/density-estimation.pdf (conteúdo em inglês).

- O R-Bloggers tem uma postagem útil sobre histogramas em R, incluindo elementos de personalização, como compartimentações (intervalos). Disponível em https://www.r-bloggers.com/basics-of-histograms/ (conteúdo em inglês).

- O R-Bloggers tem também uma postagem similar sobre boxplots em R em https://www.r-bloggers.com/box-plot-with-r-tutorial/ (conteúdo em inglês).

Explorando Dados Binários e Categóricos

Para dados categóricos, proporções simples ou porcentagens, conte o histórico dos dados.

Termos-chave para a Exploração de Dados Categóricos

Moda
A categoria, ou valor, de maior ocorrência em um conjunto de dados.

Valor esperado
Quando as categorias podem ser associadas a um valor numérico, isso nos dá um valor médio com base na probabilidade de ocorrência de uma categoria.

Gráficos de barras
A frequência ou proporção de cada categoria representada por barras.

Gráficos de pizza
A frequência ou proporção de cada categoria representada por fatias de uma pizza.

Obter o resumo de uma variável binária, ou de uma variável categórica com poucas categorias, é uma questão bastante fácil: nós apenas encontramos a proporção de 1s, ou das categorias importantes. Por exemplo, a Tabela 1-6 mostra a porcentagem de voos atrasados por causador do atraso no aeroporto de Dallas/Fort Worth desde 2010. Os atrasos são categorizados como sendo devidos a fatores de controle da companhia aérea, atrasos no sistema do controle de tráfego aéreo (CTA), clima, segurança ou entrada tardia da aeronave.

Tabela 1-6. Porcentagem de atrasos por causador no aeroporto Dallas-Fort Worth

Cia.	CTA	Clima	Segurança	Entrada
23.02	30.40	4.03	0.12	42.43

Os gráficos de barra são uma ferramenta visual comum para exibir uma única variável categórica, e costumam ser vistos na imprensa popular. As categorias são listadas no eixo x, e as frequências ou proporções no eixo y. A Figura 1-5 mostra os atrasos do aeroporto a cada ano por causador no Dallas/Fort Worth, e foi produzido com a função barplot de R:

```
barplot(as.matrix(dfw)/6, cex.axis=.5)
```

Note que um gráfico de barras lembra um histograma. Em um gráfico de barras, o eixo x representa diferentes categorias da variável de um fator, enquanto em um histograma o eixo x representa os valores de uma única variável em uma escala numérica. Em um histograma, as barras geralmente são exibidas tocando umas nas outras, com vãos indicando valores que não ocorreram nos dados. Em um gráfico de barras, as barras aparecem separadas umas das outras.

Os gráficos de pizza são uma alternativa aos gráficos de barras, porém estatísticos e especialistas em visualização de dados geralmente evitam os gráficos de pizza, por serem menos visualmente informativos (veja Few, 2007).

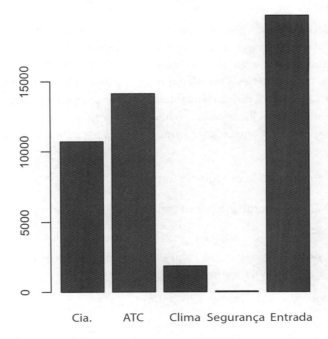

Figura 1-5. Gráfico de barras de atrasos aéreos no DFW por causador

Dados Numéricos como Dados Categóricos

Em "Tabela de Frequências e Histogramas", antes, neste capítulo, vimos tabelas de frequência com base na compartimentação dos dados. Isso converte implicitamente os dados numéricos em um fator ordenado. Nesse sentido, histogramas e gráficos de barras são semelhantes, com exceção das categorias no eixo x do gráfico de barras, que não são ordenadas. A conversão de um dado numérico em dado categórico é um passo importante e muito usado na análise de dados, pois reduz a complexidade (e o tamanho) dos dados. Isso auxilia no descobrimento de relações entre características, particularmente nas etapas iniciais de uma análise.

Moda

A moda é o valor — ou valores, em caso de empate — que aparece com maior frequência nos dados. Por exemplo, a moda dos causadores de atraso no aeroporto Dallas/Fort é "Entrada". Como outro exemplo, em muitas regiões dos Estados Unidos, a moda para preferências religiosas seria o cristianismo. A moda é um resumo estatístico simples para dados categóricos, e não costuma ser usada para dados numéricos.

Valor Esperado

Um tipo especial de dado categórico é aquele no qual as categorias representam, ou podem ser transformadas em, valores discretos na mesma escala. Um vendedor de uma nova tecnologia de nuvem, por exemplo, oferece dois níveis de serviço, um que custa $300/mês e outro que custa $50/mês. O vendedor oferece webinars gratuitos para gerar leads, e a empresa percebe que 5% dos participantes assinarão o serviço de $300, 15% o de $50, e 80% não assinarão nada. Esses dados podem ser resumidos, para fins financeiros, em um único "valor esperado", que é uma forma de média ponderada em que os pesos são as probabilidades.

O valor esperado é calculado da seguinte forma:

1. Multiplique cada resultado por sua probabilidade de ocorrer.
2. Some esses valores.

No exemplo do serviço de nuvem, o valor esperado de um participante de webinar é $22,50 por mês, calculado da seguinte forma:

$$EV = (0.05)(300) + (0.15)(50) + (0.80)(0) = 22.5$$

O valor esperado é, na verdade, uma forma de média ponderada: ele soma as ideias das expectativas futuras e os pesos de probabilidades, geralmente com base em julgamentos subjetivos. O valor esperado é um conceito fundamental na avaliação de negócios e orçamentos de capital — por exemplo, o valor esperado de cinco anos de lucros de uma nova aquisição, ou a economia esperada de um novo software de gerenciamento de pacientes em uma clínica.

Ideias-chave

- Os dados categóricos costumam ser resumidos em proporções, e podem ser visualizados em um gráfico de barras.

- As categorias podem representar coisas distintas (maçãs e laranjas, homem e mulher), os níveis de uma variável de fator (baixo, médio e alto) ou dados numéricos que tenham sido categorizados.

- O valor esperado é a soma dos valores vezes sua probabilidade de ocorrência, e costuma ser usado para resumir os níveis de uma variável de fator.

Leitura Adicional

Nenhum curso de estatística está completo sem uma lição sobre gráficos enganosos, que costuma envolver gráficos de barras e gráficos de pizza. Disponível em http://passyworldofmathematics.com/misleading-graphs/ (conteúdo em inglês).

Correlação

A análise exploratória de dados, em muitos projetos de modelagem (seja em ciências de dados ou em pesquisa), envolve o estudo da correlação entre preditores, e entre preditores e uma variável-alvo. As variáveis X e Y (cada uma com dados medidos) são tidas como positivamente correlacionadas se valores altos de X acompanharem os valores altos de Y, e os valores baixos de X acompanharem os valores baixos de Y. Se os valores altos de X acompanharem os valores baixos de Y, e vice-versa, as variáveis são negativamente correlacionadas.

Termos-chave para Correlação

Coeficiente de correlação
Uma métrica que mede o nível em que as variáveis numéricas estão associadas umas às outras (varia de −1 a +1).

> **Matriz de correlação**
> Uma tabela na qual as variáveis são mostradas tanto nas linhas quanto nas colunas, e os valores das células são a correlação entre as variáveis.
>
> **Diagrama de Dispersão**
> Um gráfico no qual o eixo x é o valor de uma variável, e o eixo y é o valor de outra.

Considere estas duas variáveis, perfeitamente correlacionadas no sentido de que cada uma vai de baixa a alta:

v1: {1, 2, 3}
v2: {4, 5, 6}

A soma vetorial dos produtos é 4 + 10 + 18 = 32. Agora tente embaralhar uma delas e recalcular — a soma vetorial dos produtos nunca será maior que 32. Então, essa soma dos produtos pode ser usada como uma métrica. Ou seja, a soma observada de 32 pode ser comparada a muitos embaralhamentos aleatórios (na realidade, essa ideia se relaciona a uma estimativa baseada em reamostragem: veja "Teste de Permuta" no Capítulo 3). Os valores produzidos por essa métrica, porém, não são tão significativos, a não ser para referência na distribuição de reamostragem.

Uma variante padronizada é mais útil: o *coeficiente de correlação*, que oferece uma estimativa da correlação entre duas variáveis que sempre ficam na mesma escala. Para calcular o *coeficiente de correlação de Pearson*, multiplicamos os desvios da média da variável 1 pelos da variável 2, e dividimos pelo produto do desvio-padrão:

$$r = \frac{\Sigma_{i=1}^{N}(x_i - \bar{x})(y_i - \bar{y})}{(N-1)s_x s_y}$$

Note que dividimos por $n - 1$, em vez de n; veja mais detalhes em "Graus de Liberdade e n ou $n - 1$?", anteriormente, neste capítulo. O coeficiente de correlação sempre fica entre +1 (correlação positiva perfeita) e –1 (correlação negativa perfeita). O 0 indica ausência de correlação.

As variáveis podem ter uma associação que não seja linear, e nesse caso o coeficiente de correlação pode não ser uma métrica útil. Um exemplo é o relacionamento entre alíquotas fiscais e arrecadação: conforme as alíquotas fiscais sobem de 0, a arrecadação também sobe. No entanto, uma vez que as alíquotas fiscais atinjam um alto nível e se aproximam de 100%, a evasão fiscal também aumenta, e a arrecadação acaba caindo.

30 | Capítulo 1: Análise Exploratória de Dados

A Tabela 1-7, chamada de *matriz de correlação*, mostra a correlação entre os retornos diários de ações de telecomunicação de julho de 2012 a junho de 2015. A partir da tabela, pode-se ver que Verizon (VZ) e ATT (T) têm a maior correlação. A Level Three (LVLT), que é uma empresa de infraestrutura, tem a menor correlação. Observe a diagonal de 1s (a correlação de uma ação consigo mesma é 1) e a redundância das informações acima e abaixo da diagonal.

Tabela 1-7. Correlação entre retornos de ações de telecomunicação

	T	CTL	FTR	VZ	LVLT
T	1.000	0.475	0.328	0.678	0.279
CTL	0.475	1.000	0.420	0.417	0.287
FTR	0.328	0.420	1.000	0.287	0.260
VZ	0.678	0.417	0.287	1.000	0.242
LVLT	0.279	0.287	0.260	0.242	1.000

Uma tabela de correlações, como a Tabela 1-7, é comumente desenhada de modo a expor visualmente o relacionamento entre múltiplas variáveis. A Figura 1-6 mostra a correlação entre os retornos diários dos maiores fundos de índice (exchange traded funds — ETF). Em R, podemos criar isso facilmente utilizando o pacote `corrplot`:

```
etfs <- sp500_px[row.names(sp500_px)>"2012-07-01",
                 sp500_sym[sp500_sym$sector=="etf", 'symbol']]
library(corrplot)
corrplot(cor(etfs), method = "ellipse")
```

Os ETF da S&P 500 (SPY) e o índice Dow Jones (DIA) têm alta correlação. Da mesma forma, a QQQ e a XLK, compostas principalmente por empresas de tecnologia, são positivamente correlacionadas. ETF defensivas, como aquelas que monitoram o preço do ouro (GLD), do petróleo (USO) ou a volatilidade do mercado (VXX), tendem a ser negativamente correlacionadas às outras ETF. A orientação da elipse indica se duas variáveis são positivamente correlacionadas (a elipse aponta para a direita) ou negativamente correlacionadas (a elipse aponta para a esquerda). O sombreamento e a largura da elipse indicam a força da associação: elipses mais finas e escuras correspondem a relacionamentos mais fortes.

Como a média e o desvio-padrão, o coeficiente de correlação é sensível aos outliers nos dados. Os pacotes do software oferecem alternativas robustas ao coeficiente de correlação clássico. Por exemplo, a função `cor` de R tem um argumento de apara similar àquele para cálculo de uma média aparada (veja R-base, 2015).

Correlação | 31

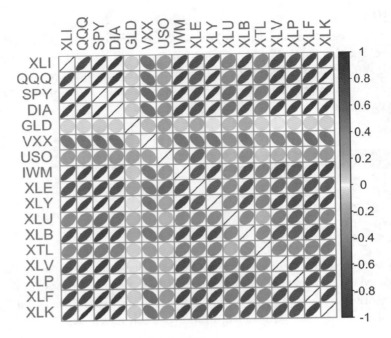

Figura 1-6. Correlação entre retornos de ETF

Outras Estimativas de Correlação

Estatísticos propuseram há muito tempo outros tipos de coeficientes de correlação, tais como *rho de Spearman* ou *tau de Kendall*. Estes são coeficientes de correlação baseados na classificação dos dados. Como trabalham com classificações, em vez de valores, essas estimativas são robustas contra outliers e podem manipular certos tipos de não linearidades. No entanto, os cientistas de dados geralmente podem continuar usando o coeficiente de correlação de Pearson, e suas alternativas robustas, para análises exploratórias. O apelo de estimativas baseadas em classificação é mais voltado a conjuntos de dados menores e testes de hipóteses específicas.

Gráficos de Dispersão

O modo-padrão de visualizar o relacionamento entre duas variáveis de dados mensuradas é com um gráfico de dispersão. O eixo x representa uma variável, o eixo y, outra, e cada ponto no gráfico é um registro. Veja na Figura 1-7 um gráfico entre os retornos diários das empresas ATT e Verizon. Isso foi produzido em R com o comando:

```
plot(telecom$T, telecom$VZ, xlab="T", ylab="VZ")
```

Os retornos têm uma forte relação positiva: na maioria dos dias, as duas ações sobem ou descem paralelamente. São muito poucos os dias em que uma ação cai significativamente enquanto a outra ação sobe (e vice-versa).

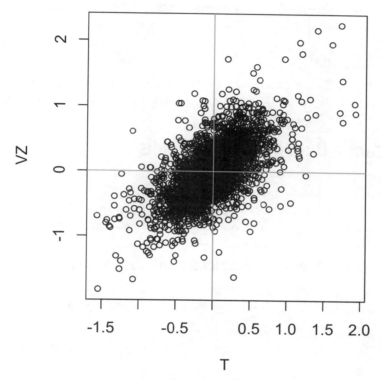

Figura 1-7. Gráfico de dispersão entre os retornos das empresas ATT e Verizon

---

Ideias-chave para Correlação

- O coeficiente de correlação mede o nível em que duas variáveis são associadas uma à outra.

- Quando valores altos de v1 acompanham valores altos de v2, v1 e v2 são associados positivamente.

- Quando valores altos de v1 são associados a valores baixos de v2, v1 e v2 são associados negativamente.

- O coeficiente de correlação é uma métrica padronizada, então sempre varia de -1 (correlação negativa perfeita) a +1 (correlação positiva perfeita).

- Um coeficiente de correlação de 0 indica ausência de correlação. Mas fique atento, pois arranjos aleatórios de dados produzirão tanto valores positivos quanto negativos para o coeficiente de correlação, apenas pelo acaso.

Leitura Adicional

Statistics (Estatística, em tradução livre) 4ª edição, de David Freedman, Robert Pisani e Roger Purves (W. W. Norton, 2007), apresenta uma excelente abordagem sobre correlação.

Explorando Duas ou Mais Variáveis

Estimadores familiares, como média e variância, examinam uma variável por vez (*análise univariada*). A análise de correlação (veja "Correlação", antes, neste capítulo) é um método importante que compara duas variáveis (*análise bivariada*). Nesta seção veremos estimativas e gráficos adicionais e com mais de duas variáveis (*análise multivariada*).

Termos-chave para a Exploração de Duas ou Mais Variáveis

Tabelas de contingência
Um registro das contagens entre duas ou mais variáveis categóricas.

Compartimentação hexagonal
O gráfico de duas variáveis métricas com os registros compartimentados em hexágonos.

Gráficos de contorno
Um gráfico mostrando a densidade de duas variáveis numéricas como um mapa topográfico.

Gráficos violino
Semelhante a um boxplot, mas mostrando a estimativa de densidade.

Como a análise univariada, a análise bivariada envolve tanto o cálculo de estatísticas resumidas quanto a produção de representações visuais. O tipo adequado de análise bivariada ou multivariada depende da natureza dos dados: numéricos versus categóricos.

Compartimentação Hexagonal e Contornos (Representando Numéricos versus Dados Numéricos)

Gráficos de dispersão são bons quando há um número relativamente pequeno de valores de dados. O gráfico de retorno de ações na Figura 1-7 envolve apenas cerca de 750 pontos. Para conjuntos de dados com centenas de milhares, ou milhões, de registros, um gráfico de dispersão seria muito denso, então precisamos de um modo diferente de visualizar o relacionamento. Para ilustrar, considere o conjunto de dados kc_tax, que contém os valores impostos de propriedades residenciais em King County, Washington. A fim de nos concentrar na parte central dos dados, retiramos as residências muito caras e muito pequenas ou grandes usando a função subset:

```
kc_tax0 <- subset(kc_tax, TaxAssessedValue < 750000 & SqFtTotLiving>100 &
                  SqFtTotLiving<3500)
nrow(kc_tax0)
[1] 432733
```

A Figura 1-8 é um gráfico de *compartimentação hexagonal* do relacionamento entre o valor do metro quadrado acabado versus o valor de imposto residencial em King County. Em vez de registrar pontos, o que pareceria uma nuvem monolítica escura, nós agrupamos os registros em compartimentos hexagonais e registramos os hexágonos com uma cor indicando o número de registros naquele compartimento. Neste gráfico, o relacionamento positivo entre metro quadrado e valor de imposto é claro. Uma característica interessante é o indício de uma segunda nuvem sobre a nuvem principal, indicando residências que têm a mesma metragem quadrada que aquelas da nuvem principal, mas com um valor de imposto maior.

A Figura 1-8 foi gerada pelo potente pacote ggplot2 de R, desenvolvido por Hadley Wickham [ggplot2]. ggplot2 é uma das muitas novas bibliotecas de software para análises visuais exploratórias de dados avançadas. Veja "Visualizando Variáveis Múltiplas", mais à frente, neste capítulo.

```
ggplot(kc_tax0, (aes(x=SqFtTotLiving, y=TaxAssessedValue))) +
    stat_binhex(colour="white") +
    theme_bw() +
    scale_fill_gradient(low="white", high="black") +
    labs(x="Finished Square Feet", y="Tax Assessed Value")
```

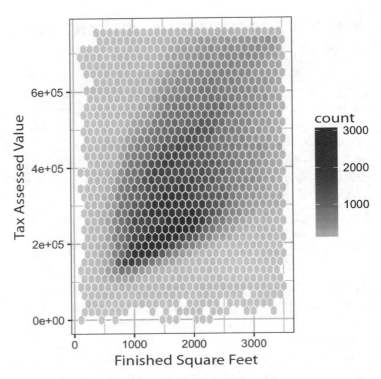

Figura 1-8. Compartimentação hexagonal para valores de impostos versus metro quadrado acabado

A Figura 1-9 usa contornos sobrepostos em um gráfico de dispersão para visualizar o relacionamento entre duas variáveis numéricas. Os contornos são, basicamente, um mapa topográfico de duas variáveis. Cada faixa do contorno representa uma densidade de pontos específica, aumentando conforme um se aproxima de um "pico". Esse gráfico mostra uma história semelhante à da Figura 1-8: existe um pico secundário ao "norte" do pico principal. Esse gráfico também foi criado usando `ggplot2` com a função integrada `geom_density2d`.

```
ggplot(kc_tax0, aes(SqFtTotLiving, TaxAssessedValue)) +
    theme_bw() +
    geom_point( alpha=0.1) +
    geom_density2d(colour="white") +
    labs(x="Finished Square Feet", y="Tax Assessed Value")
```

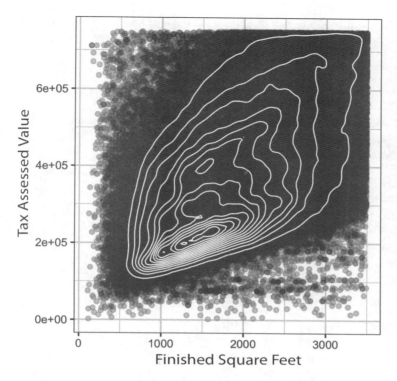

Figura 1-9. Gráfico de contorno para valor de imposto versus metro quadrado acabado

Outros tipos de gráficos são usados para mostrar o relacionamento entre duas variáveis numéricas, incluindo *mapas de calor*. Mapas de calor, compartimentação hexagonal e gráficos de contorno oferecem uma representação visual de uma densidade bidimensional. Assim, são naturalmente análogos a histogramas e gráficos de densidade.

Duas Variáveis Categóricas

Um jeito útil de resumir duas variáveis categóricas é a tabela de contingências — uma tabela de contingências por categoria. A Tabela 1-8 mostra a tabela de contingências entre a nota de um empréstimo pessoal e o resultado daquele empréstimo. Isso é retirado dos dados fornecidos pelo Lending Club, um líder no negócio de empréstimos pessoais. A nota vai de A (alta) a G (baixa). O resultado pode ser pago, corrente, atrasado ou revertido (não se espera receber o saldo do empréstimo). Essa tabela mostra as porcentagens de contagem e linha. Empréstimos de nota alta têm porcentagem bem baixa de atraso/reversão, se comparados a empréstimos de nota baixa. As tabelas de contingência conseguem olhar apenas para as contagens, ou incluir também porcentagens de coluna e total. As tabelas dinâmicas no Excel talvez sejam a ferramenta mais comum utilizada na criação de tabelas de contingência. Em R, a função `CrossTable` no pacote `descr` produz tabelas de contingência, e o código a seguir foi usado para criar a Tabela 1-8:

```
library(descr)
x_tab <- CrossTable(lc_loans$grade, lc_loans$status,
                    prop.c=FALSE, prop.chisq=FALSE, prop.t=FALSE)
```

Tabela 1-8. Tabela de contingência para notas e status de empréstimos

Nota	Totalmente pago	Corrente	Atrasado	Revertido	Total
A	20715	52058	494	1588	74855
	0.277	0.695	0.007	0.021	0.161
B	31782	97601	2149	5384	136916
	0.232	0.713	0.016	0.039	0.294
C	23773	92444	2895	6163	125275
	0.190	0.738	0.023	0.049	0.269
D	14036	55287	2421	5131	76875
	0.183	0.719	0.031	0.067	0.165
E	6089	25344	1421	2898	35752
	0.170	0.709	0.040	0.081	0.077
F	2376	8675	621	1556	13228
	0.180	0.656	0.047	0.118	0.028
G	655	2042	206	419	3322
	0.197	0.615	0.062	0.126	0.007
Total	99426	333451	10207	23139	466223

Dados Categóricos e Numéricos

Boxplots (veja "Percentis e Boxplots", antes, neste capítulo) são um jeito simples de comparar visualmente as distribuições de uma variável numérica agrupada conforme uma variável categórica. Por exemplo, podemos querer comparar como a porcentagem de atrasos de voos varia entre as companhias aéreas. A Figura 1-10 mostra a porcentagem de voos que sofreu atrasos em um mês, sendo o atraso dentro do controle da companhia.

```
boxplot(pct_delay ~ airline, data=airline_stats, ylim=c(0, 50))
```

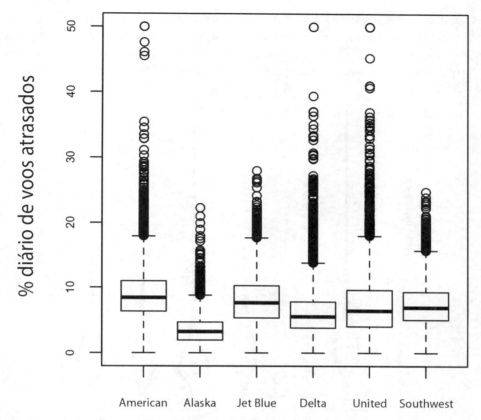

Figura 1-10. Boxplot do percentual de atrasos aéreos por companhia

A Alaska se destaca por ter menos atrasos, enquanto a American tem a maioria deles: o quartil inferior da American é maior que o quartil superior da Alaska.

Um *gráfico violino*, apresentado por Hintze-Nelson (1998), é uma melhoria no boxplot e registra a estimativa de densidade com a densidade no eixo y. A densidade é espelhada e invertida, então o formato resultante é preenchido, criando uma imagem que lembra um violino. A vantagem de um gráfico violino é que ele pode mostrar nuances na distribuição que não seriam perceptíveis em um boxplot. Por outro lado, o boxplot mostra mais claramente os outliers dos dados. Em ggplot2, a função geom_violin pode ser usada para criar um gráfico violino da seguinte forma:

```
ggplot(data=airline_stats, aes(airline, pct_carrier_delay)) +
    ylim(0, 50) +
    geom_violin() +
    labs(x="", y="Daily % of Delayed Flights")
```

O gráfico correspondente aparece na Figura 1-11. O gráfico violino mostra uma concentração na distribuição próxima a zero para a Alaska e, em menor grau, Delta. Esse fenômeno não é tão óbvio no boxplot. Pode-se combinar um gráfico violino com um boxplot adicionando `geom_boxplot` ao gráfico (porém fica melhor quando se usam cores).

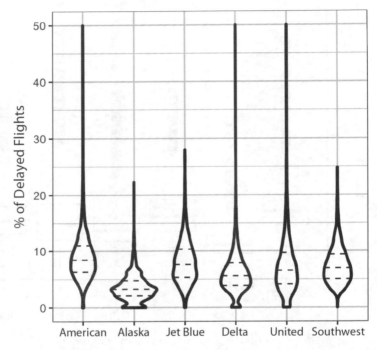

Figura 1-11. Combinação de boxplot e gráfico violino do percentual de atrasos aéreos por companhia

Visualizando Variáveis Múltiplas

Os tipos de gráficos usados para comparar duas variáveis — gráficos de dispersão, compartimentação hexagonal e boxplots — são facilmente extensíveis para mais variáveis através da noção de *condicionamento*. Por exemplo, volte à Figura 1-8, que mostrou o relacionamento entre os valores de metros quadrados acabados e impostos residenciais. Observamos que parece haver uma concentração de casas que têm maior valor de imposto por metro quadrado. Indo mais a fundo, a Figura 1-12 contabiliza os efeitos da localização através do registro dos dados para um conjunto de códigos postais. Agora a imagem está mais clara: o valor de imposto é maior em alguns códigos postais (98112, 98105) do que em outros (98108, 98057). Essa disparidade dá origem aos agrupamentos observados na Figura 1-8.

Criamos a Figura 1-12 usando ggplot2 e a ideia de *facetas*, ou uma variável condicionante (neste caso, o código postal):

```
ggplot(subset(kc_tax0, ZipCode %in% c(98188, 98105, 98108, 98126)),
       aes(x=SqFtTotLiving, y=TaxAssessedValue)) +
  stat_binhex(colour="white") +
  theme_bw() +
  scale_fill_gradient( low="white", high="blue") +
  labs(x="Finished Square Feet", y="Tax Assessed Value") +
  facet_wrap("ZipCode")
```

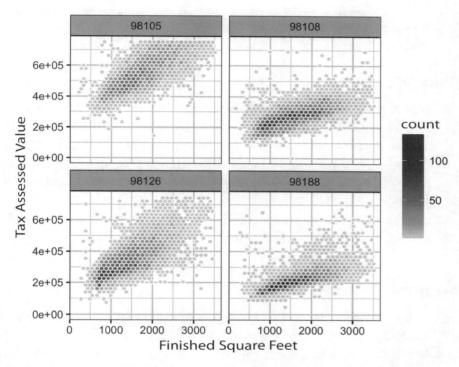

Figura 1-12. Valor de imposto versus metro quadrado acabado por código postal

O conceito de variáveis condicionantes em um sistema gráfico foi iniciado com *gráficos Trellis*, desenvolvidos por Rick Becker, Bill Cleveland e outros no Bell Labs (Trellis-Graphics). Essa ideia se propagou para vários sistemas gráficos modernos, tais como os pacotes lattice (lattice) e ggplot2 em R e os módulos Seaborn (seaborne) e Bokeh (bokeh) em Python. As variáveis condicionantes também são integrantes de plataformas de business intelligence como Tableau e Spotfire. Com o advento da vasta força computacional, as plataformas modernas de visualização já ultrapassaram bastante os humildes primórdios da análise exploratória de dados. No entanto, conceitos e ferramentas-chave desenvolvidos ao longo dos anos ainda compõem os fundamentos desses sistemas.

> ## Ideias-chave
>
> - Compartimentação hexagonal e gráficos de contorno são ferramentas úteis que permitem o estudo gráfico de duas variáveis numéricas por vez, sem ficar sobrecarregados por quantidades enormes de dados.
>
> - As tabelas de contingência são a ferramenta-padrão para a observação de contagens de duas variáveis categóricas.
>
> - Boxplots e gráficos violinos permitem o registro de uma variável numérica contra uma variável categórica.

Leitura Adicional

- *Modern Data Science with R* (Ciência de Dados Moderna com R, em tradução livre), de Benjamin Baumer, Daniel Kaplan e Nicholas Horton (CRC Press, 2017), tem uma apresentação excelente de "gramática para gráficos" (o "gg" em `ggplot`).
- *Ggplot2: Elegant Graphics for Data Analysis* (Ggplot2: Gráficos Elegantes para Análise de Dados, em tradução livre), de Hadley Wickham, é um excelente recurso do criador do `ggplot2` (Springer, 2009).
- Josef Fruehwald tem um tutorial online sobre `ggplot2` em http://www.ling.upenn. edu/~joseff/avml2012/ (conteúdo em inglês).

Resumo

Com o desenvolvimento da análise exploratória de dados (AED), iniciada por John Tukey, a estatística definiu o fundamento que foi o precursor do campo da ciência de dados. A ideia-chave do AED é que o primeiro, e mais importante, passo em qualquer projeto baseado em dados é *olhar para os dados*. Através da sumarização e visualização dos dados, pode-se obter intuição e compreensão valiosas do projeto.

Este capítulo revisou conceitos que abrangeram desde métricas simples, como estimativas de localização e variabilidade, até ricas representações visuais para explorar os relacionamentos entre múltiplas variáveis, como na Figura 1-12. O conjunto diverso de ferramentas e técnicas sendo desenvolvidas pela comunidade de software livre, em conjunto com a expressividade das linguagens R e Python, criou uma infinidade de meios de explorar e analisar os dados. A análise exploratória deveria ser o fundamento de qualquer projeto de ciência de dados.

CAPÍTULO 2
Distribuições de Dados e Amostras

Um equívoco comum é pensar que a era do big data significa o fim da necessidade de amostragem. Na verdade, a proliferação de dados de qualidade e relevâncias variáveis reforça a necessidade da amostragem como ferramenta para trabalhar eficientemente com uma variedade de dados e para minimizar o viés. Mesmo em um projeto de big data, os modelos preditivos são tipicamente desenvolvidos e conduzidos com amostras, que são usadas também em testes de diversos tipos (por exemplo, precificação, web treatments).

A Figura 2-1 mostra um esquema que fundamenta os conceitos deste capítulo. O lado esquerdo representa a população que, na estatística, presume-se seguir uma distribuição subjacente, mas *desconhecida*. A única coisa disponível é a *amostra* e sua distribuição empírica, mostrada do lado direito. Para passar do lado esquerdo para o direito, usamos um procedimento de *amostragem* (representado por setas tracejadas). A estatística tradicional se concentrou muito no lado esquerdo, utilizando teorias baseadas em fortes suposições sobre a população. A estatística moderna passou para o lado direito, em que tais suposições não são necessárias.

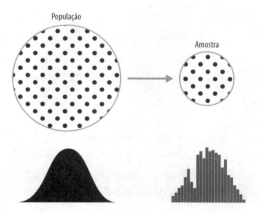

Figura 2-1. População versus amostra

Em geral, os cientistas de dados não precisam se preocupar com a natureza teórica do lado esquerdo. Em vez disso, devem se concentrar nos procedimentos de amostragem e nos dados em mãos. Existem algumas exceções notáveis. Às vezes, os dados são gerados de um processo físico que pode ser modelado. O exemplo mais simples é jogar uma moeda, o que segue uma distribuição binomial. Qualquer situação binomial real (comprar ou não comprar, fraude ou não fraude, clicar ou não clicar) pode ser eficientemente modelada por uma moeda (com probabilidade modificada de resultados de faces, é claro). Nesses casos podemos obter uma ideia melhor ao usar nosso conhecimento da população.

Amostragem Aleatória e Viés de Amostra

Uma *amostra* é um subconjunto de dados de um conjunto maior de dados. Os estatísticos chamam esse conjunto maior de dados de *população*. Uma população, em estatística, não é a mesma coisa que em biologia — é um conjunto de dados grande, definido, mas algumas vezes teórico ou imaginário.

Termos-chave para Amostragem Aleatória

Amostra
Um subconjunto de um conjunto maior de dados.

População
O conjunto maior de dados, ou a ideia de um conjunto de dados.

N (n)
O tamanho da população (amostra).

Amostragem aleatória
Elementos aleatoriamente obtidos para uma amostra.

Amostragem estratificada
Divide a população em estratos e faz amostragens aleatórias em cada estrato.

Amostra aleatória simples
A amostra que resulta de uma amostragem aleatória sem estratificar a população.

Viés de amostragem
Uma amostra que não representa a população.

Amostragem aleatória é um processo no qual cada membro disponível da população sendo amostrada tem chances iguais de ser escolhido para a amostra em cada extração. A amostra resultante é chamada de *amostra aleatória simples*. A amostragem pode ser feita *com reposição*, na qual as observações são devolvidas à população depois de cada extração, para que tenham a possibilidade de ser escolhidas novamente. Ou pode ser feita *sem reposição*, na qual, uma vez que as observações sejam selecionadas, ficam indisponíveis para futuras extrações.

A qualidade dos dados costuma ser mais importante do que sua quantidade ao fazer uma estimativa ou um modelo com base em uma amostra. A qualidade dos dados em ciência de dados envolve a integralidade, consistência de formato, pureza e precisão de dados pontuais individuais. A estatística inclui a noção de *representatividade*.

O exemplo clássico é a pesquisa do *Literary Digest* de 1936, que previu a vitória de Al Landon contra Franklin Roosevelt. O *Literary Digest*, um grande periódico da época, aplicou a pesquisa em toda sua base de assinantes, além de listas adicionais de indivíduos, um total de mais de 10 milhões, e previu uma vitória esmagadora para Landon. George Gallup, fundador da Gallup Poll, conduziu pesquisas quinzenais com apenas 2 mil indivíduos, e previu precisamente a vitória de Roosevelt. A diferença está na seleção das pessoas entrevistadas.

O *Literary Digest* optou por quantidade, prestando pouca atenção ao método de seleção. Eles acabaram selecionando aqueles com nível socioeconômico relativamente alto (seus próprios assinantes, mais aqueles que, por possuírem luxos como telefones e automóveis, apareciam em suas listas comerciais). O resultado foi um *viés de amostragem*, ou seja, a amostra era diferente, de modos importantes e não aleatórios, da grande população que deveria representar. O termo *não aleatório* é importante — dificilmente uma amostra, inclusive aleatória, será exatamente representativa da população. O viés da amostra ocorre quando a diferença é significativa e pode se propagar em outras amostras extraídas da mesma forma que a primeira.

Viés de Autosseleção de Amostragem

As resenhas de restaurantes, hotéis, cafés e afins que você lê em mídias sociais, como Yelp, tendem ao viés, porque as pessoas que escrevem ali não são selecionadas aleatoriamente. Em vez disso, elas mesmas tomam a iniciativa de escrever. Isso leva ao viés de autosseleção — as pessoas motivadas a escrever resenhas podem ser aquelas que tiveram más experiências, podem ter algum tipo de relação com o estabelecimento ou podem simplesmente ser um tipo de pessoa diferente daquelas que não escrevem resenhas. Observe que, mesmo que as amostras autosselecionadas possam ser indicadores não confiáveis da situação real, elas podem ser mais confiáveis para a simples comparação de um estabelecimento com outro semelhante a ele. O mesmo viés de autosseleção pode se aplicar a cada um.

Viés

O viés estatístico se refere a erros de medição ou amostragem que são sistemáticos e produzidos pelo processo de medição ou amostragem. Deve-se fazer uma distinção importante entre erros devido ao acaso e erros devido a viés. Considere o processo físico de uma arma atirando em um alvo. A arma não atingirá o centro exato do alvo todas as vezes, nem mesmo a maioria das vezes. Um processo não enviesado produziria um erro, mas é aleatório, e não tende muito em nenhuma direção (veja a Figura 2-2). Os resultados mostrados na Figura 2-3 mostram um processo enviesado — ainda existe erro aleatório, tanto na direção x quanto na direção y, mas há também um viés. Os tiros tendem a atingir o quadrante superior direito.

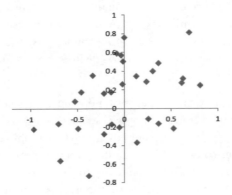

Figura 2-2. Gráfico de dispersão de tiros de uma arma com alvo real

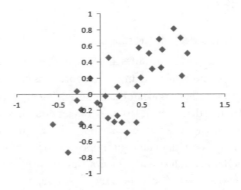

Figura 2-3. Gráfico de dispersão de tiros de uma arma com alvo enviesado

O viés aparece de diferentes formas e pode ser observável ou invisível. Quando um resultado sugere um viés (por exemplo, por referência a um padrão ou a valores reais), costuma ser um indicador de que um modelo estatístico ou de aprendizado de máquina contém erros de especificação, ou que alguma variável importante foi omitida.

Seleção Aleatória

Para evitar o problema de viés de amostragem que levou o *Literary Digest* a prever Landon, em vez de Roosevelt, George Gallup (mostrado na Figura 2-4) optou por métodos mais cientificamente escolhidos para atingir uma amostra que fosse mais representativa do eleitor dos Estados Unidos. Existem hoje diversos métodos para atingir representatividade, mas no coração de todos eles reside a *amostragem aleatória*.

Figura 2-4. George Gallup, alavancado à fama pela falha de "big data" do Literary Digest

A amostragem aleatória nem sempre é fácil. A definição adequada de uma população acessível é a chave. Suponha que queiramos gerar um perfil representativo de clientes e precisamos conduzir um estudo-piloto de clientes. A pesquisa precisa ser representativa, mas é muito trabalhosa.

Primeiro, precisamos definir quem é o cliente. Podemos selecionar todos os registros de clientes nos quais a quantia de compra for > 0. Incluiremos todos os clientes antigos? Incluiremos as devoluções? Testes de compra internos? Revendedores? Tanto agentes de cobrança quanto clientes?

Depois, precisamos especificar um procedimento de amostragem. Poderia ser "selecionar 100 clientes aleatoriamente". No que estiver incluída uma amostragem de um fluxo (por exemplo, clientes físicos ou clientes virtuais), considerações de horário podem ser importantes (por exemplo, um cliente virtual às 10h da manhã em um dia útil pode ser diferente de um cliente virtual às 10h da noite em um fim de semana).

Em *amostragem estratificada*, a população é dividida em *estratos*, e são extraídas amostras aleatórias de cada estrato. Pesquisadores políticos podem tentar conhecer as preferências eleitorais de brancos, negros e hispânicos. Uma simples amostra aleatória da população resultaria em muitos poucos negros e hispânicos, então esses estratos podem ser enfatizados em amostragens estratificadas para resultar amostras de tamanhos equivalentes.

Tamanho versus Qualidade: Quando o tamanho importa?

Na era do big data, muitas vezes é surpreendente que menos seja mais. O tempo e o esforço gastos em amostragens aleatórias não apenas reduzem o viés, mas também permitem maior atenção à exploração de dados e qualidade de dados. Por exemplo, dados faltantes e outliers podem contar informações úteis. Pode ser extremamente caro rastrear os valores faltantes ou avaliar os outliers em milhões de registros, mas fazer isso em uma amostra de diversos milhares de registros pode ser viável. A plotagem de dados e a inspeção manual são prejudicadas se houver dados em excesso.

Então, quando quantidades massivas de dados *são de fato* necessárias?

O cenário clássico para o valor do big data é quando os dados não são apenas grandes, mas também esparsos. Considere as solicitações de pesquisa recebidas pelo Google, em que as colunas são termos, as linhas são as pesquisas individuais e os valores das células são 0 ou 1, dependendo de a pesquisa conter um termo. O objetivo é determinar o melhor destino previsto para a pesquisa de determinada consulta. Existem mais de 150 mil palavras na língua inglesa, e o Google processa mais de 1 trilhão de pesquisas por ano. Isso resulta em uma matriz enorme, e a grande maioria desses registros é "0".

Este é um problema real de big data — apenas quando tais quantidades enormes de dados são acumuladas é que resultados de pesquisa efetivos podem ser retornados para a maioria das consultas. E quanto mais os dados se acumulam, melhores são os resultados. Para pesquisas populares, isso não é um problema — dados eficazes são encontrados com certa rapidez para um punhado de tópicos extremamente populares em um período específico. O valor real da tecnologia moderna de pesquisa é a habilidade de retornar resultados detalhados e úteis para uma enorme variedade de consultas, inclusive aquelas que ocorrem com uma frequência, digamos, de uma em um milhão.

Considere a frase de pesquisa "Ricky Ricardo e Chapeuzinho Vermelho". Nos primórdios da internet, essa pesquisa provavelmente retornaria resultados sobre Ricky Ricardo líder de banda, o programa de TV *I Love Lucy*, do qual ele fez parte, e a história infantil *Chapeuzinho Vermelho*. Mais tarde, uma vez que trilhões de pesquisas estejam acumuladas, essa pesquisa retornaria o episódio exato de *I Love Lucy* no qual Ricky narra, de forma dramática, a história da Chapeuzinho Vermelho para seu filho em uma mistura cômica de inglês e espanhol.

48 | Capítulo 2: Distribuições de Dados e Amostras

Tenha em mente que o número de registros realmente *pertinentes* — aqueles em que essa pesquisa exata, ou algo bastante parecido, aparece (juntamente com informações sobre em quais links a pessoa escolheu clicar) — pode encontrar eficiência ao atingir a marca de milhares. No entanto, muitos trilhões de pontos de dados são necessários a fim de obter esses registros pertinentes (e a amostragem aleatória, é claro, não ajudará). Veja também "Distribuições de Cauda Longa", adiante, neste capítulo.

Média Amostral versus Média Populacional

O símbolo $\bar{x}$ (chamado x-barra) é usado para representar a média de uma amostra de uma população, enquanto μ é usado para representar a média de uma população. Por que fazemos essa distinção? Informações sobre amostras são observadas, e informações sobre grandes populações costumam ser inferidas de amostras menores. Estatísticos gostam de manter as duas coisas separadas na simbologia.

Ideias-chave

- Mesmo na era do big data, a amostragem aleatória continua sendo uma flecha importante da aljava do cientista de dados.

- O viés ocorre quando as medições ou observações estão sistematicamente em erro por não serem representativas da população total.

- A qualidade dos dados costuma ser mais importante do que sua quantidade, e a amostragem aleatória pode reduzir o viés e facilitar a melhoria da qualidade que seria extremamente cara.

Leitura Adicional

- Uma resenha útil de procedimentos de amostragem pode ser encontrada no capítulo "Sampling Methods for Web and E-mail Surveys" (Métodos de Amostragem para Pesquisas de Web e E-mail, em tradução livre) de Ronald Fricker, encontrado no livro *Sage Handbook of Online Research Methods* (Manual Sage para Métodos de Pesquisa Online, em tradução livre). Tal capítulo inclui uma revisão das modificações na amostragem aleatória que costumam ser utilizadas por razões práticas de custo ou viabilidade.

- A história da falha de pesquisa do *Literary Digest* pode ser encontrada no site Capital Century (conteúdo em inglês).

Viés de Seleção

Para parafrasear Yogi Berra: "Se você não sabe o que está procurando, procure bastante e vai encontrar."

O viés de seleção se refere à prática de escolher os dados de forma seletiva — conscientemente ou inconscientemente —, de modo que isso leva a uma conclusão que é enganosa ou efêmera.

Termos-chave

Viés
   Erro sistemático.

Bisbilhotagem de dados
   Pesquisa extensa nos dados em busca de algo interessante.

Efeito de busca vasta
   Viés ou não representabilidade resultante da modelagem repetitiva de dados, ou modelagem de dados com grande número de variáveis preditoras.

Se você especifica uma hipótese e conduz um experimento bem desenhado para testá-la, pode ter alta confiança na conclusão. No entanto, esse não costuma ser o caso. Geralmente, a pessoa observa os dados disponíveis e tenta identificar padrões. Mas será que o padrão é real, ou apenas produto de *bisbilhotagem de dados* — ou seja, pesquisa extensiva nos dados até que algo interessante apareça? Existe um ditado entre os estatísticos: "Se você torturar os dados o bastante, cedo ou tarde eles vão confessar."

A diferença entre um fenômeno que você verifica ao testar uma hipótese utilizando um experimento versus um fenômeno que você descobre examinando os dados disponíveis pode ser iluminada através de exercício intelectual.

Imagine que alguém diz que pode jogar uma moeda e fazer com que caia em cara nos próximos dez lançamentos. Você o desafia (o equivalente a um experimento), e então ele joga as dez vezes, todas caindo em cara. É claro que você atribui algum talento especial a tal pessoa — a probabilidade de dez lançamentos de moeda darem cara, apenas ao acaso, é de uma em mil.

Agora imagine que o locutor em um estádio esportivo pede a cada uma das 20 mil pessoas presentes para que joguem uma moeda dez vezes e informem a um atendente se conseguiram dez caras seguidas. A chance de *alguém* no estádio conseguir as dez caras é extremamente alta (mais de 99% — é um menos a probabilidade de ninguém conseguir as dez caras). Obviamente que, depois do fato, escolher a pessoa (ou pessoas) que

---

50 | Capítulo 2: Distribuições de Dados e Amostras

conseguiu as dez caras no estádio não indica que ela tem qualquer talento especial — é mais provável que seja sorte.

Já que a revisão repetitiva de grandes conjuntos de dados é uma premissa de valor-chave em ciência de dados, o viés de seleção é algo com o que se preocupar. Uma forma de viés de seleção de especial preocupação para os cientistas de dados é o que John Elder (fundador da Elder Research, uma respeitada consultoria de pesquisa de dados) chama de *efeito de busca vasta*. Se você aplica modelos e faz perguntas diferentes repetitivamente com um grande conjunto de dados, está sujeito a encontrar algo interessante. O resultado que você encontrou é realmente interessante, ou é talvez um outlier?

Podemos nos proteger disso usando um conjunto de controle, e às vezes até mais de um, contra o qual validar o desempenho. Elder também defende o uso daquilo que ele chama de *embaralhamento de alvos* (um teste de permutação, basicamente) para testar a validade de associações preditivas que o modelo de pesquisa de dados sugere.

As formas de viés de seleção em estatísticas típicas, além do efeito de busca vasta, incluem amostragem não aleatória (veja *viés de amostragem*), dados selecionados a dedo, seleção de intervalos de tempo que acentuam um efeito estatístico específico e parar um experimento quando os resultados parecem "interessantes".

Regressão à Média

Regressão à média se refere a um fenômeno envolvendo sucessivas medições em dada variável: observações extremas tendem a ser seguidas pelas mais centrais. Conferir foco e significado especiais a valores extremos pode levar a uma forma de viés de seleção.

Fãs de esportes estão acostumados com o fenômeno "novato do ano, segundanista decadente". Entre os atletas que começam sua carreira em certa temporada (a classe dos novatos), sempre há um que tem um desempenho melhor que todos os outros. Geralmente esse "novato do ano" não tem um desempenho tão bom em seu segundo ano. Por que não?

Em quase todos os grandes esportes, ao menos naqueles jogados com bolas ou discos, existem dois elementos que têm um papel fundamental no desempenho geral:

- Habilidade
- Sorte

A regressão à média é uma consequência de uma forma específica de viés de seleção. Quando escolhemos o novato com o melhor desempenho, é provável que habilidade e sorte estejam contribuindo. Em sua próxima temporada, a habilidade ainda estará presente, mas, em muitos casos, a sorte não, então seu desempenho diminuirá — vai regredir. O fenômeno foi observado primeiro por Francis Galton, em 1886, que escreveu a respeito disso em conexão com tendências genéticas. Por exemplo, os filhos de homens extremamente altos tendem a não ser tão altos quanto seus pais (veja a Figura 2-5).

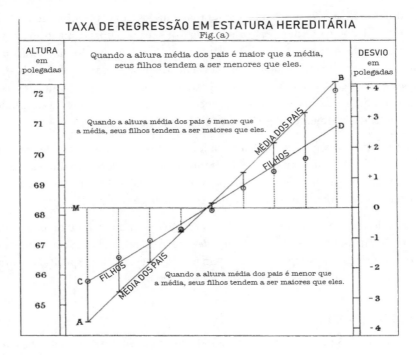

Figura 2-5. Estudo de Galton que identificou o fenômeno de regressão à média

 Regressão à média, no sentido de "retornar", é diferente do método de modelagem estatística de regressão linear, no qual uma relação linear é estimada entre variáveis preditoras e uma variável resultante.

Ideias-chave

- Especificar uma hipótese e então coletar dados seguindo princípios de aleatorização e amostragem aleatória protege os dados contra viés.

- Todas as outras formas de análise de dados correm o risco de viés resultante do processo de coleta/análise de dados (aplicação repetitiva de modelos em pesquisa de dados, bisbilhotagem de dados em pesquisas e seleção pós-fato de eventos interessantes).

Leitura Adicional

- O artigo de Christopher J. Pannucci e Edwin G. Wilkins, "Identifying and Avoiding Bias in Research" (Identificando e Evitando Viés em Pesquisas, em tradução livre), (surpreendentemente) na revista *Plastic and Reconstructive Surgery* (Cirurgia Plástica e Reconstrutiva) (agosto de 2010) apresenta uma revisão excelente de diversos tipos de viés que podem entrar na pesquisa, incluindo o viés de seleção.

- O artigo de Michael Harris, "Fooled by Randomness Through Selection Bias" (Enganado pela Aleatoriedade do Viés de Seleção, em tradução livre), oferece uma revisão interessante das considerações sobre viés de seleção em esquemas de negociação no mercado de ações, da perspectiva dos traders.

Distribuição de Amostragem de uma Estatística

O termo *distribuição de amostragem* de uma estatística se refere à distribuição de alguma amostra estatística dentre muitas amostras extraídas de uma mesma população. Boa parte das estatísticas clássicas se preocupa em fazer inferências de amostras (pequenas) para populações (muito grandes).

Termos-chave

Estatística amostral
Uma métrica calculada para uma amostra de dados extraída de uma população maior.

Distribuição de dados
A distribuição de frequências de valores específicos em um conjunto de dados.

Distribuição amostral
A distribuição de frequências de uma amostra estatística sobre muitas amostras ou reamostras.

Teorema de limite central
A tendência da distribuição amostral de assumir uma forma normal conforme o tamanho da amostra cresce.

Erro-padrão
A variabilidade (desvio-padrão) de uma *estatística* amostral sobre muitas amostras (não deve ser confundida com desvio-padrão, o qual, por si mesmo, se refere à variabilidade de valores de dados individuais).

Geralmente, uma amostra é extraída com o intuito de medir algo (com uma *estatística amostral*) ou modelar algo (com um modelo estatístico ou de aprendizado de máquina).

Como nossa estimativa ou modelo se baseia em uma amostra, pode ser um erro. Poderia ser diferente se extraíssemos uma amostra diferente. Estamos, portanto, interessados em quão diferente poderia ser — uma preocupação-chave é a *variabilidade amostral*. Se tivéssemos muitos dados, poderíamos extrair amostras adicionais e observar diretamente a distribuição de uma estatística amostral. Normalmente calculamos nossa estimativa ou modelo usando a maior quantidade de dados que estiver facilmente disponível, então a opção de extrair amostras adicionais de uma população não está disponível.

É importante distinguir a distribuição de pontos de dados individuais, conhecida como *distribuição dos dados*, da distribuição de uma estatística amostral, conhecida como *distribuição amostral*.

A distribuição de uma estatística amostral como a média costuma ser mais regular e campanular do que a distribuição dos próprios dados. Quanto maior a amostra em que a estatística se baseia, mais isso é verdade. Além disso, quanto maior a amostra, mais estreita é a distribuição da estatística amostral.

Isso está ilustrado em um exemplo utilizando os rendimentos anuais de candidatos a empréstimo no Lending Club (veja em "Um Pequeno Exemplo: Prevendo Inadimplência em Empréstimos", no Capítulo 6, uma descrição dos dados). Extraia três amostras desses dados: uma amostra de 1.000 valores, uma amostra de 1.000 médias de 5 valores e uma amostra de 1.000 médias de 20 valores. Então faça um histograma de cada amostra para produzir a Figura 2-6.

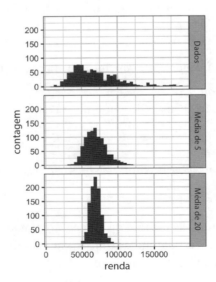

Figura 2-6. Histograma de rendimentos anuais de 1.000 candidatos a empréstimo (topo), então 1.000 médias de n = 5 candidatos (meio), e n = 20 (base)

O histograma dos valores individuais de dados é amplamente espalhado e inclinado a valores mais altos, como se espera em dados de rendimento. Os histogramas da média de 5 e 20 são cada vez mais compactos e campanulares. Aqui está o código R para gerar esses histogramas usando o pacote de visualização `ggplot2`.

```
library(ggplot2)
# take a simple random sample
samp_data <- data.frame(income=sample(loans_income, 1000),
                        type='data_dist')
# take a sample of means of 5 values
samp_mean_05 <- data.frame(
  income = tapply(sample(loans_income, 1000*5),
                rep(1:1000, rep(5, 1000)), FUN=mean),
  type = 'mean_of_5')
# take a sample of means of 20 values
samp_mean_20 <- data.frame(
  income = tapply(sample(loans_income, 1000*20),
                rep(1:1000, rep(20, 1000)), FUN=mean),
  type = 'mean_of_20')
# bind the data.frames and convert type to a factor
income <- rbind(samp_data, samp_mean_05, samp_mean_20)
income$type = factor(income$type,
                    levels=c('data_dist', 'mean_of_5', 'mean_of_20'),
                    labels=c('Data', 'Mean of 5', 'Mean of 20'))
# plot the histograms
ggplot(income, aes(x=income)) +
  geom_histogram(bins=40) +
  facet_grid(type ~ .)
```

Teorema de Limite Central

O fenômeno chamado de *teorema de limite central* informa que as médias extraídas de múltiplas amostras serão semelhantes à conhecida curva normal campanular (veja "Distribuição Normal", mais adiante, neste capítulo), mesmo se a população fonte não for normalmente distribuída, já que o tamanho da amostra é grande o bastante e o desvio dos dados da normalidade não é muito grande. O teorema de limite central permite fórmulas de aproximação normal como a distribuição t, a ser usada no cálculo de distribuições de amostra para inferência — ou seja, intervalos de confiança e testes de hipótese.

O teorema de limite central recebe muita atenção em textos de estatística tradicional, pois fundamenta os mecanismos de testes de hipótese e intervalos de confiança, os quais, por si só, consomem metade do espaço de tais textos. Cientistas de dados devem estar cientes desse papel, mas já que testes de hipótese formais e intervalos de confiança têm um pequeno papel na ciência de dados, e o bootstrap está disponível de qualquer forma, o teorema de limite central não é tão central na prática da ciência de dados.

Erro-padrão

O *erro-padrão* é uma métrica única que resume a variabilidade na distribuição de amostragem para uma estatística. Ele pode ser estimado utilizando uma estatística baseada no desvio-padrão *s* dos valores da amostra e no tamanho de amostra *n*:

$$\text{Standard error} = SE = \frac{s}{\sqrt{n}}$$

Conforme o tamanho da amostra cresce, o erro-padrão diminui, conforme o que foi observado na Figura 2-6. O relacionamento entre o erro-padrão e o tamanho da amostra às vezes é chamado de regra da *raiz quadrada de n*: a fim de reduzir o erro-padrão em um fator de 2, o tamanho da amostra deve ser elevado em um fator de 4.

A validade da fórmula do erro-padrão tem origem no teorema de limite central (veja "Teorema de Limite Central", adiante, neste capítulo). Na verdade, você não precisa depender desse teorema para entender o erro-padrão. Considere a abordagem a seguir para medir o erro-padrão:

1. Colete um número de amostras novas de uma população.
2. Para cada nova amostra, calcule a estatística (por exemplo, a média).
3. Calcule o desvio-padrão da estatística calculada no Passo 2 e use-o como sua estimativa de erro-padrão.

Na prática, essa abordagem de coletar novas amostras para estimar o erro-padrão não costuma ser viável (além de ser um desperdício estatístico). Felizmente, acontece que não é necessário extrair novas amostras. Em vez disso, você pode usar reamostras *bootstrap* (veja "O Bootstrap", a seguir). Na estatística moderna, o bootstrap se tornou o modo padrão de estimar o erro-padrão. Pode ser usado para praticamente qualquer estatística e não se baseia no teorema de limite central ou outras suposições distribucionais.

Desvio-padrão versus Erro-padrão

Não confunda desvio-padrão (que mede a variabilidade de pontos de dados individuais) com erro-padrão (que mede a variabilidade da métrica de uma amostra).

Ideias-chave

- A distribuição de frequências de uma estatística amostral nos diz como a métrica seria diferente de uma amostra para outra.

- Essa distribuição de amostragem pode ser estimada através do bootstrap, ou de fórmulas baseadas no teorema de limite central.

- Uma métrica-chave que resume a variabilidade de uma estatística amostral é seu erro-padrão.

Leitura Adicional

No recurso online de David Lane (http://onlinestatbook.com/stat_sim/sampling_dist/), há uma simulação útil que permite selecionar uma estatística amostral, um tamanho de amostra e número de iterações, além de visualizar um histograma da distribuição de frequências resultante (conteúdo em inglês).

O Bootstrap

Um jeito fácil e eficaz de estimar a distribuição amostral de uma estatística ou de parâmetros de modelo é extrair amostras adicionais, com reposição, da própria amostra, e recalcular a estatística ou modelo para cada reamostra. Esse procedimento é chamado de *bootstrap* e não envolve necessariamente quaisquer suposições sobre os dados ou a estatística amostral sendo normalmente distribuída.

Termos-chave

Amostra bootstrap
Uma amostra extraída com reposição de um conjunto de dados observado.

Reamostragem
O processo de extrair repetidas amostras dos dados observados. Inclui ambos os procedimentos, de bootstrap e permutação (embaralhamento).

Conceitualmente, pode-se imaginar o bootstrap como a replicação da amostra original milhares ou milhões de vezes, de modo a ter uma população hipotética que representa todo o conhecimento da amostra original (só que maior). Pode-se então extrair amostras dessa população hipotética a fim de estimar uma distribuição amostral. Veja a Figura 2-7.

O Bootstrap | 57

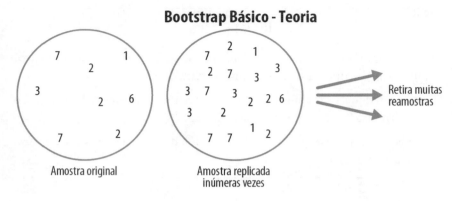

Figura 2-7. A ideia do bootstrap

Na prática, não é necessário realmente replicar a amostra um número exorbitante de vezes. Nós simplesmente substituímos cada observação depois de cada extração. Ou seja, *amostramos com reposição*. Dessa forma, criamos efetivamente uma população infinita na qual a probabilidade de um elemento ser extraído continua a mesma de extração em extração. O algoritmo para uma reamostragem bootstrap da média é o seguinte, para uma amostra de tamanho n:

1. Extraia um valor de amostra, registre, reponha.
2. Repita n vezes.
3. Registre a média dos n valores reamostrados.
4. Repita os Passos de 1 a 3 R vezes.
5. Use os resultados R para:

    a. Calcular seu desvio-padrão (isso estima o erro-padrão da média da amostra).

    b. Produza um histograma ou boxplot.

    c. Encontre um intervalo de confiança.

R, o número de iterações do bootstrap, é ajustado de forma arbitrária. Quanto mais iterações são feitas, mais precisa é a estimativa do erro-padrão ou o intervalo de confiança. O resultado desse procedimento é um conjunto bootstrap de estatísticas amostrais ou parâmetros de modelo estimados, os quais podem ser então examinados a fim de encontrar o quão variáveis são.

O pacote R boot combina esses passos em uma função. Por exemplo, o código a seguir aplica o bootstrap nos rendimentos de pessoas pedindo empréstimos:

```
library(boot)
stat_fun <- function(x, idx) median(x[idx])
boot_obj <- boot(loans_income, R = 1000, statistic=stat_fun)
```

A função stat_fun calcula a mediana para uma certa amostra especificada pelo índice idx. O resultado é o seguinte:

```
Bootstrap Statistics :
    original    bias    std. error
t1*   62000   -70.5595    209.1515
```

A estimativa original mediana é de $62.000. A distribuição bootstrap indica que a estimativa possui um *viés* de cerca de –$70 e um erro-padrão de $209.

O bootstrap pode ser usado com dados multivariados, em que as linhas são amostradas como unidades (veja a Figura 2-8). Um modelo pode então ser aplicado em dados bootstrapped, por exemplo, para estimar a estabilidade (variabilidade) de parâmetros de modelo ou para aumentar o poder preditivo. Com árvores de classificação e regressão (também chamadas de *árvores de decisão*), executar múltiplas árvores nas amostras bootstrap e então tirar a média de suas previsões (ou, com classificação, fazendo uma votação da maioria) geralmente traz resultados melhores do que usar uma única árvore. Esse processo é chamado de *bagging* (abreviação de "bootstrap aggregating" — veja "Bagging e a Floresta Aleatória", no Capítulo 6).

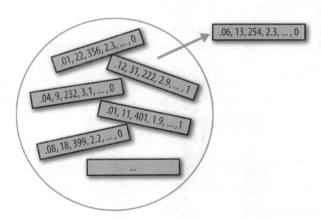

Figura 2-8. Amostragem bootstrap multivariada

A reamostragem repetitiva do bootstrap é conceitualmente simples, e Julian Simon, um economista e demógrafo, publicou um compêndio de exemplos de reamostragem, incluindo o bootstrap, em seu texto de 1969, *Basic Research Methods in Social Science* (Métodos Básicos de Pesquisa em Ciência Social, em tradução livre) (Random House). No entanto, também é computacionalmente intenso, e não era uma opção viável antes da ampla disponibilidade de força computacional. A técnica ganhou nome e deslanchou com a publicação de diversos artigos de jornal e de um livro de Bradley Efron, estatístico de Stanford, em meados dos anos 1970 e início dos anos 1980. Era particularmente popular entre os pesquisadores que utilizam estatística, mas não são estatísticos, e para uso com métricas e modelos em que as aproximações matemáticas não estão disponíveis. A distribuição de amostragem da média tem sido bem estabelecida desde 1908, mas a distribuição de amostragem de muitas outras métricas não. O bootstrap pode ser usado para determinação de tamanho de amostra; experimentos com diferentes valores de n para ver como a distribuição de amostragem é afetada.

O bootstrap enfrentou considerável ceticismo quando foi apresentado. Para muitos, tinha um ar de querer transformar água em vinho. Esse ceticismo se originou de uma má interpretação do propósito bootstrap.

O bootstrap não compensa pequenos tamanhos de amostra. Ele não cria novos dados nem preenche buracos em um conjunto de dados existente. Ele meramente nos informa sobre como diversas amostras adicionais se comportariam ao serem extraídas de uma população como amostra original.

Reamostragem versus Bootstrapping

Às vezes, o termo *reamostragem* é usado como sinônimo do termo *bootstrapping*, como já apresentado. Mais comumente, o termo *reamostragem* também inclui procedimentos de permutação (veja "Teste de Permutação", no Capítulo 3), em que múltiplas amostras são combinadas e a amostragem pode ser feita sem reposição. De qualquer forma, o termo *bootstrap* sempre significa amostragem com reposição de um conjunto de dados observado.

Ideias-chave

- O bootstrap (amostragem com reposição de um conjunto de dados) é uma ferramenta poderosa para avaliar a variabilidade de uma estatística amostral.

- O bootstrap pode ser aplicado de forma similar em uma grande variedade de circunstâncias, sem maiores estudos de aproximações matemáticas para distribuições de amostragem.

- Nos permite também estimar distribuições de amostragem para estatísticas em que nenhuma aproximação matemática foi desenvolvida.

- Quando aplicado a modelos preditivos, agregando múltiplas previsões de amostra, o bootstrap (bagging) supera o uso de um único modelo.

Leitura Adicional

- *An Introduction to the Bootstrap* (Uma Introdução ao Bootstrap, em tradução livre), de Bradley Efron e Robert Tibshirani (Chapman Hall, 1993), foi o primeiro tratamento do bootstrap em um livro. E ainda é muito lido.
- A retrospectiva do bootstrap na edição de maio de 2003 da revista *Statistical Science* (v. 18, n. 2) discute (entre outros antecedentes, na "Pré-História", de Peter Hall) a primeira publicação de Julian Simon sobre o bootstrap em 1969.
- Veja em *An Introduction to Statistical Learning* (Uma Introdução ao Aprendizado Estatístico, em tradução livre), de Gareth James et al. (Springer, 2013), seções sobre o bootstrap e, em especial, bagging.

Intervalos de Confiança

Tabelas de frequência, histogramas, boxplots e erros-padrão são todos meios de entender o potencial erro de uma estimativa de amostra. Intervalos de confiança são outro.

Termos-chave

Nível de confiança
A porcentagem de intervalos de confiança, construída da mesma forma e de uma mesma população, em que se espera que haja a estatística de interesse.

Extremidades de intervalo
O topo e a base do intervalo de confiança.

Os humanos têm uma aversão natural à incerteza. As pessoas (principalmente especialistas) muito raramente dizem "eu não sei". Analistas e gestores, ao reconhecer as incertezas, continuam apostando indevidamente em uma estimativa quando esta é apresentada como um único número (uma *estimativa pontual*). Apresentar uma estimativa não como um número único, mas como uma amplitude, é um modo de contrariar essa tendência. Os intervalos de confiança fazem isso de modo fundamentado em princípios de amostragem estatística.

Os intervalos de confiança sempre vêm com um nível de cobertura, expressado como uma (alta) porcentagem, digamos 90% ou 95%. Um jeito de pensar sobre um intervalo de confiança de 90% é o seguinte: é o intervalo que abrange os 90% centrais da distribuição de amostragem de uma estatística amostral (veja "O Bootstrap", antes, neste capítulo). Mais comumente, um intervalo de confiança de x% em torno de uma estimativa amostral deveria, em média, conter estimativas amostrais semelhantes em x% do tempo (quando um procedimento de amostragem semelhante é seguido).

Dada uma amostra de tamanho n e uma estatística amostral de interesse, o algoritmo para um intervalo de confiança do bootstrap é o seguinte:

1. Extrair uma amostra aleatória de tamanho n com reposição de dados (uma reamostragem).
2. Registrar as estatísticas de interesse para a reamostra.
3. Repetir os Passos 1 e 2 muitas (R) vezes.
4. Para um intervalo de confiança de x%, apare [(1 − [x/100]) / 2]% dos resultados da reamostra R de cada ponta da distribuição.
5. Os pontos de apara são as extremidades de um intervalo de confiança de bootstrap de x%.

A Figura 2-9 mostra um intervalo de confiança de 90% para a média anual de rendimentos de candidatos a empréstimos, com base em uma amostra de 20 para os quais a média foi de $57.573.

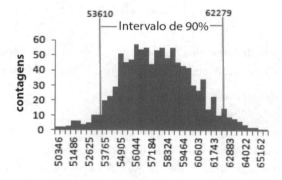

Figura 2-9. Intervalo de confiança de bootstrap para os rendimentos anuais de candidatos a empréstimos, com base em uma amostra de 20

O bootstrap é uma ferramenta geral que pode ser usada para gerar intervalos de confiança para a maioria das estatísticas ou parâmetros de modelo. Os livros e softwares estatísticos, originados em meio século de análises estatísticas não computadorizadas, também fazem referência a intervalos de confiança gerados por fórmulas, especialmente a distribuição t (veja "Distribuição t de Student", adiante, neste capítulo).

É claro que o que realmente nos interessa ao obter um resultado de amostra é "qual é a probabilidade de o valor real estar dentro de um certo intervalo?". Essa não é realmente a questão à qual um intervalo de confiança responde, mas acaba sendo o modo como a maioria das pessoas interpreta a resposta.

A questão da probabilidade, associada a um intervalo de confiança, começa com a frase: "Dado um procedimento de amostragem e uma população, qual é a probabilidade de..." Para ir à direção contrária, "Dado um resultado de amostra, qual é a probabilidade de (algo ser real sobre a população)", envolve cálculos mais complexos e imponderáveis mais profundos.

A porcentagem associada ao intervalo de confiança é chamada de *nível de confiança*. Quanto maior o nível de confiança, maior o intervalo. Além disso, quanto menor a amostra, maior o intervalo (ou seja, maior a incerteza). Ambos fazem sentido: quanto mais confiante você quiser ser, e menos dados tiver, maior deve ser o intervalo de confiança para ser suficientemente garantida a captura do valor real.

Para um cientista de dados, um intervalo de confiança é uma ferramenta para ter uma ideia de quão variável o resultado da amostra pode ser. Os cientistas de dados não utilizariam essa informação para publicar um artigo acadêmico ou submeter um resultado a uma agência regulatória (como um pesquisador poderia fazer), mas provavelmente para comunicar o potencial erro em uma estimativa e, talvez, entender se uma amostra maior é necessária.

Ideias-chave

- Intervalos de confiança são um jeito típico de apresentar estimativas como uma amplitude intervalar.
- Quanto mais dados você tem, menos variável uma estimativa amostral será.
- Quanto menor o nível de confiança que se pode tolerar, mais estreito o intervalo de confiança será.
- O bootstrap é um jeito eficaz de construir intervalos de confiança.

Leitura Adicional

- Para uma abordagem bootstrap aos intervalos de confiança, veja *Introductory Statistics and Analytics: A Resampling Perspective* (Estatística e Analítica Introdutórias: Uma Perspectiva de Amostragem, em tradução livre), de Peter Bruce (Wiley, 2014) ou *Statistics* (Estatística, em tradução livre), de Robin Lock e outros quatro membros da família Lock (Wiley, 2012).

- Engenheiros, que têm uma necessidade de entender a precisão de suas medições, usam intervalos de confiança, talvez mais do que a maioria das outras disciplinas, e o livro *Modern Engineering Statistics* (Estatística Moderna de Engenharia, em tradução livre), de Tom Ryan (Wiley, 2007), discute intervalos de confiança. Revisa também uma ferramenta tão útil quanto e recebe menos atenção: intervalos de predição (intervalos em torno de um único valor, opostos a uma média ou outros resumos estatísticos).

Distribuição Normal

A distribuição normal campanular é simbólica na estatística tradicional.[1] O fato de as distribuições de estatísticas amostrais serem geralmente moldadas de forma normal as tornou uma ferramenta poderosa no desenvolvimento de fórmulas matemáticas que aproximam essas distribuições.

Termos-chave

Erro
  A diferença entre um ponto de dado e um valor médio ou previsto.

Padronizar
  Subtrair a média e dividir pelo desvio-padrão.

Escore-z
  O resultado da padronização de um ponto de dado individual.

Normal padrão
  Uma distribuição normal com média = 0 e desvio-padrão = 1.

Gráfico QQ

---

1 A curva de sino é emblemática, mas talvez seja supervalorizada. George W. Cobb, estatístico de Mount Holyoke reconhecido por sua contribuição à filosofia de ensino de estatística introdutória, argumentou em um editorial de novembro de 2015 na *American Statistician* que "o curso introdutório padrão, que coloca a distribuição normal em seu centro, tinha sobrevivido à utilidade de sua centralidade".

> Um gráfico para visualizar quão próxima uma distribuição amostral está de uma distribuição normal.

Em uma distribuição normal (Figura 2-10), 68% dos dados ficam dentro de um desvio-padrão da média, e 95% ficam dentro de dois desvios-padrão.

Um erro comum é pensar que a distribuição normal tem esse nome porque a maior parte dos dados segue uma distribuição normal — ou seja, é a coisa normal. Muitas das variáveis usadas em um projeto de ciências de dados típico — na verdade, a maioria dos dados brutos integralmente — *não são* normalmente distribuídas (veja "Distribuições de Cauda Longa", adiante, neste capítulo). A utilidade da distribuição normal vem do fato de muitas estatísticas *serem* normalmente distribuídas em sua distribuição amostral. Mesmo assim, hipóteses de normalidade costumam ser o último recurso, usado quando distribuições empíricas de probabilidade, ou distribuições bootstrap, não estão disponíveis.

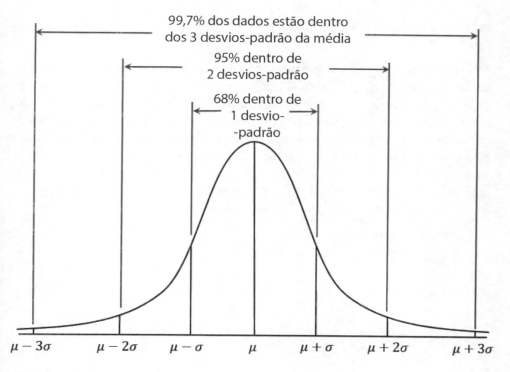

Figura 2-10. Curva normal

A distribuição normal também é chamada de distribuição *gaussiana*, de Carl Friedrich Gauss, um grande matemático alemão de meados do século XVIII ao início do século XIX. Outro nome usado anteriormente para a distribuição normal era distribuição de "erro". Falando estatisticamente, um *erro* é a diferença entre um valor real e uma estimativa estatística como a média amostral. Por exemplo, o desvio-padrão (veja "Estimativas de Variabilidade", no Capítulo 1) é baseado nos erros da média dos dados. O desenvolvimento de Gauss da distribuição normal veio de seu estudo sobre os erros de medições astronômicas que foram consideradas normalmente distribuídas.

Normal Padrão e Gráficos QQ

Uma distribuição *normal padrão* é aquela na qual as unidades no eixo x são expressas em termos de desvios-padrão da média. Para comparar os dados a uma distribuição padrão normal deve-se subtrair a média e então dividir pelo desvio-padrão. Isso é chamado também de *normalização* ou *padronização* (veja "Padronização (Normalização, Escores Z)", no Capítulo 6). Observe que a "padronização", nesse sentido, não está relacionada à padronização de registros de bancos de dados (conversão para um formato comum). O valor transformado é chamado de *escore z*, e a distribuição normal às vezes é chamada de *distribuição z*.

Um gráfico QQ é usado para determinar visualmente quão próxima uma amostra está da distribuição normal. O gráfico QQ ordena os escores z de baixos a altos e registra cada valor do escore z no eixo y, e o eixo x é o quantil correspondente a uma distribuição normal para a posição daquele valor. Como os dados estão normalizados, as unidades correspondem a um número de desvios-padrão dos dados da média. Se os pontos dificilmente caem na linha diagonal, então a distribuição amostral pode ser considerada perto de normal. A Figura 2-11 mostra um gráfico QQ para uma amostra de 100 valores aleatoriamente gerados de uma distribuição normal. Como esperado, os pontos seguem proximamente à linha. Essa figura pode ser produzida em R com a função `qqnorm`:

```
norm_samp <- rnorm(100)
qqnorm(norm_samp)
abline(a=0, b=1, col='grey')
```

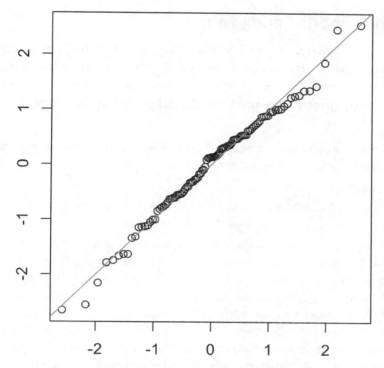

Figura 2-11. Gráfico QQ de uma amostra de 100 valores extraídos de uma distribuição normal

 A conversão de dados em escores z (ou seja, padronizar ou normalizar os dados) *não* os torna normalmente distribuídos. Apenas coloca os dados na mesma escala que a distribuição padrão normal, geralmente para fins de comparação.

Ideias-chave

- A distribuição normal foi essencial para o desenvolvimento histórico da estatística, pois permitiu a aproximação matemática de incertezas e variabilidades.

- Enquanto os dados brutos não costumam ser normalmente distribuídos, os erros costumam ser, bem como as médias e totais em grandes amostras.

- Para converter os dados em escores z, deve-se subtrair a média dos dados e dividir pelo desvio-padrão. Pode-se então comprar os dados com uma distribuição normal.

Distribuições de Cauda Longa

Apesar da importância histórica da distribuição normal na estatística, e em contraste ao que o nome sugeriria, os dados geralmente não são normalmente distribuídos.

Termos-chave para Distribuições de Cauda Longa

Cauda
A porção longa e estreita de uma distribuição de frequências, na qual valores relativamente extremos ocorrem em baixa frequência.

Desequilíbrio
No qual uma cauda de uma distribuição é mais longa que outra.

Enquanto a distribuição normal costuma ser apropriada e útil no que diz respeito à distribuição de erros e estatísticas amostrais, geralmente não caracteriza a distribuição de dados brutos. Às vezes, a distribuição é altamente desequilibrada (assimétrica), como com dados de receita, ou a distribuição pode ser discreta, como com dados binomiais. Ambas as distribuições, simétrica e assimétrica, podem ter *caudas longas*. As caudas de uma distribuição correspondem a valores extremos (pequenos e grandes). As caudas longas, e a proteção contra elas, são altamente reconhecidas no trabalho prático. Nassim Taleb propôs a teoria do *cisne negro*, que prevê que eventos anormais, como uma queda na bolsa de valores, estão mais propensos a acontecer do que o previsto pela distribuição normal.

Um bom exemplo para ilustrar a natureza de cauda longa dos dados são os retornos de ações. A Figura 2-12 mostra o gráfico QQ para os retornos diários de ações da Netflix (NFLX). Isso é gerado no R por:

```
nflx <- sp500_px[,'NFLX']
nflx <- diff(log(nflx[nflx>0]))
qqnorm(nflx)
abline(a=0, b=1, col='grey')
```

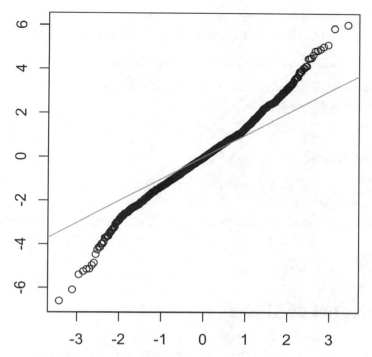

Figura 2-12. Gráfico QQ dos retornos da NFLX

Ao contrário da Figura 2-11, os pontos estão muito abaixo da linha para valores baixos e muito acima da linha para valores altos. Isso significa que estamos muito mais propensos a observar valores extremos do que seria esperado se os dados tivessem uma distribuição normal. A Figura 2-12 mostra outro fenômeno comum: os pontos estão próximos da linha para os dados dentro de um desvio-padrão da média. Tukey (1987) se refere a esse fenômeno como os dados sendo "normais no meio", mas tendo caudas muito mais longas.

Existem muitas literaturas estatísticas sobre a tarefa de encaixar distribuições estatísticas nos dados observados. Cuidado com uma abordagem excessivamente centrada em dados neste trabalho, que é tão artístico quanto científico. Os dados são variáveis, e costumam ser consistentes, de cara, com mais de um formato e tipo de distribuição. Costuma ser o caso em que o domínio e o conhecimento estatístico são trazidos à tona para determinar qual tipo de distribuição é apropriado para modelar dada situação. Por exemplo, podemos ter dados sobre o nível de tráfego de internet em um servidor em muitos períodos consecutivos de cinco segundos. É útil saber que a melhor distribuição para modelar "eventos por período de tempo" é a Poisson (veja "Distribuições Poisson", adiante, neste capítulo).

> ## Ideias-chave para Distribuições de Cauda Longa
>
> - A maioria dos dados não é normalmente distribuída.
> - Presumir uma distribuição normal pode levar à subestimação de eventos extremos ("cisnes negros").

Leitura Adicional

- *The Black Swan* (O Cisne Negro, em tradução livre), 2. ed., de Nassim Taleb (Random House, 2010).
- *Handbook of Statistical Distributions with Applications* (Manual de Distribuições Estatísticas com Aplicações, em tradução livre), 2. ed., de K. Krishnamoorthy (CRC Press, 2016).

Distribuição t de Student

A *distribuição t* é uma distribuição normalmente formatada, mas um pouco mais espessa e mais longa nas caudas. É extensivamente usada para representar distribuições de estatísticas amostrais. As distribuições de médias amostrais costumam ser formatadas como uma distribuição t, e existe uma família de distribuições t que difere dependendo de quão grande é a amostra. Quanto maior a amostra, mais normalmente formatada se torna a distribuição t.

> ## Termos-chave para Distribuição t de Student
>
> *n*
> Tamanho da amostra.
>
> *Graus de liberdade*
> Um parâmetro que permite que a distribuição t se ajuste a diferentes tamanhos de amostras, estatísticas e números de grupos.

A distribuição t costuma ser chamada de *t de Student* porque foi publicada em 1908 em *Biometrika*, de W. S. Gossett, sob o nome "Student". O empregador de Gossett, a cervejaria Guinness, não queria que os competidores soubessem que ela estava usando métodos estatísticos, então insistiram para que Gossett não usasse seu nome no artigo.

Gossett queria responder à pergunta: "Qual é a distribuição amostral da média de uma amostra extraída de uma população maior?" Ele começou com um experimento de reamostragem — extraindo amostras aleatórias de 4 de um conjunto de dados de 3 mil medições de altura e comprimento do dedo médio esquerdo de criminosos. (Sendo aquela a era da eugenia, havia muito interesse em dados sobre criminosos e na descoberta de correlações entre tendências criminais e atributos físicos ou psicológicos.) Ele registrou em um gráfico os resultados padronizados (os escores z) no eixo x e a frequência no eixo y. Separadamente, ele derivou uma função, hoje conhecida como *t de Student*, e aplicou essa função nos resultados da amostra, registrando a comparação (veja a Figura 2-13).

Escala dos Desvios-padrão da amostra

Figura 2-13. Resultados do experimento de reamostragem de Gossett e curva t ajustada (de seu artigo na Biometrika *de 1908)*

Diversas estatísticas diferentes podem ser comparadas, depois da padronização, à distribuição t, para estimar os intervalos de confiança à luz da variação amostral. Considere uma amostra de tamanho n para a qual a média amostral $\bar{x}$ foi calculada. Se s é o desvio-padrão da amostra, um intervalo de confiança de 90% em torno da média amostral é dado por:

$$\bar{x} \pm t_{n-1}(.05) \times \frac{s}{n}$$

Em que $t_{n-1}(.05)$ é o valor da estatística t, com $(n-1)$ graus de liberdade (veja "Graus de Liberdade", no Capítulo 3), e isso "poda" 5% da distribuição t em cada ponta. A distribuição t tem sido usada como referência para a distribuição de uma média amostral, a diferença entre duas médias amostrais, parâmetros de regressão e ouras estatísticas.

Caso a força computacional estivesse disponível em 1908, a estatística teria, sem dúvida, se baseado muito mais em métodos de reamostragem intensivamente computacionais desde o início. Na falta de computadores, os estatísticos se voltaram para a matemática em funções como a distribuição t para aproximar as distribuições amostrais. A força computacional permitiu experimentos práticos de reamostragem na década de 1980, mas na época o uso da distribuição t e distribuições semelhantes já estava profundamente embutido nos livros e softwares.

A precisão da distribuição t na representação do comportamento de uma estatística amostral exige que a distribuição de tal estatística para tal amostra seja formatada como uma distribuição normal. E acontece que as estatísticas amostrais *costumam ser* normalmente distribuídas, mesmo quando os dados populacionais subjacentes não o sejam (um fato que levou à vasta aplicação da distribuição t). Esse fenômeno é chamado de *teorema de limite central* (veja "Teorema de Limite Central", antes, neste capítulo).

O que os cientistas de dados precisam saber sobre a distribuição t e o teorema de limite central? Não muito. Essas distribuições são usadas em inferências estatísticas clássicas, mas não são tão centrais ao propósito da ciência de dados. O entendimento e a quantificação de incertezas e variações são importantes para os cientistas de dados, mas a amostragem empírica bootstrap pode responder à maioria das perguntas sobre erros de amostragem. No entanto, os cientistas de dados encontrarão com frequência estatísticas t em resultados de softwares estatísticos e procedimentos estatísticos em R, por exemplo, em testes A-B e regressões, então a familiaridade com seu propósito é útil.

Ideias-chave

- A distribuição t é, na verdade, uma família de distribuições que lembram a distribuição normal, mas com caudas mais espessas.

- É muito usada como uma base de referência para a distribuição de médias amostrais, diferenças entre duas médias amostrais, parâmetros de regressão e mais.

Leitura Adicional

- O artigo original de Gossett na *Biometrika* de 1908 está disponível em PDF em http://seismo.berkeley.edu/~kirchner/eps_120/Odds_n_ends/Students_original_paper.pdf (conteúdo em inglês).
- Um tratamento padrão da distribuição t pode ser encontrado no recurso online de David Lane em http://onlinestatbook.com/2/estimation/t_distribution.html (conteúdo em inglês).

Distribuição Binomial

Termos-chave para Distribuição Binomial

Ensaio
Um evento com um resultado discreto (por exemplo, jogar uma moeda).

Sucesso
O resultado de interesse para um ensaio.

Sinônimo
"1" (diferente de "0")

Binomial
Ter dois resultados.

Sinônimos
sim/não, 0/1, binário

Ensaio binomial
Um ensaio com dois resultados.

Sinônimo
ensaio Bernoulli

Distribuição binomial
Distribuição do número de sucessos em x ensaios.

Sinônimo
distribuição Bernoulli

Resultados sim/não (binomiais) estão no centro da análise, já que costumam ser a culminação de uma decisão ou outro processo: comprar/não comprar, clicar/não clicar, sobreviver/morrer e assim por diante. Algo crucial para entender a distribuição binomial é a ideia de um conjunto de *ensaios*, cada um com dois resultados possíveis com probabilidades definidas.

Por exemplo, jogar uma moeda dez vezes é um experimento binomial com dez ensaios, cada ensaio com dois resultados possíveis (cara ou coroa). Veja a Figura 2-14. Tais resultados sim/não ou 0/1 são chamados de resultados *binários* e não precisam ter probabilidades 50/50. Quaisquer probabilidades que se resumem a 1,0 são possíveis. Em estatística, é comum chamar o resultado "1" de resultado *sucesso*, e é comum também a prática de atribuir "1" ao resultado mais raro. O uso do termo *sucesso* não significa que o resultado seja desejável ou benéfico, mas tem a intenção de indicar o resultado de interesse. Por exemplo, créditos incobráveis ou transações fraudulentas são eventos relativamente incomuns que podemos ter interesse em prever, então são chamados de "1s" ou "sucessos."

Figura 2-14. O lado coroa de uma moeda buffalo nickel

A distribuição binomial é a distribuição de frequências do número de sucessos (*x*) em dado número de ensaios (*n*) com probabilidade especificada (*p*) de sucesso em cada ensaio. Existe uma família de distribuições binomiais, dependendo dos valores de *x*, *n* e *p*. A distribuição binomial responderia a questões como:

> Se a probabilidade de um clique se converter em uma venda é de 0,02, qual a probabilidade de se observar 0 vendas em 200 cliques?

A função R `dbinom` calcula probabilidades binomiais. Por exemplo:

```
dbinom(x=2, n=5, p=0.1)
```

retornaria 00729, a probabilidade de se observar exatamente *x* = 2 sucessos em *n* = 5 ensaios, em que a probabilidade de sucesso para cada ensaio é *p* = 0,1.

Geralmente estamos interessados em determinar a probabilidade de *x* sucessos ou menos em *n* ensaios. Neste caso, usamos a função `pbinom`:

```
pbinom(2, 5, 0.1)
```

Isso retornaria 0.9914, a probabilidade de se observar dois sucessos ou menos em cinco ensaios, em que a probabilidade de sucesso para cada ensaio é 0,1.

A média de uma distribuição binomial é *n* × *p*. Pode-se também pensar nisso como o número esperado de sucessos em *n* ensaios para probabilidade de sucesso = *p*.

A variância é *n* × *p*(1 − *p*). Com um número grande o bastante de ensaios (especialmente quando *p* está próximo de 0.50), a distribuição binomial é virtualmente indistinguível da distribuição normal. Na verdade, calcular probabilidades binomiais com amostras de tamanho grande é computacionalmente difícil, com média e variância, como aproximação.

Ideias-chave

- Resultados binomiais são importantes para modelar, já que representam, entre outras coisas, decisões fundamentais (comprar ou não comprar, clicar ou não clicar, sobreviver ou morrer etc.).

- Um ensaio binomial é um experimento com dois resultados possíveis: um com probabilidade p e outro com probabilidade $1 - p$.

- Com n grande, e dado que p não está muito próximo de 0 ou 1, a distribuição binomial pode ser aproximada pela distribuição normal.

Leitura Adicional

- Leia sobre o "quincunx", um dispositivo de simulação de pinball, para ilustrar a distribuição binomial, em https://www.mathsisfun.com/data/binomial-distribution.html (conteúdo em inglês).

- A distribuição binomial é algo básico em estatística introdutória, e todos os textos de estatística introdutória terão um ou dois capítulos a respeito disso.

Poisson e Distribuições Relacionadas

Muitos processos produzem eventos aleatoriamente em dado índice geral — visitantes chegando a um site, carros chegando a uma praça de pedágio (eventos espalhados no tempo), imperfeições em um metro quadrado de tecido ou erros de digitação a cada 100 linhas de código (eventos espalhados no espaço).

Termos-chave para Poisson e Distribuições Relacionadas

Lambda
 A taxa (por unidade de tempo ou espaço) na qual os eventos ocorrem.

Distribuição Poisson
 A distribuição de frequências do número de eventos em unidades amostradas de tempo ou espaço.

Distribuição exponencial
 A distribuição de frequência de tempo ou distância de um evento ao próximo.

Distribuição Weibull
 Uma versão generalizada da exponencial, na qual a taxa do evento pode mudar com o tempo.

Distribuições Poisson

Dos dados *a priori*, podemos estimar o número médio de eventos por unidade de tempo ou espaço, mas podemos querer saber também quão diferente isso pode ser de uma unidade de tempo/espaço para outra. A distribuição Poisson nos diz a distribuição dos eventos por unidade de tempo ou espaço quando tiramos muitas amostras de tal unidade. É útil ao abordar questões de enfileiramento, como: "Qual é a capacidade necessária para ter 95% de certeza de processar totalmente o tráfego de internet que chega a um servidor em qualquer período de cinco segundos?"

O parâmetro-chave em uma distribuição Poisson é λ, ou lambda. Esse é o número médio de eventos que ocorrem em um intervalo especificado de tempo ou espaço. A variância para uma distribuição Poisson também é λ.

Uma técnica comum é gerar números aleatórios de uma distribuição como parte de uma simulação de enfileiramento. A função `rpois` em R faz isso, admitindo apenas dois argumentos — a quantidade de números aleatórios obtidos e lambda:

```
rpois(100, lambda = 2)
```

Esse código gerará 100 números aleatórios de uma distribuição Poisson com $\lambda = 2$. Por exemplo, se a média de recebimento de chamadas de SAC for de 2 por minuto, esse código simulará 100 minutos, retornando o número de chamadas a cada um desses 100 minutos.

Distribuição Exponencial

Usando o mesmo parâmetro λ que usamos na distribuição Poisson, podemos também modelar a distribuição do tempo entre eventos: tempo entre as visitas a um site ou entre carros chegando a uma praça de pedágio. É utilizado também em engenharia, para modelar tempo para a falha, e em gerenciamento de processos para modelar, por exemplo, o tempo necessário por chamada de serviço. O código R para gerar números aleatórios de uma distribuição exponencial assume dois argumentos, *n* (a quantidade de números a serem gerados) e *taxa* (o número de eventos por período de tempo). Por exemplo:

```
rexp(n = 100, rate = .2)
```

Esse código geraria 100 números aleatórios de uma distribuição exponencial, em que o número médio de eventos por período de tempo é 2. Então, pode-se usar isso para simular 100 intervalos, em minutos, entre chamadas de serviço, em que a taxa média de chamadas recebidas é de 0,2 por minuto.

Uma suposição-chave em qualquer estudo de simulação, tanto para distribuição Poisson quanto para exponencial, é a de que a taxa, λ, permanece constante ao longo do período sendo considerado. Isso é pouco razoável, de modo geral. Por exemplo, tráfego em estradas ou redes de dados variam conforme a hora do dia e o dia da semana. No entanto, os períodos de tempo, ou áreas de espaço, geralmente podem ser divididos em segmentos que são suficientemente homogêneos, de modo que análises ou simulações dentro desses períodos são válidas.

Estimando a Taxa de Falha

Em muitas aplicações, a taxa de evento, λ, é conhecida ou pode ser estimada dos dados *a priori*. No entanto, para eventos raros, isso não é necessariamente verdade. Falhas em motores de aeronaves, por exemplo, são tão suficientemente raros (felizmente), que, para um certo tipo de motor, pode haver poucos dados nos quais basear uma estimativa de tempo entre falhas. Sem dado algum, existe pouca base na qual estimar uma taxa de evento. No entanto, pode-se fazer algumas suposições: se não foram observados eventos nas últimas 20 horas, pode-se ter bastante certeza de que a taxa não é a de um por hora. Através de simulação, ou cálculo direto de probabilidades, pode-se avaliar diferentes taxas de evento hipotéticas e estimar os valores limite abaixo dos quais a taxa raramente ficará. Se existirem alguns dados, mas não o bastante para oferecer uma estimativa de taxa precisa e confiável, pode-se aplicar um teste de ajuste (goodness-of-fit) (veja "Teste de Qui Quadrado", no Capítulo 3) em diversas taxas para determinar quão bem se ajustam aos dados observados.

Distribuição Weibull

Em muitos casos, a taxa de evento não permanece constante ao longo do tempo. Se o período através do qual ela muda for muito mais longo do que o intervalo típico entre os eventos, não tem problema; basta subdividir a análise nos segmentos em que a taxa é relativamente constante, conforme mencionado anteriormente. Se, no entanto, a taxa de evento muda ao longo do tempo do intervalo, as distribuições exponenciais (ou Poisson) não são mais úteis. Esse costuma ser o caso de falhas mecânicas — o risco de falha aumenta com o passar do tempo. A distribuição *Weibull* é uma extensão da distribuição exponencial, na qual a taxa de evento pode mudar, conforme especificado por um *parâmetro de forma*, β. Se $\beta > 1$, a probabilidade de um evento aumenta com o tempo, e se $\beta < 1$, ela diminui. Como a distribuição Weibull é utilizada com análises de tempo até a falha, em vez da taxa de evento, o segundo parâmetro é expresso em termos de vida característica, em vez dos termos de taxa de evento por intervalo. O símbolo usado é η, a letra grega eta. É chamado também de parâmetro de *escala*.

Com a Weibull, a tarefa de estimação inclui agora a estimação dos dois parâmetros, β e η. O software é usado para modelar os dados e produzir uma estimativa da distribuição Weibull mais adequada.

Poisson e Distribuições Relacionadas | 77

O código R para gerar números aleatórios de uma distribuição Weibull assume três argumentos, n (a quantidade de números a serem gerados), forma e escala. Por exemplo, o código a seguir geraria 100 números aleatórios (tempos de vida) de uma distribuição Weibull com forma de 1,5 e vida característica de 5.000:

```
rweibull(100,1.5,5000)
```

Ideias-chave

- Para eventos que ocorrem em uma taxa constante, o número de eventos por unidade de tempo ou espaço pode ser modelado como uma distribuição Poisson.

- Neste cenário pode-se também modelar o tempo ou a distância entre um evento e o próximo como uma distribuição exponencial.

- Uma taxa de evento que muda com o tempo (por exemplo, uma probabilidade crescente de falha de dispositivo) pode ser modelada com a distribuição Weibull.

Leitura Adicional

- O livro *Modern Engineering Statistics* (sem edição em português), de Tom Ryan (Wiley, 2007), tem um capítulo dedicado às distribuições de probabilidades usadas em aplicações de engenharia.
- Leia uma perspectiva baseada em engenharia do uso da distribuição Weibull (especialmente de uma perspectiva de engenharia) em http://www.sascommunity. org/sugi/SUGI88/Sugi-13-43%20Kay%20Price.pdf (conteúdo em inglês) e http:// www.ipedr.com/vol75/29_ICQM2014-051.pdf (conteúdo em inglês).

Resumo

Na era do big data, os princípios de amostragem aleatória continuam importantes quando são necessárias estimativas precisas. A seleção aleatória de dados pode reduzir o viés e produzir um conjunto de dados de maior qualidade do que os que resultariam apenas do uso dos dados convenientemente disponíveis. O conhecimento de diversas distribuições de amostragem e geração de dados nos permite quantificar potenciais erros em uma estimativa, os quais podem ser causados por variação aleatória. Ao mesmo tempo, o bootstrap (amostragem com reposição de um conjunto de dados observado) é um método "tamanho único" atraente para determinar possíveis erros em estimativas amostrais.

CAPÍTULO 3
Experimentos Estatísticos e Teste de Significância

O projeto de experimentos é um dos pilares da prática estatística, com aplicações em praticamente todas as áreas de pesquisa. O objetivo é projetar um experimento a fim de confirmar ou rejeitar uma hipótese. Os cientistas de dados são confrontados com a necessidade de conduzir experimentos contínuos, especialmente no que diz respeito à interface de usuário e marketing de produto. Este capítulo revisa desenhos experimentais tradicionais e discute alguns desafios comuns na ciência de dados. Cobre também alguns conceitos comumente citados em inferência estatística e explica seu significado e relevância (ou falta de relevância) para a ciência de dados.

Sempre que você vir referências à significância estatística, testes t ou valores p, será tipicamente no contexto da "cadeia" clássica de inferência estatística (veja a Figura 3-1). Esse processo começa com uma hipótese ("a droga A é melhor que a droga-padrão existente", "o preço A é mais lucrativo que o preço B existente"). Um experimento (pode ser um teste A/B) é desenhado para testar a hipótese — projetado de modo a, espera-se, trazer resultados conclusivos. Os dados são coletados e analisados, e então se tira uma conclusão. O termo *inferência* reflete a intenção de aplicar os resultados do experimento, o que envolve um conjunto limitado de dados, em um processo ou população maiores.

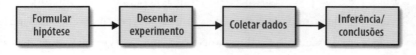

Figura 3-1. A cadeia clássica de inferência estatística

Testagem A/B

Um teste A/B é um experimento com dois grupos para determinar qual dos dois trata-mentos, produtos, procedimentos ou semelhantes é o superior. Geralmente, um dos dois tratamentos é o tratamento-padrão existente, ou nenhum tratamento. Se um tratamen-to-padrão (ou nenhum) for usado, este será chamado de *controle*. Uma hipótese típica é a de que o tratamento seja melhor que o controle.

Termos-chave para Testagem A/B

Tratamento
Algo (droga, preço, título de site) ao qual um indivíduo é exposto.

Grupo de tratamento
Um grupo de indivíduos expostos a um tratamento específico.

Grupo de controle
Um grupo de indivíduos expostos a nenhum tratamento (ou padrão).

Randomização
O processo de atribuir aleatoriamente indivíduos a tratamentos.

Indivíduos
Os itens (visitantes de um site, pacientes etc.) que são expostos aos tratamentos.

Estatística de teste
A métrica usada para medir o efeito do tratamento.

Os testes A/B são comuns em web design e marketing, já que os resultados são tão facil-mente mensuráveis. Alguns exemplos de testagem A/B incluem:

- Testagem de dois tratamentos de solo para determinar qual deles gera melhor ger-minação de sementes.

- Testagem de duas terapias para determinar qual delas é mais efetiva na supressão do câncer.

- Testagem de dois preços para determinar qual gera mais lucro líquido.

- Testagem de dois títulos de site para determinar qual gera mais cliques (Figura 3-2).

- Testagem de dois anúncios online para determinar qual gera mais conversões.

Capítulo 3: Experimentos Estatísticos e Teste de Significância

Figura 3-2. Os marqueteiros sempre testam uma apresentação online contra outra

Um teste A/B adequado tem *indivíduos* que podem ser atribuídos a um tratamento ou outro. O indivíduo pode ser uma pessoa, uma semente, um visitante de site, e a chave é que o indivíduo seja exposto ao tratamento. O ideal é que os indivíduos sejam *randomizados* (atribuídos aleatoriamente) aos tratamentos. Dessa forma, sabe-se que qualquer diferença entre os grupos de tratamento é devido a um dos seguintes motivos:

- O efeito de diferentes tratamentos.
- O sorteio no qual os indivíduos são atribuídos a quais tratamentos (ou seja, a atribuição aleatória pode resultar a concentração de indivíduos com melhor desempenho em A ou B).

É necessário também prestar atenção à *estatística de teste* ou métrica usada para comparar o grupo A ao grupo B. Talvez a métrica mais comum em ciências de dados seja uma variável binária: clicar ou não clicar, comprar ou não comprar, fraude ou não fraude e assim por diante. Esses resultados seriam resumidos em uma tabela de 2×2. A Tabela 3-1 é uma tabela de 2×2 para um teste de preços real.

Tabela 3-1. Tabela de 2×2 para resultados de experimento de e-commerce

Resultado	Preço A	Preço B
Conversão	200	182
Não conversão	23539	22406

Se a métrica for uma variável contínua (quantidade de compra, lucro etc.) ou uma contagem (por exemplo, dias em um hospital, páginas visitadas), o resultado pode ser exibido de modo diferente. Se o interesse não fosse a conversão, mas a receita por visualização de página, os resultados do teste de preço na Tabela 3-1 poderiam ficar assim em um resultado-padrão típico do software:

Receita/visualização de página com preço A: média = 3.87, SD = 51.10

Receita/visualização de página com preço B: média = 4.11, SD = 62.98

"SD" se refere ao desvio-padrão dos valores dentro de cada grupo.

O fato de os softwares estatísticos — inclusive o R — gerarem resultados por predefinição não significa que todos os resultados sejam úteis ou relevantes. Pode-se ver que os desvios-padrão anteriores não são tão úteis. Por si só, sugerem que diversos valores podem ser negativos, quando a receita negativa não é viável. Esses dados são compostos de um pequeno conjunto de valores relativamente altos (visualizações de página com conversões) e um número enorme de valores 0 (visualizações de página sem conversão). É difícil resumir a variabilidade de tais dados com um único número, apesar de o desvio médio absoluto da média (7.68 para A e 8.15 para B) ser mais razoável do que o desvio-padrão.

Por que Ter um Grupo de Controle?

Por que não deixar de fazer o grupo de controle e apenas executar um experimento aplicando o tratamento de interesse em apenas um grupo e comparar o resultado com experiências anteriores?

Sem um grupo de controle não existem garantias de que "outras coisas são iguais" e que quaisquer diferenças são realmente devidas ao tratamento (ou ao acaso). Quando se tem um grupo de controle, este está sujeito às mesmas condições (exceto o tratamento de interesse) que o grupo de tratamento. Se é feita a simples comparação com uma "linha de base" ou uma experiência anterior, outros fatores, além do tratamento, podem ser diferentes.

Cegamento de Estudos

Um *estudo cego* é aquele em que os indivíduos não sabem se estão recebendo o tratamento A ou o tratamento B. A consciência sobre a recepção de determinado tratamento pode afetar a resposta. Um estudo *duplamente cego* é aquele em que os investigadores e facilitadores (por exemplo, médicos e enfermeiras em um estudo médico) não sabem quais indivíduos estão recebendo qual tratamento. O cegamento não é possível quando a natureza do tratamento é transparente — por exemplo, a terapia cognitiva de um computador versus um psicólogo.

O uso de testagem A/B em ciência de dados é comum em um contexto web. Os tratamentos podem ser o design de uma página da web, o preço de um produto, a redação de um título ou algum outro item. É necessário haver uma certa reflexão a fim de preservar os princípios da randomização. Geralmente, o indivíduo em um experimento é o visitante virtual, e os resultados em que estamos interessados em medir são cliques, compras, duração de visitas, número de páginas visitadas, onde uma página específica foi visitada e afins. Em um experimento A/B padrão, é necessário optar por uma métrica com antecedência. Múltiplas métricas podem ser coletadas e ser de interesse, mas se for esperado que o experimento leve a uma decisão entre o tratamento A e o tratamento B, deve-se estabelecer uma única métrica, *estatística de teste*, com antecedência. Escolher uma estatística de teste *após* o experimento ser conduzido abre a porta para viés de pesquisador.

Por que apenas A/B? Por que Não C, D...?

Os testes A/B são populares no mundo do marketing e do e-commerce, mas estão longe de ser o único tipo de experimento estatístico. Podem ser incluídos tratamentos adicionais. Os indivíduos podem ser medidos repetitivamente. Estudos farmacêuticos, em que os indivíduos são escassos, caros e adquiridos ao longo do tempo, são muitas vezes desenhados com múltiplas oportunidades de parar o experimento e chegar a uma conclusão.

Designs tradicionais de estatística experimental se concentram em responder a uma pergunta estática sobre a eficácia de tratamentos específicos. Os cientistas de dados estão menos interessados na pergunta:

> A diferença entre o preço A e o preço B é estatisticamente significante?

do que na pergunta:

> Qual, entre múltiplos preços possíveis, é o melhor?

Para isso, se usa um tipo de design experimental relativamente novo: o *bandido multibraços* (veja "Algoritmo de Bandido Multibraços", adiante, neste capítulo).

Pedindo Autorização

Em pesquisas científicas e médicas envolvendo indivíduos humanos, normalmente é necessário pedir sua permissão, bem como obter a aprovação de um conselho de revisão institucional. Experimentos em negócios, que são feitos como parte de operações em andamento, quase nunca fazem isso. Na maioria dos casos (por exemplo, experimentos de precificação ou experimentos sobre qual título mostrar ou qual oferta deve ser feita), essa prática é muito aceita. No entanto, o Facebook foi contra essa aceitação geral em 2014, quando fez um experimento com o tom emocional no feed de notícias dos usuários. O Facebook usou análises de sentimento para classificar os posts do feed como positivos ou negativos, então alterou o equilíbrio positivo/negativo com o qual os exibia aos usuários. Alguns aleatoriamente selecionados recebiam mais posts positivos, enquanto outros recebiam mais posts negativos. O Facebook descobriu que os usuários que recebiam um feed mais positivo estavam mais propensos a fazer posts positivos e vice-versa. A magnitude do efeito foi pequena, no entanto, e o Facebook enfrentou muitas críticas por conduzir um experimento sem o conhecimento dos usuários. Alguns usuários especularam que o Facebook pode ter forçado a barra com alguns usuários extremamente depressivos, caso tenham recebido a versão negativa do feed.

Ideias-chave

- Os indivíduos são atribuídos a dois (ou mais) grupos que são tratados de formas exatamente iguais, exceto pela diferença no tratamento em estudo entre eles.
- Idealmente, os indivíduos são atribuídos aleatoriamente aos grupos.

Leitura Adicional

- Comparações de dois grupos (testes A/B) são o básico na estatística tradicional, e quase todos os textos sobre estatística introdutória trarão uma extensa cobertura dos princípios de design e procedimentos de inferência. Para uma discussão que coloque os testes A/B em um contexto mais centrado em ciência de dados e reamostragem de usos, veja *Introductory Statistics and Analytics: A Resampling Perspective* (Estatística e Analítica Introdutórias: Uma Perspectiva de Amostragem, em tradução livre), de Peter Bruce (Wiley, 2014).

- Para testagem web, os aspectos logísticos da testagem podem ser tão desafiadores quanto os estatísticos. Um bom lugar para começar é o Google Analytics help section on Experiments, em www.support.google.com (conteúdo em inglês).

- Cuidado com os conselhos encontrados nos guias de testagem A/B onipresentes na web, tal como estas palavras em um deles: "Espere ter cerca de mil visitantes totais e tenha certeza de que pode fazer o teste por uma semana." Tais regras de ouro não são estatisticamente significativas. Para mais detalhes, veja "Potência e Tamanho de Amostra", adiante, neste capítulo.

Testes de Hipótese

Os testes de hipótese, também chamados de *testes de significância*, são onipresentes nas análises estatísticas tradicionais de pesquisas publicadas. Seu propósito é ajudá-lo a descobrir se uma chance aleatória poderia ser responsável por um efeito observado.

Termos-chave

Hipótese nula
A hipótese cuja possibilidade é provada.

Hipótese alternativa
Contraponto da nula (o que se espera provar).

Teste unilateral
Teste de hipótese que conta as possibilidades em apenas uma direção.

Teste bilateral
Teste de hipótese que conta as possibilidades em duas direções.

Um teste A/B (veja "Teste A/B", antes, neste capítulo) costuma ser construído com uma hipótese em mente. Por exemplo, a hipótese pode ser a de que um preço B gera mais lucro. Por que precisamos de uma hipótese? Por que não apenas observar o resultado do experimento e optar pelo tratamento que se sair melhor?

A resposta está na tendência da mente humana de subestimar o escopo do comportamento aleatório natural. Uma manifestação disso é a falha em prever eventos extremos, também chamados de "cisnes negros" (veja "Distribuições de Cauda Longa", no Capítulo 2). Outra manifestação é a tendência de interpretar eventos aleatórios de forma errada, como se tivessem padrões de alguma significância. A testagem de hipóteses estatísticas foi inventada como forma de proteger os pesquisadores de serem enganados pela possibilidade aleatória.

Interpretando a Aleatoriedade de Forma Errada

Pode-se observar a tendência humana a subestimar a aleatoriedade neste experimento. Peça para diversos amigos inventarem uma série de 50 lançamentos de moeda: peça para escreverem uma série aleatória de caras e coroas. Então peça para realmente jogarem uma moeda 50 vezes e anotarem os resultados. Peça para colocarem os resultados reais dos lançamentos em uma pilha, e os resultados criados em outra. É fácil adivinhar quais resultados são reais: os reais terão séries mais longas de caras ou coroas. Em um conjunto com 50 lançamentos de moeda reais, não é nada incomum encontrar cinco ou seis caras ou coroas seguidas.

No entanto, quando a maioria de nós está inventando lançamentos de moeda aleatórios, e colocamos três ou quatro caras seguidas, pensamos que, para que a série fique aleatória, seria melhor mudar para coroa.

O outro lado desta moeda, por assim dizer, é que, quando vemos o equivalente real de seis caras seguidas (por exemplo, quando um título ultrapassa o outro em 10%), ficamos inclinados a atribuir isso a algo real, e não simplesmente ao acaso.

Em um teste A/B bem projetado são coletados os dados sobre os tratamentos A e B, de modo que qualquer diferença observada entre A e B possa ser devido a um dos dois motivos a seguir:

- Possibilidade aleatória de atribuição de indivíduos.
- Uma diferença real entre A e B.

Um teste de hipótese estatística é uma análise mais aprofundada de um teste A/B, ou qualquer experimento randomizado, para avaliar se a possibilidade aleatória é uma explicação plausível para a diferença observada entre os grupos A e B.

A Hipótese Nula

Os testes de hipótese utilizam a seguinte lógica: "Dada a tendência humana a reagir a comportamentos incomuns, mas aleatórios e interpretá-los como algo significativo e real, em nossos experimentos vamos exigir provas de que a diferença entre os grupos é mais extrema do que aquilo que a possibilidade poderia produzir aleatoriamente". Isso envolve uma suposição de linha de base de que os tratamentos são equivalentes, e qualquer diferença entre os grupos acontece devido ao acaso. Essa suposição de linha de base é chamada de *hipótese nula*. Nossa esperança é então poder, de fato, provar que a hipótese nula está *errada* e mostrar que os resultados para os grupos A e B são mais diferentes do que o acaso poderia produzir.

86 | Capítulo 3: Experimentos Estatísticos e Teste de Significância

Um modo de fazer isso é através de um procedimento de reamostragem e permutação, no qual embaralhamos os resultados dos grupos A e B e distribuímos repetidamente os dados em grupos de tamanhos semelhantes, então observamos com que frequência obtemos uma diferença tão extrema quanto a diferença observada. Veja mais detalhes em "Reamostragem", adiante, neste capítulo.

Hipótese Alternativa

Os testes de hipótese envolvem, por natureza, não apenas uma hipótese nula, mas também uma hipótese alternativa contrária. Aqui estão alguns exemplos:

- Nula = "nenhuma diferença entre as médias dos grupos A e B", alternativa = "A é diferente de B" (poderia ser maior ou menor)
- Nula = "A ≤ B", alternativa = "B > A"
- Nula = "B não é X% maior que A", alternativa = "B é X% maior que A"

Em conjunto, as hipóteses nula e alternativa devem representar todas as possibilidades. A natureza da hipótese nula determina a estrutura do teste de hipótese.

Teste de Hipótese Unilateral, Bilateral

Geralmente, em um teste A/B se testa uma nova opção (digamos B), contra uma opção padrão estabelecida (A) e a suposição de que se continuará com a opção padrão a menos que a nova opção se prove definitivamente melhor. Nesse caso, é desejável haver um teste de hipótese para se proteger de ser enganado pelo acaso no favorecimento direcional. Não importa ser enganado pelo acaso na outra direção, porque você permaneceria com A, a menos que B se prove definitivamente melhor. Então é preciso haver uma hipótese alternativa *direcional* (B é melhor que A). Nesse caso, se usa um teste de hipótese unilateral (ou unicaudal). Isso significa que a possibilidade extrema resulta apenas uma contagem de direção no sentido do valor p.

Se você quer um teste de hipótese para se proteger de ser enganado pelo acaso em qualquer direção, a hipótese alternativa é *bidirecional* (A é diferente de B; poderia ser maior ou menor). Nesse caso se usa uma hipótese *bilateral* (ou bicaudal). Isso significa que possibilidades extremas resultam em contagens em qualquer uma das direções no sentido do valor p.

Uma hipótese unicaudal costuma acomodar a natureza da tomada de decisão A/B, na qual uma decisão é necessária e uma opção costuma receber status "padrão", a menos que a outra se prove melhor. Os softwares, no entanto, inclusive o R, costumam oferecer o teste bicaudal em seus resultados predefinidos, e muitos estatísticos optam pelo teste

Testes de Hipótese | 87

bicaudal mais conservador apenas para evitar discussões. O assunto unicaudal versus bicaudal é confuso e sem muita relevância para a ciência de dados, em que a precisão dos cálculos de valor p não é extremamente importante.

> ## Ideias-chave
>
> - Uma *hipótese nula* é uma construção lógica que expressa a noção de que não aconteceu nada especial e qualquer efeito que for observado será devido a possibilidades aleatórias.
>
> - O *teste de hipótese* presume que a hipótese nula é verdade, cria um "modelo nulo" (um modelo de probabilidade) e testa se o efeito observado é um resultado plausível daquele modelo.

Leitura Adicional

- *O andar do bêbado,* de Leonard Mlodinow, é um estudo legível dos modos como a "aleatoriedade rege nossas vidas".
- O livro clássico sobre estatística de David Freedman, Robert Pisani e Roger Purves, *Statistics,* 4. ed. (sem edição em português) (W. W. Norton, 2007) apresenta excelentes tratamentos não matemáticos da maioria dos tópicos estatísticos, incluindo a testagem de hipóteses.
- O livro *Introductory Statistics and Analytics: A Resampling Perspective* (sem edição em português), de Peter Bruce (Wiley, 2014), desenvolve conceitos de testagem de hipóteses utilizando reamostragem.

Reamostragem

Reamostragem, em estatística, significa amostrar repetitivamente os valores a partir dos dados observados, com um objetivo geral de avaliar a variabilidade aleatória em uma estatística. Pode ser usada também para avaliar e aumentar a precisão de alguns modelos de aprendizado de máquina (por exemplo, a média das previsões de modelos de árvores de decisão baseadas em múltiplos conjuntos de dados bootstrapped pode ser tirada em um processo conhecido como *bagging*: veja "Bagging e a Floresta Aleatória", no Capítulo 6).

Existem dois tipos principais de procedimentos de reamostra: o *bootstrap* e os *testes de permutação.* O bootstrap é usado para avaliar a confiabilidade de uma estimativa; foi discutido no capítulo anterior (veja "O Bootstrap", no Capítulo 2). Testes de permutação são usados para testar hipóteses, geralmente envolvendo dois ou mais grupos, e discutiremos a respeito disso nesta seção.

88 | Capítulo 3: Experimentos Estatísticos e Teste de Significância

> # Termos-chave
>
> **Testes de permutação**
> O procedimento de combinar duas ou mais amostras e aleatoriamente (ou exaustivamente) realocar as observações em reamostras.
> *Sinônimos*
> teste de randomização, teste de permutação aleatória, teste exato
>
> **Com ou sem reposição**
> Em amostragem, se um item será ou não recolocado na amostra antes da próxima extração.

Teste de Permutação

Em um procedimento de *permutação* são envolvidas duas ou mais amostras, geralmente os grupos em um teste A/B ou outros testes de hipótese. *Permuta* significa mudar a ordem de um conjunto de valores. O primeiro passo em um *teste de permutação* de uma hipótese é combinar os resultados dos grupos A e B (e, se usados, C, D...). Essa é a representação lógica da hipótese nula da qual os tratamentos aos quais os grupos foram expostos não diferem. Então testamos tal hipótese extraindo aleatoriamente os grupos desse conjunto combinado e vendo o quanto eles diferem um do outro. O procedimento de permutação é o seguinte:

1. Combine os resultados dos diferentes grupos em um único conjunto de dados.

2. Embaralhe os dados combinados, então extraia aleatoriamente (sem reposição) uma reamostra de tamanho igual ao do grupo A.

3. Dos dados restantes, extraia aleatoriamente (sem reposição) uma reamostra de tamanho igual ao do grupo B.

4. Faça o mesmo para os grupos C, D e assim por diante.

5. Seja qual for a estatística ou estimativa calculada para as amostras originais (por exemplo, diferenças entre proporções de grupo), calcule-a agora para as reamostras e registre. Isso constitui uma iteração de permutação.

6. Repita os passos anteriores R vezes para produzir uma distribuição de permutação da estatística de teste.

Agora volte à diferença observada entre os grupos e compare ao conjunto das diferenças permutadas. Se a diferença observada estiver dentro do conjunto de diferenças permutadas, então não provamos nada — a diferença observada está dentro do intervalo do que o acaso pode produzir. No entanto, se a diferença observada estiver fora da maior parte

Reamostragem | 89

da distribuição de permutação, então concluímos que o acaso *não é* responsável. Em termos técnicos, a diferença é *estatisticamente significante*. Veja "Significância Estatística e Valores P", adiante, neste capítulo.

Exemplo: Aderência Web

Uma empresa vendendo um serviço de valor relativamente alto quer testar qual entre duas apresentações na web venderia mais. Devido ao alto valor do serviço sendo vendido, as vendas não são frequentes e o ciclo de vendas é longo. Demoraria muito para acumular vendas suficientes para saber qual apresentação é superior. Então, a empresa decide medir os resultados com uma variável proxy, usando a página interna detalhada que descreve o serviço.

Uma variável *proxy* é aquela que se apresenta no lugar da real variável de interesse, a qual pode não estar disponível, ser muito cara ou muito demorada de medir. Em pesquisas climáticas, por exemplo, o oxigênio contido em antigos núcleos de gelo é usado como uma proxy para a temperatura. É útil para ter ao menos *algum* dado sobre a real variável de interesse, então a força de sua associação com a proxy pode ser avaliada.

Uma potencial variável proxy para nossa empresa seria o número de cliques em uma página específica. Uma melhor seria quanto tempo as pessoas passam na página. É importante pensar que uma apresentação web (página) que prenda a atenção das pessoas por mais tempo levará a mais vendas. Portanto, nossa métrica é o tempo médio de sessão, comparando a página A com a página B.

Por ser uma página interior, especial, ela não recebe um grande número de visitantes. Observe também que o Google Analytics, que é como medimos o tempo de sessão, não consegue medir o tempo de sessão para a última sessão que uma pessoa visita. Em vez de deletar aquela sessão dos dados, o GA a registra como um zero, então os dados exigem processamento adicional para remover aquelas sessões. O resultado é um total de 36 sessões para as duas apresentações diferentes, 21 para a página A e 15 para a página B. Usando o `ggplot`, podemos comparar visualmente os tempos de sessão usando boxplots lado a lado:

```
ggplot(session_times, aes(x=Page, y=Time)) +
    geom_boxplot()
```

O boxplot, mostrado na Figura 3-3, indica que a página B leva a sessões mais longas que a página A. As médias para cada grupo podem ser calculadas da seguinte forma:

```
mean_a <- mean(session_times[session_times['Page']=='Page A', 'Time'])
mean_b <- mean(session_times[session_times['Page']=='Page B', 'Time'])
mean_b - mean_a
[1] 21.4
```

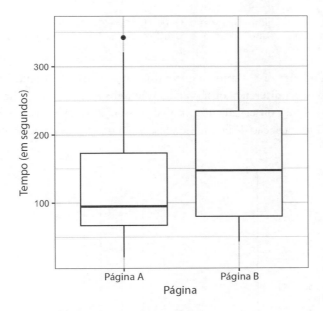

Figura 3-3. Tempos de sessão para as páginas web A e B

A página B possui tempos de sessão 21,4 segundos maiores, em média, do que a página A. A questão é se essa diferença está dentro da faixa do que o acaso poderia produzir ou, por outro lado, é estatisticamente significante. Um meio de responder isso é aplicando um teste de permutação — junte todos os tempos de sessão, então embaralhe repetidamente e divida em grupos de 21 (lembre-se de que $n = 21$ para página A) e 15 ($n = 15$ para B).

Para aplicar um teste de permutação, precisamos de uma função para atribuir aleatoriamente os 36 tempos de sessão a um grupo de 21 (página A) a um grupo de 15 (página B):

```
perm_fun <- function(x, n1, n2)
{
  n <- n1 + n2
  idx_b <- sample(1:n, n1)
  idx_a <- setdiff(1:n, idx_b)
  mean_diff <- mean(x[idx_b]) - mean(x[idx_a])
  return(mean_diff)
}
```

Essa função funciona amostrando sem reposição n2 índices e atribuindo-os ao grupo B. Os índices n1 restantes são atribuídos ao grupo A. A diferença entre as duas médias é retornada. Chamar esta função R = 1.000 vezes e especificar n2 = 15 e n1 = 21 leva a uma distribuição das diferenças nos tempos de sessão que podem ser plotadas como um histograma.

```
perm_diffs <- rep(0, 1000)
for(i in 1:1000)
  perm_diffs[i] = perm_fun(session_times[,'Time'], 21, 15)
hist(perm_diffs, xlab='Session time differences (in seconds)')
abline(v = mean_b - mean_a)
```

O histograma da Figura 3-4 mostra que a diferença média de permutações aleatórias geralmente excede a diferença observada em tempos de sessão (a linha vertical). Isso sugere que a diferença observada no tempo de sessão entre a página A e a página B está dentro da faixa de variação de possibilidades, então não é estatisticamente significante.

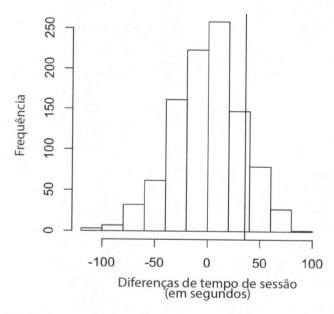

Figura 3-4. Distribuição de frequências para as diferenças de tempo de sessão entre as páginas A e B

Testes de Permutação Exaustiva e Bootstrap

Além do procedimento anterior de embaralhamento aleatório, também chamado de *teste de permutação aleatória* ou de *teste de randomização*, existem duas variações do teste de permutação:

- Um *teste de permutação exaustiva*
- Um *teste de permutação bootstrap*

Em um teste de permutação exaustiva, em vez de simplesmente embaralhar aleatoriamente e dividir os dados, nós na verdade adivinhamos todos os modos possíveis em que podem ser divididos. Isso é prático apenas para tamanhos de amostra relativamente pequenos. Com um número grande de embaralhamentos repetidos, os resultados do teste de permutação se aproximam daqueles do teste de permutação exaustiva e os abordam no limite. Os testes de permutação exaustiva também são chamados às vezes de *testes exatos*, devido à sua propriedade estatística de garantir que o modelo nulo não seja testado como "significante" além do nível alfa do teste (veja "Significância Estatística e Valores P", adiante, neste capítulo).

Em um teste de permutação bootstrap, as extrações descritas nos passos 2 e 3 do teste de permutação aleatória são feitas *com reposição,* ao invés de sem reposição. Dessa forma, o procedimento de reamostragem modela não somente o elemento aleatório na atribuição do tratamento ao indivíduo, mas também o elemento aleatório na seleção de indivíduos de uma população. Ambos os procedimentos são encontrados na estatística, e a distinção entre eles é um pouco complexa, e não consequência da prática da ciência de dados.

Testes de Permutação: A conclusão para a Ciência de Dados

Os testes de permutação são úteis em procedimentos heurísticos para a exploração do papel da variação aleatória. Eles são relativamente fáceis de codificar, interpretar e explicar e oferecem um desvio útil ao redor do formalismo e "falso determinismo" das estatísticas baseadas em fórmulas.

Uma virtude da reamostragem, ao contrário das abordagens por fórmula, é que chega muito mais perto de uma abordagem "tamanho único" à inferência. Os dados podem ser numéricos ou binários. Os tamanhos de amostra podem ser iguais ou diferentes. As suposições sobre os dados normalmente distribuídos não são necessárias.

Ideias-chave

- Em um teste de permutação, múltiplas amostras são combinadas e então embaralhadas.

- Os valores embaralhados são então divididos em reamostras, e a estatística de interesse é calculada.

- Esse processo é então repetido, e a estatística reamostrada é tabulada.

- A comparação dos valores observados da estatística com a distribuição reamostrada permite julgar se uma diferença observada entre as amostras pode ocorrer por acaso.

Leitura Adicional

- *Randomization Tests*, 4. ed. (Testes de Randomização, em tradução livre), de Eugene Edgington e Patrick Onghena (Chapman Hall, 2007), mas não se aprofunde muito no emaranhado de amostragens não aleatórias.

- *Introductory Statistics and Analytics: A Resampling Perspective* (sem edição em português), de Peter Bruce (Wiley, 2015).

Significância Estatística e Valores P

Significância estatística é como os estatísticos medem se um experimento (ou até mesmo um estudo de dados existente) produz um resultado mais extremo do que o acaso poderia produzir.

Se o resultado estiver além do domínio da variação do acaso, é chamado de estatisticamente significante.

Termos-chave

Valor p
Dado um modelo de acaso que representa a hipótese nula, o valor p é a probabilidade de obter resultados tão incomuns ou extremos quanto os resultados observados.

Alfa
Um limiar de probabilidade de "ser incomum" que os resultados do acaso podem ultrapassar, para resultados reais serem definidos como estatisticamente significantes.

> **Erro tipo 1**
> Concluir erroneamente que um efeito é real (quando acontece pelo acaso).
>
> **Erro tipo 2**
> Concluir erroneamente que um efeito ocorreu pelo acaso (quando é real).

Considere na Tabela 3-2 os resultados do teste web mostrado anteriormente.

Tabela 3-2. Tabela 2×2 para resultados de experimento de e-commerce

Resultado	Preço A	Preço B
Conversão	200	182
Sem conversão	23539	22406

O preço A converte quase 5% melhor que o preço B (0,8425% versus 0,8057% — uma diferença de 0,0368 pontos percentuais), grande o bastante para ser significativo em um negócio de alto volume. Temos mais de 45 mil pontos de dados aqui, e é tentador considerar isso como "big data", sem exigir testes de significância estatística (necessários principalmente para contabilizar variabilidade amostral em pequenas amostras). No entanto, as taxas de conversão são tão baixas (menos de 1%), que os valores realmente significativos — as conversões — estão apenas em centenas, e o tamanho de amostra necessário é na verdade determinado por essas conversões. Podemos testar se a diferença das conversões entre os preços A e B está dentro da taxa de variação do acaso usando um procedimento de reamostragem. Por "variação do acaso" nos referimos à variação aleatória produzida por um modelo de probabilidade que representa a hipótese nula de que não há diferença entre as taxas (veja "A Hipótese Nula", antes, neste capítulo). O procedimento de permutação a seguir pergunta: "Se os dois preços compartilham a mesma taxa de conversão, a variação do acaso poderia produzir uma diferença de 5%?"

1. Crie uma urna com todos os resultados amostrais. Isso representa a suposta taxa de conversão compartilhada de 382 uns e 45.945 zeros = 0,008246 = 0,8246%.

2. Embaralhe e extraia uma reamostra de tamanho 23.739 (mesmo n que o preço A), e registre a quantidade de 1s.

3. Registre o número de 1s nos 22.588 (mesmo n que o preço B) restantes.

4. Registre a diferença em proporção de 1s.

5. Repita os passos de 2 a 4.

6. Quão frequente foi a diferença >= 0.0368?

Reutilizando a função perm_fun descrita em "Exemplo: Aderência Web", antes, neste capítulo, podemos criar um histograma de diferenças em taxas de conversão aleatoriamente permutadas:

```
obs_pct_diff <- 100*(200/23739 - 182/22588)
conversion <- c(rep(0, 45945), rep(1, 382))
perm_diffs <- rep(0, 1000)
for(i in 1:1000)
  perm_diffs[i] = 100*perm_fun(conversion, 23739, 22588 )
hist(perm_diffs, xlab='Session time differences (in seconds)')
abline(v = obs_pct_diff)
```

Veja o histograma de 1.000 resultados reamostrados na Figura 3-5: conforme acontece, neste caso a diferença observada de 0,0368% está dentro da taxa de variação do acaso.

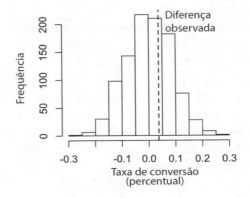

Figura 3-5. Distribuição de frequências para a diferença entre taxas de conversão entre as páginas A e B

Valor P

A simples observação do gráfico não é um meio muito preciso de medir a significância estatística, então o *valor p* é mais interessante. Esta é a frequência com a qual o modelo de acaso produz um resultado mais extremo que o resultado observado. Podemos estimar o valor p através de nosso teste de permutação tirando a proporção de vezes em que o teste de permutação produz uma diferença igual ou maior que a diferença observada:

```
mean(perm_diffs > obs_pct_diff)
[1] 0.308
```

O valor p é de 0.308, o que significa que podemos esperar atingir um resultado tão extremo quanto esse, ou mais extremo, através do acaso mais de 30% das vezes.

Neste caso, não precisamos um teste de permutação para obter um valor p. Como temos uma distribuição binomial, podemos aproximar o valor p usando a distribuição normal. No código R, fazemos isso usando a função prop.test:

```
> prop.test(x=c(200,182), n=c(23739,22588), alternative="greater")

        2-sample test for equality of proportions with continuity correction

data:  c(200, 182) out of c(23739, 22588)
X-squared = 0.14893, df = 1, p-value = 0.3498
alternative hypothesis: greater
95 percent confidence interval:
 -0.001057439  1.000000000
sample estimates:
     prop 1      prop 2
0.008424955 0.008057376
```

O argumento x é o número de sucessos para cada grupo e o argumento n é o número de ensaios. A aproximação normal gera um valor p de 0.3498, o qual é próximo ao valor p obtido pelo teste de permutação.

Alfa

Os estatísticos não gostam da ideia de deixar a definição de um resultado como "muito incomum" para acontecer por acaso a critério dos pesquisadores. Em vez disso, especifica-se com antecedência um limiar, como em "mais extremo que 5% do resultado do acaso (hipótese nula)". Esse limiar é conhecido como alfa. Os típicos níveis de alfa são 5% e 1%. Qualquer nível escolhido é uma escolha arbitrária — não há nada no processo que garante decisões corretas x% do tempo. Isso acontece porque a questão de probabilidade sendo respondida *não* é "qual é a probabilidade de isso ter acontecido por acaso?", mas, sim, "dado um modelo de acaso, qual é a probabilidade de haver um resultado tão extremo?". Nós então deduzimos retroativamente sobre a adequação do modelo de acaso, mas esse julgamento não traz uma probabilidade. Esse ponto tem sido assunto de muita confusão.

Valor do valor p

Tem havido muita controvérsia em torno do uso do valor p nos últimos anos. Um periódico de psicologia chegou a "banir" o uso de valores p em artigos apresentados com a justificativa de que publicar decisões com base somente no valor p estava resultando na publicação de pesquisas fracas. Muitos pesquisadores, com uma ideia muito vaga do que o valor p realmente significa, mergulham nos dados e entre diferentes hipóteses possíveis para teste até encontrarem uma combinação que resulte em um valor p significativo e, portanto, um artigo adequado para publicação.

O real problema é que as pessoas querem um significado além daquele que o valor p oferece. Aqui está o que queríamos que o valor p expressasse:

A probabilidade de que o resultado ocorre pelo acaso.

Esperamos um valor baixo, para que possamos concluir que provamos algo. Era assim que muitos editores de periódicos estavam interpretando o valor p. Mas aqui está o que o valor p expressa *realmente*:

A probabilidade de que, *dado um modelo de acaso*, podem ocorrer resultados tão extremos quanto os resultados observados.

A diferença é sutil, mas real. Um valor p significativo não leva você tão longe no caminho da "prova" quanto parece prometer. O fundamento lógico para a conclusão "estatisticamente significante" é um tanto mais fraco quando se entende o significado real do valor p.

Em março de 2016, a American Statistical Association (Associação Estatística Americana), após muita deliberação interna, revelou a dimensão da falta de entendimento sobre os valores p quando publicou uma nota de advertência quanto a seu uso.

A declaração da ASA frisou os seis princípios para pesquisadores e editores de periódicos:

1. Os valores p podem indicar o quanto os dados são incompatíveis com um modelo estatístico específico.

2. Os valores p não medem a probabilidade de a hipótese estudada ser verdade ou a probabilidade de os dados terem sido produzidos apenas pelo acaso.

3. Conclusões científicas e decisões empresariais ou políticas não devem se basear apenas no fato de um valor p exceder um limiar específico.

4. A inferência adequada exige informações completas e transparência.

5. Um valor p, ou significância estatística, não mede o tamanho de um efeito ou a importância de um resultado.

6. Sozinho, um valor p não oferece uma boa medição das evidências no que diz respeito a um modelo ou hipótese.

Erros Tipo 1 e Tipo 2

Na aferição da significância estatística, é possível haver dois erros:

- Erro tipo 1, no qual se conclui erroneamente que um efeito é real, quando, na verdade, ocorre por acaso.

- Erro tipo 2, no qual se conclui erroneamente que um efeito não é real (ou seja, ocorre por acaso), quando, na verdade, é real.

Na verdade, um erro tipo 2 não é bem um erro, mas, sim, uma conclusão de que o tamanho da amostra é muito pequeno para detectar o efeito. Quando um valor p fica aquém da significância estatística (por exemplo, excede 5%), o que estamos dizendo, na verdade, é "efeito não provado". Pode ser que uma amostra maior resulte em um valor p menor.

A função básica dos testes de significância (também chamados de *testes de hipótese*) é a proteção contra os enganos pelo acaso, então são comumente estruturados de modo a minimizar os erros Tipo 1.

Ciência de Dados e Valores P

O trabalho dos cientistas de dados não costuma se destinar a ser publicado em periódicos científicos, então o debate sobre o valor do valor p é mais acadêmico. Para um cientista de dados, um valor p é uma métrica útil em situações em que se quer saber se um resultado de modelo que parece interessante e útil está dentro da faixa de variabilidade de acaso normal. Como uma ferramenta de tomada de decisão em um experimento, um valor p não deve ser considerado como dominante, mas meramente outro ponto de informação influenciando uma decisão. Por exemplo, os valores p às vezes são usados como entrada intermediária em um modelo estatístico ou de aprendizado de máquina — uma característica pode ser incluída ou excluída de um modelo dependendo de seu valor p.

Ideias-chave

- Os testes de significância são usados para determinar se um efeito observado está dentro da faixa de variação do acaso para um modelo de hipótese nula.
- O valor p é a probabilidade de os resultados tão extremos quanto os resultados observados podem ocorrer, dado um modelo de hipótese nula.
- O valor alfa é o limiar de "não ser comum" em um modelo de acaso de hipótese nula.
- O teste de significância tem sido mais relevante para o registro formal de pesquisas do que para a ciência de dados (mas tem sumido recentemente, mesmo para o primeiro).

Leitura Adicional

- Stephen Stigler, "Fisher and the 5% Level", *Chance*, v. 21, n. 4 (2008): 12. Esse artigo é um pequeno comentário sobre o livro de Ronald Fisher de 1925, *Statistical Methods for Research Workers*, e sua ênfase nos 5% de nível de significância.
- Veja também "Testes de Hipóteses", antes, neste capítulo, e as leituras adicionais mencionadas ali.

Testes t

Existem inúmeros tipos de testes de significância, dependendo de os dados conterem dados contados ou dados medidos, quantas amostras existem e do que está sendo medido. Um tipo muito comum é o *teste t*, batizado assim por causa da distribuição t de Student, originalmente desenvolvida por W. S. Gossett para aproximar a distribuição de uma média amostral (veja "Distribuição t de Student", no Capítulo 2).

Termos-chave

Estatística de teste
Uma métrica para a diferença ou efeito de interesse.

Estatística t
Uma versão padronizada da estatística de teste.

Distribuição t
Uma distribuição de referência (neste caso, derivada de uma hipótese nula), com a qual a estatística t observada pode ser comparada.

Todos os testes de significância exigem que uma *estatística de teste* seja especificada para medir o efeito de interesse e ajudar a determinar se aquele efeito observado está dentro da taxa de variação normal do acaso. Em um teste de reamostragem (veja a discussão sobre permutação em "Teste de Permutação", antes, neste capítulo), a escala dos dados não importa. Você cria a distribuição de referência (hipótese nula) dos próprios dados e usa a estatística de teste como está.

Nas décadas de 1920 e 1930, quando as testagens de hipóteses estatísticas estavam sendo desenvolvidas, não era viável embaralhar aleatoriamente os dados milhares de vezes para fazer um teste de reamostragem. Os estatísticos descobriram que uma boa aproximação à distribuição de permutação (embaralhada) era o teste t, baseado na distribuição t de Gossett. É usado para uma comparação muito comum de duas amostras — teste A/B — nas quais os dados são numéricos. Mas para que a distribuição t seja usada sem considerar a escala é preciso usar uma forma padronizada da estatística de teste.

Um texto estatístico clássico mostraria, neste ponto, diversas fórmulas que incorporam a distribuição de Gossett e demonstraria como padronizar seus dados para compará-los à distribuição t padrão. Essas fórmulas não aparecem aqui porque todos os softwares estatísticos, bem como o R e o Python, incluem comandos que representam a fórmula. No R, a função é t.test:

---

100 | Capítulo 3: Experimentos Estatísticos e Teste de Significância

```
> t.test(Time ~ Page, data=session_times, alternative='less' )

        Welch Two Sample t-test

data:  Time by Page
t = -1.0983, df = 27.693, p-value = 0.1408
alternative hypothesis: true difference in means is less than 0
95 percent confidence interval:
    -Inf 19.59674
sample estimates:
mean in group Page A mean in group Page B
        126.3333            162.0000
```

A hipótese alternativa é a de que a média do tempo de sessão para a página A seja menor que a da página B. Isso é muito próximo do valor p de 0.124 do teste de permutação (veja "Exemplo: Aderência Web", antes, neste capítulo).

Em um modo de reamostragem, estruturamos a solução para refletir os dados observados e a hipótese a ser testada, sem nos preocupar se os dados são numéricos ou binários, se os tamanhos de amostra estão equilibrados ou não, com as variâncias das amostras ou diversos outros fatores. No mundo das fórmulas, muitas variâncias se apresentam e podem ser confusas. Os estatísticos precisam navegar por esse mundo e conhecer seus mapas, mas os cientistas de dados não — eles não costumam estar em posição de trabalhar os detalhes dos testes de hipótese e intervalos de confiança do mesmo modo que os pesquisadores que preparam artigos para apresentação.

Ideias-Chave

- Antes do advento dos computadores, os testes de reamostragem não eram práticos, e os estatísticos usavam distribuições de referência padrão.

- Uma estatística de teste poderia então ser padronizada e comparada à distribuição de referência.

- Uma estatística padronizada muito usada é a estatística t.

Leitura Adicional

- Qualquer texto sobre estatística introdutória terá ilustrações da estatística t e seus usos. Dois bons textos são *Statistics*, 4. ed. (sem edição em português), de David Freedman, Robert Pisani e Roger Purves (W. W. Norton, 2007) e *The Basic Practice of Statistics* (sem edição em português), de David S. Moore (Palgrave Macmillan, 2010).

- Para um tratamento de ambos os procedimentos de teste t e reamostragem em paralelo, veja *Introductory Statistics and Analytics: A Resampling Perspective* (sem edição em português), de Peter Bruce (Wiley, 2014) ou *Statistics* (sem edição em português), de Robin Lock e outros quatro membros da família Lock (Wiley, 2012).

Testagem Múltipla

Conforme mencionamos anteriormente, existe um ditado em estatística: "Torture os dados o bastante, e eles vão confessar." Isso significa que se você observar os dados de diferentes perspectivas, e fizer perguntas o bastante, poderá, quase que invariavelmente, encontrar um efeito estatisticamente significativo.

Termos-chave

Erro tipo 1
Concluir erroneamente que um efeito é estatisticamente significativo.

Taxa de falsa descoberta
Através de múltiplos testes, a taxa de cometer um erro tipo 1.

Ajuste dos valores p
Contabilização da realização de múltiplos testes nos mesmos dados.

Sobreajuste
Ajuste do ruído.

Por exemplo, se você tiver 20 variáveis preditoras e uma variável resultante, todas *aleatoriamente* geradas, é bem provável que ao menos um preditor será (falsamente) estatisticamente significativo se for feita uma série de 20 testes de significância em nível alfa = 0,05.

Conforme discutido anteriormente, isso é chamado de *erro tipo 1*. É possível calcular essa probabilidade encontrando primeiro a probabilidade de que todos serão testados *corretamente* não significativos no nível 0,05. A probabilidade de que *um* será testado corretamente como não significativo é de 0,95, então a probabilidade de que todos os 20 serão corretamente testados não significativos é de 0,95 × 0,95 × 0,95... ou $0,95^{20}$ = 0,36.[1] A probabilidade de que ao menos um preditor seja (falsamente) testado significativo é o lado negativo dessa probabilidade, ou 1 – (*probabilidade de todos serão não significantes*) = 0,64.

---

1 A regra de multiplicação diz que a probabilidade de acontecimento de n eventos independentes é o produto das probabilidades individuais. Por exemplo, se cada um de nós dois jogar uma moeda, a probabilidade de a sua moeda e a minha pousarem em cara é de 0,5 × 0,5 = 0,25.

Esse problema está relacionado ao problema de sobreajuste em pesquisa de dados, ou "ajustar o modelo ao ruído". Quando mais variáveis forem adicionadas, ou mais modelos forem executados, maior é a probabilidade de algo se sobressair como "significativo" apenas por acaso.

Em tarefas de aprendizado supervisionado, um conjunto de retenção em que os modelos são avaliados em dados que o modelo não viu antes atenua esse risco. Em tarefas estatísticas ou de aprendizado de máquina que não envolvam um conjunto de retenção rotulado, o risco de chegar a conclusões baseadas em ruídos estatísticos permanece.

Em estatística existem alguns procedimentos destinados ao tratamento desse problema em circunstâncias muito específicas. Por exemplo, se estiver comparando resultados através de múltiplos grupos de tratamento, pode ser preciso fazer múltiplas perguntas. Então, para tratamentos A–C, poderia perguntar:

- A é diferente de B?
- B é diferente de C?
- A é diferente de C?

Ou, em um estudo clínico, pode ser necessário olhar os resultados de uma terapia em diversos estágios. Em cada caso, serão feitas múltiplas perguntas, e com cada pergunta a chance de ser enganado pelo acaso será maior. Os procedimentos de ajuste em estatística podem compensar isso através de uma definição mais rigorosa dos limites de significância estatística do que seria para um único teste de hipótese. Esses procedimentos de ajuste costumam envolver a "divisão de alfa" conforme o número de testes. Isso resulta em um alfa menor (ou seja, um limite mais rigoroso para a significância estatística) para cada teste. Um desses procedimentos, o ajuste de Bonferroni, simplesmente divide o alfa pelo número de observações n.

No entanto, o problema de múltiplas comparações vai além desses casos altamente estruturados e está relacionado ao fenômeno de "dragagem" de dados repetidos, que dá força ao ditado sobre torturar os dados. Colocando de outra forma, se você não encontrou nada interessante, provavelmente não procurou muito, nem por muito tempo. Hoje há mais dados disponíveis do que antigamente, e o número de artigos publicados em periódicos quase dobrou entre os anos de 2002 e 2010. Isso dá origem a muitas oportunidades de encontrar algo interessante nos dados, inclusive problemas de multiplicidade como:

- Verificar a existência de múltiplas diferenças de pares entre os grupos.
- Observar múltiplos resultados de subgrupos ("não encontramos um efeito geral de tratamento significativo, mas encontramos um efeito para mulheres solteiras abaixo dos 30").

- Tentar muitos modelos estatísticos.
- Incluir muitas variáveis em modelos.
- Fazer inúmeras perguntas diferentes (ou seja, diferentes resultados possíveis).

Taxa de Falsa Descoberta

O termo *taxa de falsa descoberta* foi originalmente usado para descrever a taxa na qual um dado conjunto de testes de hipótese identificaria falsamente um efeito significativo. Ela se tornou especialmente útil com o advento da pesquisa genômica, em que números massivos de testes estatísticos podem ser conduzidos como parte de um projeto de sequenciamento genético. Nesses casos, o termo se aplica ao protocolo de testagem, e uma única "descoberta" falsa se refere ao resultado de um teste de hipótese (por exemplo, entre duas amostras). Os pesquisadores procuram ajustar os parâmetros do processo de testagem a fim de controlar a taxa de falsa descoberta em um nível específico. O termo tem sido usado também na comunidade de pesquisa de dados em um contexto de classificação, em que uma descoberta falsa é uma falsa rotulagem de 0s como 1s (veja o Capítulo 5 e "O Problema da Classe Rara", também no Capítulo 5).

Por diversas razões, incluindo especialmente esse problema geral de "multiplicidade", pesquisar mais não significa necessariamente pesquisar melhor. Por exemplo, a companhia farmacêutica Bayer descobriu em 2011, quando tentou replicar 67 estudos científicos, que poderia replicar totalmente apenas 14 deles. Quase dois terços não poderiam ser replicados de forma alguma.

De qualquer modo, os procedimentos de ajuste para testes estatísticos altamente definidos e estruturados são muito específicos e inflexíveis para serem aplicados em usos gerais na ciência de dados. A conclusão sobre multiplicidade para a ciência de dados é:

- Para modelagem preditiva, o risco de obter um modelo ilusório cuja eficácia aparente é mais um produto do acaso é mitigado pela validação cruzada (veja "Validação Cruzada", no Capítulo 4) e uso de uma amostra de retenção.
- Para outros procedimentos sem um conjunto de retenção rotulado para verificar o modelo, é necessário contar com:
  — A consciência de que quanto mais se questiona e manipula os dados, maior o papel que o acaso pode desempenhar.
  — A heurística da reamostragem e da simulação para referências aleatórias de acaso contra as quais se pode comparar os resultados observados.

> ## Ideias-chave
>
> - A multiplicidade em um estudo de pesquisa ou projeto de pesquisa de dados (múltiplas comparações, muitas variáveis, muitos modelos etc.) aumenta o risco de concluir que algo é significativo apenas pelo acaso.
>
> - Para situações envolvendo múltiplas comparações estatísticas (ou seja, múltiplos testes de significância), existem procedimentos de ajuste estatístico.
>
> - Em uma situação de pesquisa de dados, o uso de uma amostra de retenção com variáveis de resultado rotuladas pode ajudar a evitar resultados enganosos.

Leitura Adicional

1. Veja uma curta exposição de um procedimento (de Dunnett) de ajuste de múltiplas comparações, em http://davidmlane.com/hyperstat/B112114.html (conteúdo em inglês), de David Lane.

2. Megan Goldman oferece um tratamento um pouco mais longo do procedimento de ajuste de Bonferroni em https://www.stat.berkeley.edu/~mgoldman/Section0402.pdf (conteúdo em inglês).

3. Veja em tratamento mais aprofundado de procedimentos estatísticos mais flexíveis para ajustar valores p em *Resampling-Based Multiple Testing* (sem edição em português), de Peter Westfall e Stanley Young (Wiley, 1993).

4. Veja uma discussão sobre repartição de dados e o uso de amostras de retenção em modelagem preditiva em *Data Mining for Business Analytics* (sem edição em português), Capítulo 2, de Galit Shmueli, Peter Bruce, e Nitin Patel (Wiley, 2016).

Graus de Liberdade

Na documentação e nas configurações de muitos testes estatísticos existem referências aos "graus de liberdade". O conceito é aplicado a estatísticas calculadas de dados de amostra e se refere ao número de valores livres para variar. Por exemplo, se você sabe a média para uma amostra de 10 valores, e também sabe 9 dos valores, sabe também o 10° valor. Apenas 9 são livres para variar.

> # Termos-chave
>
> ***n* ou tamanho da amostra**
> O número de observações (também chamadas de linhas ou registros) nos dados.
>
> ***g.l.***
> Graus de liberdade.

O número de graus de liberdade é um fator em muitos testes estatísticos. Por exemplo, graus de liberdade é o nome dado ao denominador $n - 1$ visto nos cálculos de variância e desvio-padrão. Por que isso importa? Quando se usa uma amostra para estimar a variância de uma população, se usar n no denominador, obterá uma estimativa levemente enviesada para baixo. Se usar $n - 1$ no denominador, a estimativa ficará livre desse viés.

Grande parte dos cursos ou livros tradicionais sobre estatística é consumida por diversos testes-padrão de hipóteses (teste t, teste F etc.). Quando as estatísticas amostrais são padronizadas para o uso em fórmulas estatísticas tradicionais, os graus de liberdade fazem parte do cálculo de padronização para garantir que os dados padronizados correspondam à distribuição de referências adequada (distribuição t, distribuição F etc.).

É importante para a ciência de dados? Não muito, ao menos no contexto de teste de significância. Por um lado, os testes estatísticos formais são muito pouco usados na ciência de dados. Por outro, o tamanho dos dados costuma ser grande o bastante para raramente fazer diferença para um cientista de dados se, por exemplo, o denominador tem n ou $n - 1$.

Porém, existe um contexto em que é relevante: o uso de variáveis fatoradas em regressão (inclusive regressão logística). Os algoritmos de regressão travam se houver variáveis preditoras exatamente redundantes. Isso ocorre mais comumente ao fatorar variáveis categóricas em indicadores binários (fictícios). Considere um dia da semana. Apesar de haver sete dias da semana, existem apenas seis graus de liberdade ao especificar o dia da semana. Por exemplo, uma vez que se sabe que o dia da semana não é de segunda a sábado, sabe-se que deve ser domingo. A inclusão de indicadores seg-sáb então significa que incluir *também* o domingo causaria falha na regressão, devido a um erro de multicolinearidade.

Ideias-chave

- O número de graus de liberdade (g.l.) faz parte do cálculo para padronizar as estatísticas de teste a fim de serem comparadas às distribuições de referência (distribuição t, distribuição F etc.).

- O conceito de graus de liberdade está por trás da fatoração de variáveis categóricas em um indicador $n - 1$ ou variáveis fictícias ao fazer uma regressão (para evitar a multicolinearidade).

Leitura Adicional

Existem vários tutoriais sobre graus de liberdade em http://blog.minitab.com/blog/statistics-and-quality-data-analysis/what-are-degrees-of-freedom-in-statistics (conteúdo em inglês).

ANOVA

Suponha que, em vez de um teste A/B, tivéssemos uma comparação de múltiplos grupos, digamos A-B-C-D, cada um com dados numéricos. O procedimento estatístico que testa se há uma diferença estatisticamente significativa entre os grupos é chamado de *análise de variância*, ou *ANOVA*.

Termos-chave para ANOVA

Comparação em pares
Um teste de hipótese (por exemplo, de médias) entre dois grupos em meio a múltiplos grupos.

Teste coletivo
Um único teste de hipótese da variância geral entre múltiplas médias de grupo.

Decomposição de variância
A separação de componentes, contribuindo com um valor individual (por exemplo, da média geral, de uma média de tratamento e de um erro residual).

Estatística F
Uma estatística padronizada que mede o quanto as diferenças entre as médias dos grupos excedem o que poderia ser esperado em um modelo de acaso.

SQ (SS)
A "Soma dos Quadrados (Sum of Squares)", se referindo aos desvios de algum valor médio.

A Tabela 3-3 mostra a aderência de quatro páginas web, em números de segundos gastos na página. As quatro páginas são trocadas aleatoriamente, de modo que um visitante receba uma aleatoriamente. Existe um total de cinco visitantes em cada página, e na Tabela 3-3 cada coluna é um conjunto de dados independente. O primeiro visitante da página 1 não tem conexão com o primeiro visitante da página 2. Observe que em um teste web como este não podemos implementar totalmente o projeto clássico de amostragem randomizada, em que cada visitante é selecionado aleatoriamente de uma grande população. Temos que obter os visitantes conforme chegam. Os visitantes podem diferir sistematicamente dependendo da hora do dia, do dia da semana, da estação do ano, das condições de sua internet, de qual dispositivo estão usando e assim por diante. Esses fatores devem ser considerados potenciais vieses quando os resultados do experimento forem revisados.

Tabela 3-3. Aderência (em segundos) para quatro páginas

	Página 1	Página 2	Página 3	Página 4
	164	178	175	155
	172	191	193	166
	177	182	171	164
	156	185	163	170
	195	177	176	168
Média	172	185	176	162
Média global				173.75

Agora, temos um dilema (veja a Figura 3-6). Quando estávamos comparando apenas dois grupos, era algo simples. Simplesmente observávamos a diferença entre as médias de cada grupo. Com quatro médias, existem seis possíveis comparações entre os grupos:

- Página 1 comparada à página 2.
- Página 1 comparada à página 3.
- Página 1 comparada à página 4.
- Página 2 comparada à página 3.
- Página 2 comparada à página 4.
- Página 3 comparada à página 4.

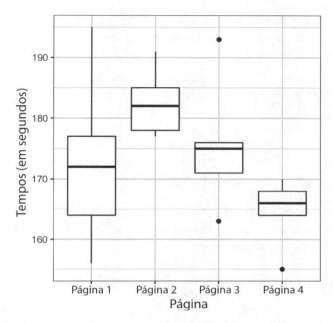

Figura 3-6. Boxplots dos quatro grupos mostrando diferenças consideráveis entre si

Quanto mais fazemos tais comparações em *pares,* maior o potencial de sermos enganados pelo acaso (veja "Testagem Múltipla", antes, neste capítulo). Em vez de nos preocuparmos com todas as diferentes comparações entre as páginas individuais que poderíamos fazer, podemos fazer um único teste *coletivo* que aborda a questão: "Poderiam todas as páginas ter a mesma aderência subjacente, e as diferenças entre elas serem devido ao modo aleatório com que um conjunto comum de tempos de sessão foi alocado entre as quatro páginas?"

O procedimento usado para testar isso é a ANOVA. A base disso pode ser vista no procedimento de reamostragem a seguir (especificado aqui para o teste A-B-C-D de aderência a páginas web):

1. Junte todos os dados em uma única caixa.
2. Embaralhe e tire quatro reamostras de cinco valores cada.
3. Registre a média de cada um dos quatro grupos.
4. Registre a variância entre as médias dos quatro grupos.
5. Repita os passos de 2 a 4 muitas vezes (digamos, mil vezes).

Qual proporção do tempo a variância reamostrada excedeu a variância observada? Esse é o valor p.

Esse tipo de teste de permutação é um pouco mais complicado que o tipo usado em "Teste de Permutação", antes, neste capítulo. Felizmente, a função aovp no pacote lmPerm calcula um teste de permutação para este caso:

```
> library(lmPerm)
> summary(aovp(Time ~ Page, data=four_sessions))
[1] "Settings:  unique SS "
Component 1 :
              Df R Sum Sq R Mean Sq Iter Pr(Prob)
Page           3    831.4    277.13 3104  0.09278 .
Residuals     16   1618.4    101.15
---
Signif. codes:  0 '***' 0.001 '**' 0.01 '*' 0.05 '.' 0.1 ' ' 1
```

O valor p, dado por Pr(Prob), é 0.09278. A coluna Iter lista o número de iterações feitas no teste de permutação. As outras colunas correspondem a uma tabela ANOVA tradicional e estão descritas a seguir.

Estatística F

Assim como o teste t pode ser usado no lugar de um teste de permutação para comparar a média de dois grupos, existe um teste estatístico para ANOVA baseado na estatística F. A estatística F se baseia na relação da variância entre as médias dos grupos (ou seja, o efeito do tratamento) com a variância devido a erro residual. Quanto maior essa relação, mais estatisticamente significativo é o resultado. Se os dados seguirem uma distribuição normal, então a teoria estatística determina que a estatística deve ter uma certa distribuição. Com base nisso, é possível calcular um valor p.

No R, podemos calcular uma *tabela ANOVA* usando a função aov:

```
> summary(aov(Time ~ Page, data=four_sessions))
            Df Sum Sq Mean Sq F value Pr(>F)
Page         3  831.4   277.1    2.74 0.0776 .
Residuals   16 1618.4   101.2
---
Signif. codes:  0 '***' 0.001 '**' 0.01 '*' 0.05 '.' 0.1 ' ' 1
```

Df é "graus de liberdade (degrees of freedom)", Sum Sq é "soma dos quadrados (sum of squares)", Mean Sq é "quadrados médios (mean squares)" (abreviação de desvio quadrático médio), e F value é a estatística F. Para a média global, a soma dos quadrados é a partida da média global de 0 quadrático vezes 20 (o número de observações). O grau de liberdade para a média global é 1, por definição. Para as médias de tratamento, o grau de liberdade é 3 (uma vez que três valores estejam ajustados, e então a média global seja ajustada, as outras médias de tratamento não podem variar). A soma dos quadrados para as médias de tratamento é a soma das partidas quadráticas entre as médias de tratamento e a média global. Para os resíduos, o grau de liberdade é 20 (todas as observações podem variar),

110 | Capítulo 3: Experimentos Estatísticos e Teste de Significância

e SS é a soma das diferenças quadráticas entre as observações individuais e as médias de tratamento. As médias quadráticas (mean squares) (MS) são a soma dos quadrados divididas pelos graus de liberdade. A estatística F é MS(tratamento)/MS(erro). O valor F depende, então, apenas dessa proporção, e pode ser comparado a uma distribuição F padrão para determinar se as diferenças entre as médias de tratamento são maiores do que o esperado em uma variação de acaso.

Decomposição de Variância

Os valores observados em um conjunto de dados podem ser considerados somas de diferentes componentes. Qualquer valor de dado observado dentro de um conjunto de dados pode ser decomposto na média global, no efeito do tratamento e no erro residual. Chamamos isso de uma "decomposição de variância".

1. Comece com uma média global (173,75 para dados de aderência de página web).
2. Adicione o efeito do tratamento, que pode ser negativo (variável independente = página web).
3. Adicione o erro residual, que pode ser negativo.

Então a decomposição da variância para o valor superior esquerdo na tabela do teste A-B-C-D é a seguinte:

1. Comece com a média global: 173,75.
2. Adicione o efeito do tratamento (grupo): −1,75 (172 − 173,75).
3. Adicione o residual: −8 (164 − 172).
4. Igual a: 164.

ANOVA Bidirecional

O teste A-B-C-D descrito é uma ANOVA "unidirecional", em que temos apenas um fator (grupo) que está variando. Poderíamos ter um segundo fator envolvido — digamos, "fim de semana versus dia útil" — com dados coletados em cada combinação (grupo A dia útil, grupo B fim de semana etc.). Isso seria uma "ANOVA bidirecional", e trataríamos isso de modo semelhante ao da ANOVA unidirecional, identificando o "efeito de interação". Depois de identificar o efeito da média global e o efeito do tratamento, separamos as observações de fim de semana e dia útil de cada grupo e encontramos a diferença entre as médias para aqueles subconjuntos e a média do tratamento.

Pode-se ver que a ANOVA e a ANOVA bidirecional são os primeiros passos no caminho em direção a um modelo estatístico completo, como regressão e regressão logística, em que se pode modelar múltiplos fatores e seus efeitos (veja o Capítulo 4).

> ## Ideias-chave
>
> - ANOVA é um procedimento estatístico para analisar os resultados de um experimento com múltiplos grupos.
>
> - É a extensão de procedimentos semelhantes para o teste A/B, usado para avaliar se a variação global entre os grupos está dentro da taxa de variação do acaso.
>
> - Um resultado útil de uma ANOVA é a identificação de componentes de variância associados com tratamentos de grupo, efeitos de interação e erros.

Leitura Adicional

1. *Introductory Statistics: A Resampling Perspective* (sem edição em português), de Peter Bruce (Wiley, 2014), tem um capítulo sobre ANOVA.
2. *Introduction to Design and Analysis of Experiments* (sem edição em português), de George Cobb (Wiley, 2008), é um tratamento abrangente e legível desse assunto.

Teste de Qui Quadrado

A testagem web costuma ir além da testagem A/B e testa múltiplos tratamentos ao mesmo tempo. O teste de qui quadrado é usado para contar os dados para testar quão bem se encaixam em alguma distribuição desejada. O uso mais comum da estatística *qui quadrada* em prática estatística é com tabelas de contingência $r \times c$, para avaliar se a hipótese nula de independência entre as variáveis é razoável.

O teste de qui quadrado foi desenvolvido por Karl Pearson em 1900 e pode ser visto em http://www.economics.soton.ac.uk/staff/aldrich/1900.pdf (conteúdo em inglês). O termo "qui" vem da letra grega ξ usada por Pearson no artigo.

> ## Termos-chave
>
> **Estatística qui quadrada**
> Uma medida da extensão em que alguns dados observados partem da expectativa.

> **Expectativa ou esperado**
> Como esperamos que os dados se comportem sob alguma suposição, tipicamente a hipótese é nula.
>
> **g.l.**
> Graus de liberdade.

 $r \times c$ significa "linhas por colunas (rows by columns)" — uma tabela de 2×3 tem duas linhas e três colunas.

Teste de Qui Quadrado: Uma Abordagem à Reamostra

Suponha que está testando três títulos diferentes — A, B e C — e quer aplicar cada um deles em 1.000 visitantes, com os resultados mostrados na Tabela 3-4.

Tabela 3-4. Resultados de testagem web de três títulos diferentes

	Título A	Título B	Título C
Clique	14	8	12
Sem clique	986	992	988

Os títulos certamente parecem diferir. O título A retorna quase que o dobro de taxa de cliques que o B. Porém, os números reais são pequenos. Um procedimento de reamostragem pode testar se as taxas de clique diferem em níveis maiores do que o acaso poderia produzir. Para esse teste, precisamos ter a distribuição "esperada" de cliques, e, neste caso, isso seria sobre a suposição de hipótese nula de que todos os três títulos apresentam a mesma taxa de cliques, para uma taxa global de cliques de 34/3.000. Sob essa suposição, nossa tabela de contingência ficaria como a Tabela 3-5.

Tabela 3-5. Esperado se todos os três títulos apresentam a mesma taxa de cliques (hipótese nula)

	Título A	Título B	Título C
Clique	11.33	11.33	11.33
Sem clique	988.67	988.67	988.67

O *residual de Pearson* é definido como:

$$R = \frac{\text{Observed} - \text{Expected}}{\sqrt{\text{Expected}}}$$

R mede a extensão em que as contagens realmente diferem dessas contagens esperadas (veja a Tabela 3-6).

Tabela 3-6. Residuais de Pearson

	T	A	B	C
Clique	0.792	-0.990	0.198	
Sem clique	-0.085	0.106	-0.021	

A estatística qui quadrada é definida como a soma dos residuais quadráticos de Pearson:

$$\xi = \sum_{i}^{r} \sum_{j}^{c} R^2$$

em que *r* e *c* são os números de linhas e colunas, respectivamente. A estatística qui quadrada para esse exemplo é 1.666. Isso é mais do que poderia plausivelmente ocorrer em um modelo de acaso?

Podemos testar com esse algoritmo de reamostragem:

1. Forme uma caixa com 34 uns (cliques) e 2,966 zeros (sem cliques).

2. Embaralhe, tire três amostras separadas de 1.000 e conte os cliques em cada uma.

3. Encontre as diferenças quadráticas entre as contagens embaralhadas e as contagens esperadas e some.

4. Repita os passos 2 e 3, digamos, 1.000 vezes.

5. Com qual frequência a soma reamostrada dos desvios quadráticos excede a observada? Esse é o valor p.

A função `chisq.test` pode ser usada para calcular uma estatística qui quadrada reamostrada. Para os dados de clique, o teste de qui quadrado é:

```
> chisq.test(clicks, simulate.p.value=TRUE)

        Pearson's Chi-squared test with simulated p-value (based on 2000 replicates)

data:  clicks
X-squared = 1.6659, df = NA, p-value = 0.4853
```

O teste mostra que esse resultado poderia ter sido facilmente obtido pela aleatoriedade.

Teste de Qui Quadrado: Teoria Estatística

A teoria estatística assintótica mostra que a distribuição da estatística qui quadrada pode ser aproximada por uma *distribuição qui quadrada*. O padrão adequado de distribuição qui quadrada é determinado pelos *graus de liberdade* (veja "Graus de Liberdade", antes, neste capítulo). Para uma tabela de contingências, os graus de liberdade estão relacionados ao número de linhas (r) e colunas (s) da seguinte forma:

degrees of freedom = $(r - 1) \times (c - 1)$

A distribuição qui quadrada costuma ser assimétrica, com uma cauda longa à direita. Veja na Figura 3-7 a distribuição com 1, 2, 5 e 10 graus de liberdade. Quanto mais espalhada na distribuição qui quadrada estiver a estatística observada, menor o valor p.

A função chisq.test pode ser usada para calcular o valor p usando a distribuição qui quadrada como referência:

```
> chisq.test(clicks, simulate.p.value=FALSE)

        Pearson's Chi-squared test

data: clicks
X-squared = 1.6659, df = 2, p-value = 0.4348
```

O valor p é um pouco menor que o valor p de reamostragem: isso ocorre porque a distribuição qui quadrada é apenas uma aproximação da distribuição real da estatística.

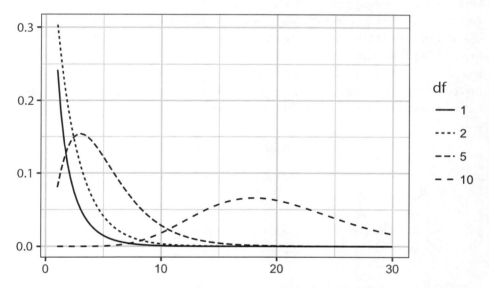

Figura 3-7. Distribuição qui quadrada com diversos graus de liberdade (probabilidade no eixo y, valor da estatística qui quadrada no eixo x)

Teste Exato de Fisher

A distribuição qui quadrada é uma boa aproximação do teste de reamostragem embaralhada descrito anteriormente, exceto quando as contagens são extremamente baixas (dígitos únicos, especialmente cinco ou menos). Nesses casos, o procedimento de reamostra resultará em valores p mais precisos. Na verdade, a maioria dos softwares estatísticos tem um procedimento para realmente enumerar *todas* as possíveis reorganizações (permutações) que podem ocorrer, tabular suas frequências e determinar exatamente quão extremo é o resultado observado. Isso se chama *teste exato de Fisher,* em homenagem ao grande estatístico R. A. Fisher. O código R para o teste exato de Fisher é simples em sua forma básica:

```
> fisher.test(clicks)

        Fisher's Exact Test for Count Data

data:  clicks
p-value = 0.4824
alternative hypothesis: two.sided
```

O valor p é muito próximo ao valor p de 0.4853 obtido usando o método de reamostragem.

Onde algumas contagens são muito baixas, mas outras são bem altas (por exemplo, o denominador em uma taxa de conversão), pode ser necessário fazer um teste de permutação embaralhada, em vez de um teste exato completo, devido à dificuldade de calcular todas as possíveis permutações. A função R anterior possui diversos argumentos que controlam se é possível usar essa aproximação (`simulate.p.value=TRUE or FALSE`), quantas iterações devem ser usadas (`B=...`), e uma restrição computacional (`workspace=...`) que limita até onde os cálculos de resultados *exatos* podem ir.

Detectando Fraude Científica

Um exemplo interessante é o da pesquisadora da Tufts University, Thereza Imanishi- Kari, que foi acusada em 1991 de fabricar os dados em sua pesquisa. O congressista John Dingell se envolveu, e o caso acabou levando à demissão de seu colega, David Baltimore, da presidência da Rockefeller University.

Imanishi-Kari foi finalmente exonerada após um longo processo. No entanto, um elemento no caso se baseou em evidências estatísticas a respeito da distribuição esperada dos dígitos nos dados de seu laboratório, onde cada observação tinha muitos dígitos. Os investigadores se concentraram nos dígitos internos, que se esperava que seguissem uma distribuição aleatória uniforme. Ou seja, ocorreriam aleatoriamente, com cada dígito tendo igual probabilidade de ocorrer (o dígito principal poderia ser predominantemente um valor, e os dígitos finais poderiam ser afetados pelo arredondamento). A Tabela 3-7 lista as frequências dos dígitos interiores dos dados reais do caso.

Tabela 3-7. Dígito central nos dados do laboratório

Dígito	Frequência
0	14
1	71
2	7
3	65
4	23
5	19
6	12
7	45
8	53
9	6

A distribuição dos 315 dígitos, mostrada na Figura 3-8, certamente não parece aleatória:

Os investigadores calcularam a partida da expectativa (31,5 — essa é a frequência com que cada dado ocorreria em uma distribuição estritamente uniforme) e usaram um teste de qui quadrado (um procedimento de reamostragem poderia ter sido usado da mesma forma) para mostrar que a distribuição real estava muito além da taxa de variação normal do acaso.

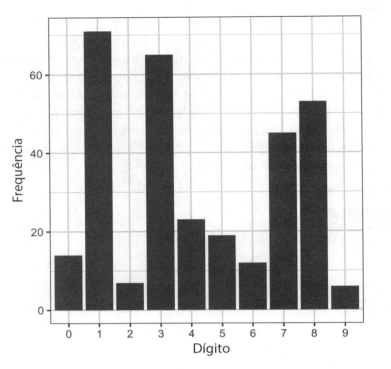

Figura 3-8. Histograma de frequências para os dados do laboratório de Imanishi-Kari

Relevância para a Ciência de Dados

A maioria dos usos do teste de qui quadrado, ou teste exato de Fisher, não é muito relevante para a ciência de dados. Na maioria dos experimentos, seja A-B ou A-B-C..., o objetivo não é simplesmente estabelecer a significância estatística, mas, sim, chegar ao melhor tratamento. Para tanto, os bandidos multibraços (veja "Algoritmo de Bandido Multibraços", adiante, neste capítulo) oferecem uma solução mais completa.

Uma aplicação em ciência de dados para o teste de qui quadrado, especialmente a versão exata de Fisher, é na determinação de tamanhos de amostra adequados para experimentos web. Esses experimentos costumam ter taxas de cliques muito baixas, e apesar de milhares de exposições, a taxas de contagem podem ser muito pequenas para gerar conclusões definitivas em um experimento. Nesses casos, o teste exato de Fisher, o teste de qui quadrado e outros testes podem ser úteis como componentes de cálculos de potência e tamanho de amostra (veja "Potência e Tamanho de Amostra", adiante, neste capítulo).

Os testes de qui quadrado são muito usados em pesquisa por investigadores em busca do elusivo e estatisticamente significativo valor p que permitirá a publicação. Os testes de qui quadrado, ou simulações de reamostragem semelhantes, são usados em aplicações de ciências de dados mais como um filtro para determinar se um efeito ou característica é digno de maiores considerações do que um teste formal de significância. Por exemplo, são usados em estatísticas e mapeamentos espaciais para determinar se os dados espaciais obedecem a uma distribuição nula específica (por exemplo, os crimes estão concentrados em uma certa área em maior grau do que o acaso permitiria?). Podem ser usados também na seleção automatizada de características em aprendizado de máquina, para avaliar a prevalência de classes entre características e identificar características nas quais a prevalência de uma certa classe é excepcionalmente alta ou baixa, de uma forma incompatível com a variação aleatória.

Ideias-chave

- Um procedimento comum em estatística é testar se a contagem dos dados observados é coerente com uma suposição de independência (por exemplo, a propensão a comprar um item específico é independente de gênero).

- A distribuição qui quadrada é a distribuição de referência (a qual representa a suposição de independência) com a qual a estatística qui quadrada calculada observada deve ser comparada.

Leitura Adicional

- O famoso exemplo de R. A. Fisher, "Lady Tasting Tea", do começo do século XX, permanece como uma ilustração simples e eficaz de seu teste exato. Pesquise no Google "Lady Tasting Tea" e encontrará inúmeras boas descrições.
- O Star Trek oferece um bom tutorial sobre o teste qui quadrado em https://star-trek.com/chi-square-test/independence.aspx?Tutorial=AP (conteúdo em inglês).

Algoritmo de Bandido Multibraços

Bandidos multibraços oferecem uma abordagem à testagem, especialmente à testagem web, que permite a explícita otimização e tomada de decisão mais rápida do que a abordagem tradicional ao planejamento de experimentos.

Termos-chave

Bandido multibraços
Uma máquina caça-níqueis imaginária com múltiplas alavancas para o cliente escolher, cada uma com diferentes prêmios, tomada aqui como uma analogia para um experimento de múltiplos tratamentos.

Braço
Um tratamento em um experimento (por exemplo, "título A em um teste web").

Ganho
O análogo experimental do ganho em uma máquina caça-níqueis (por exemplo, "cliques de clientes no link").

Um teste A/B tradicional envolve os dados coletados em um experimento, conforme um projeto específico, para responder a uma questão específica como: "Qual é melhor, o tratamento A ou o tratamento B?" A suposição é a de que, uma vez que consigamos uma resposta, o experimento termina, e prosseguimos para agir nos resultados.

É possível perceber diversas dificuldades com essa abordagem. Primeiro, a resposta pode ser inconclusiva: "efeito não provado". Em outras palavras, os resultados do experimento podem sugerir um efeito, mas, se houver um efeito, não teremos uma amostra grande o bastante para prová-lo (para a satisfação dos padrões estatísticos tradicionais). Qual decisão tomamos? Segundo, podemos querer começar tirar vantagem dos resultados que chegam antes da conclusão do experimento. Terceiro, podemos querer ter o direito de mudar de ideia ou tentar algo diferente com base nos dados adicionais que chegam depois do fim do experimento. A abordagem tradicional aos experimentos e testes de hipótese tem origem nos anos 1920 e é bastante inflexível. O advento da força computacional e dos softwares permitiu abordagens mais potentes e flexíveis. Além disso, a ciência de dados (e os negócios em geral) não se preocupa tanto com a significância estatística, mas, sim, com a otimização geral dos esforços e resultados.

Os algoritmos bandidos, que são muito populares em testagens web, permitem testar múltiplos tratamentos ao mesmo tempo e chegar a conclusões mais rápido do que os projetos estatísticos tradicionais. Eles têm esse nome por causa das máquinas caça-níqueis usadas em apostas, chamados também de bandidos de um braço (já que são configuradas de modo a extrair dinheiro do apostador em um fluxo constante). Se imaginarmos uma máquina caça-níqueis com mais de uma alavanca, cada alavanca premiando em um nível diferente, teríamos um bandido multibraços, que é o nome completo desse algoritmo.

Seu objetivo é ganhar tanto dinheiro quanto for possível e, mais especificamente, identificar e se manter no braço ganhador o mais cedo possível. O desafio é que não sabemos

120 | Capítulo 3: Experimentos Estatísticos e Teste de Significância

os níveis de prêmio das alavancas — sabemos apenas os resultados de puxar as alavancas. Suponhamos que cada "vitória" seja a mesma quantia, não importa a alavanca. O que muda é a probabilidade de vitória. Suponhamos ainda que você inicialmente tente todas as alavancas 50 vezes e consiga os seguintes resultados:

Arm A: 10 wins out of 50
Arm B: 2 win out of 50
Arm C: 4 wins out of 50

Uma abordagem extrema seria dizer: "Parece que a alavanca A é vencedora — vamos parar de testar as outras alavancas e continuar com a A." Isso tira total vantagem da informação do ensaio inicial. Se A for realmente superior, tiramos benefício disso logo de cara. Por outro lado, se B ou C foram, na verdade, melhores, perderemos a oportunidade de descobrir isso. Outra abordagem extrema seria dizer: "Tudo parece estar sob o domínio do acaso — vamos continuar puxando todas da mesma forma." Isso concede a máxima oportunidade às alternativas de A de se mostrarem. No entanto, no processo, estaremos ativando o que parecem ser tratamentos inferiores. Por quanto tempo permitiremos isso? Os algoritmos bandidos têm uma abordagem híbrida: começamos a puxar A com maior frequência para tirar vantagem de sua superioridade aparente, mas não abandonamos B e C. Apenas as puxamos com menor frequência. Se A continuar a se sobressair, continuamos evitando as fontes (puxadas) de B e C e puxamos A com maior frequência. Se, por outro lado, C começar a se sair melhor, e A começar a piorar, podemos trocar as puxadas de A para C. Se uma delas se mostrar superior à A e isso estiver escondido no ensaio inicial devido ao acaso, agora terá a oportunidade de emergir ao longo de mais testes.

Agora pense na aplicação disso na testagem web. Em vez de múltiplas alavancas de máquinas caça-níqueis, poderemos ter múltiplas ofertas, títulos, cores e assim por diante sendo testadas em um site. Os clientes podem clicar (uma "vitória" para o comerciante) ou não clicar. Inicialmente, as ofertas são mostradas aleatória e igualmente. Se, no entanto, uma oferta começar a se sobressair às outras, pode ser mostrada ("puxada") com maior frequência. Mas quais devem ser os parâmetros do algoritmo que modifica as taxas de puxada? Para quais "taxas de puxada" devemos mudar? E quando mudar?

Aqui temos um algoritmo simples, o algoritmo epsilon-greedy para um teste A/B:

1. Gere um número aleatório entre 0 e 1.
2. Se o número ficar entre 0 e epsilon (em que epsilon é um número entre 0 e 1, geralmente bem pequeno), jogue uma moeda justa (probabilidade de 50/50):

   a. Se a moeda der cara, mostre a oferta A.

   b. Se a moeda der coroa, mostre a oferta B.

3. Se o número for ≥ epsilon, mostre a oferta com maior taxa de resposta até o momento.

Epsilon é um único parâmetro que governa esse algoritmo. Se epsilon for 1, teremos um simples experimento A/B padrão (alocação aleatória entre A e B para cada indivíduo). Se epsilon for 0, teremos um algoritmo puramente *greedy* — que não busca maior experimentação, simplesmente atribui os indivíduos (visitante web) ao tratamento com melhor desempenho.

Um algoritmo mais sofisticado usa a "amostragem de Thompson". Esse procedimento "amostra" (puxa um braço do bandido) em cada estágio, para maximizar a probabilidade de escolher o melhor braço. É claro que não sabemos qual é o melhor braço — esse é o problema!

Mas, conforme se observa o prêmio em cada extração sucessiva, mais informações se obtém. A amostragem de Thompson usa a abordagem Bayesiana: supõe-se antecipadamente uma distribuição de recompensas inicial, usando a chamada *distribuição beta* (esse é um mecanismo comum para especificar informações antecipadas em um problema Bayesiano). Conforme as informações se acumulam em cada extração, essas informações podem ser atualizadas, permitindo que a seleção da próxima extração seja mais bem otimizada no que diz respeito à escolha do braço correto.

Os algoritmos bandidos podem manipular com eficiência 3+ tratamentos e direcionar a uma seleção otimizada do "melhor". Para procedimentos tradicionais de testagem estatística, a complexidade da tomada de decisão para 3+ tratamentos ultrapassa muito a do teste A/B tradicional, e a vantagem dos algoritmos bandidos é muito maior.

Ideias-chave

- Os testes A/B tradicionais visam um processo de amostragem aleatório, que pode levar a exposições excessivas ao tratamento inferior.

- Os bandidos multibraços, ao contrário, alteram o processo de amostragem para incorporar informações obtidas durante o experimento e reduzem a frequência do tratamento inferior.

- Facilitam também o tratamento eficiente de mais de dois tratamentos.

- Existem diferentes algoritmos para alternar a probabilidade amostral evitando o(s) tratamento(s) inferior(es) e em direção ao (suposto) superior.

Leitura Adicional

- Pode-se encontrar um excelente tratamento curto sobre algoritmos de bandido multibraços em *Bandit Algorithms* (Algoritmos Bandidos, em tradução livre), de John Myles White (O'Reilly, 2012). White inclui códigos Python, bem como os resultados das simulações para avaliar o desempenho dos bandidos.

- Para maiores informações (um pouco mais técnicas) sobre a amostragem de Thompson, veja o artigo acadêmico "Analysis of Thompson Sampling for the Multi-armed Bandit Problem" (Análise da Amostragem de Thompson para o Problema do Bandido Multibraços, em tradução livre), de Shipra Agrawal e Navin Goyal.

Potência e Tamanho de Amostra

Se você executar um teste web, como decidirá por quanto tempo deve executar (ou seja, quantas impressões por tratamento são necessárias)? Apesar do que se pode ver em muitos guias de testagem web na internet, não existe um bom direcionamento geral — depende, principalmente, da frequência com a qual o objetivo desejado é atingido.

Termos-chave

Tamanho do efeito
> O tamanho mínimo do efeito que se espera poder detectar em um teste estatístico, por exemplo, "uma melhora de 20% em taxas de clique".

Potência
> A probabilidade de detectar um dado tamanho de efeito com dado tamanho de amostra.

Nível de significância
> O nível de significância estatística no qual o teste será conduzido.

Um dos passos nos cálculos estatísticos para tamanho de amostra é perguntar: "Um teste de hipótese revelará realmente uma diferença entre os tratamentos A e B?" O resultado de um teste de hipótese — o valor p — depende da real diferença entre os tratamentos A e B. Depende também da sorte na extração — quem é selecionado para os grupos no experimento. Mas faz sentido que quanto maior a diferença real entre os tratamentos A e B, maior a probabilidade de que o experimento a revelará. E quanto menor a diferença, mais dados serão necessários para detectá-la. Para distinguir entre um rebatedor .350 no basebol e um rebatedor .200, não são necessárias muitas rebatidas. Para distinguir entre um rebatedor .300 e um rebatedor .280 serão necessárias muitas rebatidas a mais.

A *potência* é a probabilidade de detectar um *tamanho* de *efeito* especificado com características de amostra especificadas (tamanho e variabilidade). Por exemplo, podemos dizer (hipoteticamente) que a probabilidade de distinguir entre um rebatedor .330 e um rebatedor .200 em 25 rebatidas é de .75. O tamanho do efeito aqui é a diferença de .130. E "detectar" significa que um teste de hipótese rejeitará a hipótese nula de "sem diferença" e concluirá que existe um efeito real. Então o experimento de 25 rebatidas ($n = 25$) para 2 rebatedores, com um tamanho de efeito de 0.130, tem (hipoteticamente) potência de 0.75 ou 75%.

Pode-se ver que aqui existem diversas partes móveis, e é fácil se enrolar nas muitas suposições e fórmulas estatísticas que serão necessárias (para especificar variabilidade de amostra, tamanho do efeito, tamanho da amostra, nível alfa para o teste de hipótese etc., e para calcular a potência). De fato, existe um software estatístico especialmente para calcular a potência. Muitos cientistas de dados não precisarão passar por todos os processos formais necessários para registrar a potência, por exemplo, em um artigo publicado. No entanto, podem se ver em situações em que queiram coletar alguns dados para um teste A/B, e a coleta ou o processamento dos dados envolve algum custo. Nesse caso, saber aproximadamente quantos dados coletar pode ajudar a evitar uma situação em que se faz um certo esforço para coletar os dados, e o resultado acaba sendo inconclusivo. Aqui está uma abordagem alternativa bastante intuitiva:

1. Comece com alguns dados hipotéticos que representem seu melhor palpite sobre os dados resultantes (talvez com base em dados anteriores) — por exemplo, uma caixa com 20 uns e 80 zeros para representar um rebatedor .200, ou uma caixa com algumas observações do "tempo gasto no site".

2. Crie uma segunda amostra simplesmente somando o tamanho desejado de efeito à primeira amostra — por exemplo, uma segunda caixa com 33 uns e 67 zeros, ou uma segunda caixa com 25 segundos adicionados a cada "tempo gasto no site" inicial.

3. Extraia uma amostra bootstrap de tamanho n de cada caixa.

4. Conduza um teste de hipótese de permutação (ou baseado em fórmula) nas duas amostras bootstrap e registre se a diferença entre elas é estatisticamente significativa.

5. Repita os dois passos anteriores muitas vezes e defina a frequência com que a diferença foi significativa — esta é a potência estimada.

Tamanho da Amostra

O uso mais comum dos cálculos de potência é estimar quão grande será a amostra necessária.

Por exemplo, suponha que estejamos observando taxas de clique (cliques como percentual de exposição) e testando um novo anúncio contra um anúncio existente. É necessário acumular quantos cliques no estudo? Se estivermos interessados apenas em resultados que mostrem uma enorme diferença (digamos, uma diferença de 50%), uma amostra relativamente pequena poderia ser útil. Se, por outro lado, mesmo a menor diferença seria interessante, então é necessário ter uma amostra muito maior. Uma abordagem-padrão é estabelecer uma política de que um novo anúncio tem que ser melhor que o existente em certo percentual, digamos 10%, ou então o anúncio existente continuará ativo. Este objetivo, o "tamanho do efeito", define o tamanho da amostra.

Por exemplo, suponhamos que as taxas de clique atuais sejam de cerca de 1,1%, e estamos buscando um aumento de 10% para 1,21%. Então, temos duas caixas: caixa A com 1,1% de uns (digamos, 110 uns e 9.890 zeros), e caixa B com 1,21% de uns (digamos, 121 uns e 9.879 zeros). Para começar, façamos 300 extrações de cada caixa (isso seria como 300 "impressões" para cada anúncio). Suponhamos que nossa primeira extração resulte o seguinte:

Box A: 3 ones
Box B: 5 ones

De início podemos ver que qualquer teste de hipótese que revelasse essa diferença (cinco comparações) estaria dentro da taxa de variação do acaso. Essa combinação de tamanho de amostra (n = 300 em cada grupo) e tamanho de efeito (diferença de 10%) é muito pequena para qualquer teste de hipótese mostrar uma diferença confiável.

Então podemos tentar aumentar o tamanho da amostra (vamos tentar 2.000 impressões) e exigir uma melhoria maior (30%, em vez de 10%).

Por exemplo, suponhamos que as taxas de clique atuais ainda sejam de 1,1%, mas agora buscamos um aumento de 50% para 1,65%. Então temos duas caixas: a caixa A ainda com 1,1% de uns (digamos 110 uns e 9.890 zeros), e a caixa B com 1,65% de uns (digamos 165 uns e 9.868 zeros). Agora vamos tentar 2.000 extrações de cada caixa. Suponha que nossa primeira extração resulte o seguinte:

Box A: 19 ones
Box B: 34 ones

Um teste de significância nessa diferença (34–19) mostra, ainda, um registro como "não significante" (apesar de estar muito mais próximo da significância do que a diferença anterior de 5–3). Para calcular a potência, precisaríamos repetir o procedimento anterior muitas vezes, ou usar um software de estatística que possa calcular a potência, mas nossa extração inicial sugere que mesmo a detecção de uma melhoria de 50% ainda exige diversos milhares de impressões de anúncio.

Potência e Tamanho de Amostra | 125

Resumindo, para calcular a potência ou o tamanho de amostra necessário, existem quatro partes móveis:

- Tamanho da amostra.
- Tamanho do efeito que queremos detectar.
- Nível de significância (alfa) em que o teste será conduzido.
- Potência.

Especifique quaisquer três dentre eles, e o quarto poderá ser calculado. Mais comumente, seria preferível calcular o tamanho da amostra, então é necessário especificar os outros três. Aqui está o código R para um teste envolvendo duas proporções, no qual ambas as amostras têm o mesmo tamanho (este usa o pacote pwr):

```
pwr.2p.test(h = ..., n = ..., sig.level = ..., power = )

h= effect size (as a proportion)
n = sample size
sig.level = the significance level (alpha) at which the test will be conducted
power = power (probability of detecting the effect size)
```

Ideias-chave

- Descobrir qual é o tamanho de amostra necessário exige a consideração antecipada ao teste estatístico que planeja conduzir.

- É necessário especificar o tamanho mínimo do efeito que se quer detectar.

- Deve-se também especificar a probabilidade exigida de se detectar tal tamanho de efeito (potência).

- Finalmente, é necessário especificar o nível de significância (alfa) em que o teste será conduzido.

Leitura Adicional

1. *Sample Size Determination and Power* (Determinação e Potência de Tamanho de Amostra, em tradução livre), de Tom Ryan (Wiley, 2013), é uma revisão abrangente e acessível sobre esse assunto.

2. Steve Simon, um consultor estatístico, escreveu um interessante post sobre o assunto em http://www.pmean.com/09/AppropriateSampleSize.html (conteúdo em inglês).

Resumo

Os princípios do projeto experimental — randomização de indivíduos em dois ou mais grupos recebendo tratamentos diferentes — nos permite tirar conclusões válidas sobre quão bem os tratamentos funcionam. É melhor incluir um tratamento de controle de "não fazer diferença". O assunto da inferência estatística formal — testagem de hipótese, valores p, testes t e muitos mais ao longo destas linhas — ocupa muito tempo e espaço em um curso ou livro tradicional de estatística, e a formalidade é bastante desnecessária na perspectiva da ciência de dados. No entanto, continua importante para reconhecer o papel que a variação aleatória pode ter em enganar o cérebro humano. Os procedimentos de reamostragem intuitiva (permutação e bootstrap) permitem que os cientistas de dados avaliem o quanto a variação do acaso pode influenciar suas análises de dados.

CAPÍTULO 4
Regressão e Previsão

Talvez o objetivo mais comum em estatística seja responder às perguntas: a variável X (ou mais comumente, X_1, ..., X_p) é associada a uma variável Y? Se sim, qual seu relacionamento? Este pode ser usado para prever Y?

Não há outro lugar onde o nexo entre a estatística e a ciência de dados seja mais forte do que no tocante à previsão — especificamente, a previsão de uma variável resultante (alvo) baseada nos valores de outras variáveis "preditoras". Outra conexão importante é na área de *detecção de anomalias*, em que os diagnósticos de regressão, originalmente dirigidos à análise de dados e melhoria no modelo de regressão, podem ser usados para detectar registros incomuns. Os antecedentes da correlação e regressão linear datam de mais de um século.

Regressão Linear Simples

A regressão linear simples modela o relacionamento entre a magnitude de uma variável e aquela de uma segunda — por exemplo, conforme X aumenta, Y também aumenta. Ou conforme X aumenta, Y diminui.[1] A correlação é outro jeito de medir como duas variáveis estão relacionadas (veja a seção "Correlação", no Capítulo 1). A diferença é que enquanto a correlação mede a força de uma associação entre duas variáveis, a regressão quantifica a natureza do relacionamento.

---

[1] Esta seção e as subsequentes deste capítulo têm © 2017 Datastats, LLC, Peter Bruce e Andrew Bruce, usado com autorização.

Termos-chave para Regressão Linear Simples

Resposta

A variável que estamos tentando prever.

Sinônimos

variável dependente, variável Y, alvo, resultado

Variável independente

A variável usada para prever a resposta.

Sinônimos

variável independente, variável X, característica, atributo

Registro

O vetor dos valores preditor e de resultado para um indivíduo ou caso específico.

Sinônimos

linha, caso, exemplo

Intercepto

O interceptor da linha de regressão — ou seja, o valor previsto quando X = 0.

Sinônimos

b_0, β_0

Coeficiente de Regressão

O declive da linha de regressão s.

Sinônimos

declive, $b1$, $\beta1$, estimativas de parâmetro, pesos

Valores ajustados

As estimativas $\hat{Y}i$ obtidas da linha de regressão.

Sinônimo

valores previstos

Resíduo

A diferença entre os valores observados e os valores ajustados.

Sinônimo

erros

Mínimos quadrados

O método de ajustar uma regressão pela minimização da soma dos quadrados dos resíduos.

Sinônimo

mínimos quadrados ordinários

A Equação de Regressão

A regressão linear simples estima exatamente o quanto Y mudará quando X mudar em uma certa quantidade. Com o coeficiente de correlação, as variáveis X e Y são intercambiáveis. Com a regressão, estamos tentando prever a variável Y a partir de X usando um relacionamento linear (ou seja, uma linha):

$$Y = b_0 + b_1 X$$

Lemos isso como "Y é igual a b_1 vezes X, mais uma constante b_0". O símbolo b_0 é conhecido como o *intercepto* (ou constante), e o símbolo b_1, como o *declive* para X. Ambos aparecem em resultados do R como *coeficientes*, apesar de o uso do termo *coeficiente* ser geralmente reservado para b_1. A variável Y é conhecida como *resposta* ou variável *dependente*, já que depende de X. A variável X é conhecida como *preditora* ou variável *independente*. A comunidade de aprendizado de máquina costuma usar outros termos, chamando Y de *alvo* e X de vetor de *característica*.

Considere o gráfico de dispersão na Figura 4-1 exibindo o número de anos a que um trabalhador foi exposto à poeira de algodão (Exposure) versus uma medida de capacidade pulmonar (PEFR ou "taxa de pico de fluxo expiratório"). Como a PEFR está relacionada à Exposure (Exposição)? É difícil dizer apenas com base na figura.

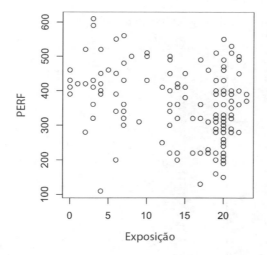

Figura 4-1. Exposição ao algodão versus capacidade pulmonar

A regressão linear simples tenta encontrar a "melhor" linha para prever a resposta PEFR como uma função da variável preditora Exposure.

$$PEFR = b_0 + b_1 Exposure$$

A função lm em R pode ser usada para uma regressão linear.

```
model <- lm(PEFR ~ Exposure, data=lung)
```

Os padrões lm para *modelo linear* e o símbolo ~ denotam que PEFR é previsto por Exposure.

Ao imprimir o objeto model, teremos o seguinte resultado:

```
Call:
lm(formula = PEFR ~ Exposure, data = lung)

Coefficients:
(Intercept)      Exposure
    424.583        -4.185
```

O intercepto, ou b_0, é 424.583 e pode ser interpretado como o PEFR previsto para um trabalhador com zero anos de exposição. O coeficiente de regressão, ou b_1, pode ser interpretado da seguinte forma: para cada ano adicional que um trabalhador é exposto à poeira de algodão, sua medição de PEFR é reduzida em –4.185.

A linha de regressão deste modelo está exibida na Figura 4-2.

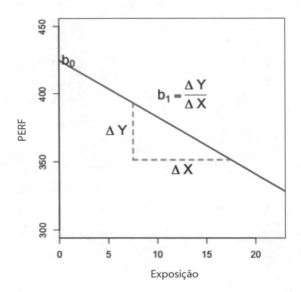

Figura 4-2. Declive e intercepto para o ajuste de regressão aos dados de pulmão

Valores Ajustados e Resíduos

Alguns conceitos importantes na análise de regressão são os valores *ajustados* e *resíduos*. Em geral, os dados não ficam exatamente em uma linha, então a equação de regressão deveria incluir um termo explícito de erro e_i:

$$Y_i = b_0 + b_1 X_i + e_i$$

Os valores *ajustados*, também chamados de valores *previstos*, são geralmente denotados por $\hat{Y}_i$ (Y-chapéu). Estes são os dados:

$$\hat{Y}_i = \hat{b}_0 + \hat{b}_1 X_i$$

As notações $\hat{b}_0$ e $\hat{b}_1$ indicam que os coeficientes são os estimados versus os conhecidos.

Notação Chapéu: Estimativas Versus Valores Conhecidos

A notação "chapéu" é usada para diferenciar as estimativas dos valores conhecidos. Então o símbolo $\hat{b}$ ("b-chapéu") é uma estimativa do parâmetro desconhecido b. Por que os estatísticos diferenciam entre a estimativa e o valor real? A estimativa tem incerteza, enquanto o valor real é fixado.[2]

Calculamos os resíduos $\hat{e}_i$ subtraindo os valores *previstos* dos dados originais:

$$\hat{e}_i = Y_i - \hat{Y}_i$$

No R, podemos obter os valores ajustados e resíduos usando as funções `predict` e `residuals`:

```
fitted <- predict(model)
resid <- residuals(model)
```

A Figura 4-3 ilustra os resíduos da linha de regressão ajustada aos dados pulmonares. Os resíduos são o comprimento das linhas pontilhadas verticais dos dados para a linha.

---

2 Em estatística Bayesiana, o valor real é assumido como sendo uma variável aleatória com uma distribuição específica. No contexto Bayesiano, em vez de estimativas de parâmetros desconhecidos, existem distribuições posteriores e anteriores.

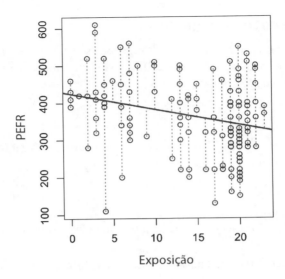

Figura 4-3. Resíduos de uma linha de regressão (observe a escala do eixo y diferente da Figura 4-2, por isso o declive aparentemente diferente)

Mínimos Quadrados

Como o modelo é ajustado aos dados? Quando existe um relacionamento claro, pode-se imaginar ajustar a linha à mão. Na prática, a linha de regressão é a estimativa que minimiza a soma dos valores quadrados do resíduo, também chamados de *residual sum of squares* ou *RSS*:

$$RSS = \sum_{i=1}^{n} \left(Y_i - \hat{Y}_i\right)^2$$

$$= \sum_{i=1}^{n} \left(Y_i - \hat{b}_0 - \hat{b}_1 X_i\right)^2$$

As estimativas $\hat{b}_0$ e $\hat{b}_1$ são os valores que minimizam a RSS.

O método de minimizar a soma dos resíduos quadrados é chamado de regressão de *mínimos quadrados*, ou regressão de *mínimos quadrados ordinários* (ordinary least squares — OLS). Costuma ser atribuída a Carl Friedrich Gauss, o matemático alemão, mas foi publicada primeiro pelo matemático francês Adrien-Marie Legendre, em 1805. A regressão de quadrados mínimos leva a uma fórmula simples para calcular os coeficientes:

$$\hat{b}_1 = \frac{\sum_{i=1}^{n}(Y_i - \overline{Y})(X_i - \overline{X})}{\sum_{i=1}^{n}(X_i - \overline{X})^2}$$

$$\hat{b}_0 = \overline{Y} - \hat{b}_1 \overline{X}$$

Historicamente, a conveniência computacional é uma das razões para o disseminado uso dos quadrados mínimos em regressão. Com o advento do big data, a velocidade computacional ainda é um fator importante. Os quadrados mínimos, como a média (veja "Mediana e Estimativas Robustas", no Capítulo 1), são sensíveis aos outliers, porém isso costuma ser um problema significativo apenas em problemas pequenos ou de tamanho moderado. Veja em "Outliers", adiante, neste capítulo, informações sobre os outliers em regressão.

Terminologia de Regressão

Quando analistas e pesquisadores usam o termo *regressão* sozinho, geralmente estão se referindo à regressão linear. O foco costuma ser o desenvolvimento de um modelo linear para explicar o relacionamento entre as variáveis preditoras e uma variável resultante numérica. Em seu senso estatístico formal, a regressão também inclui modelos não lineares que resultam em um relacionamento funcional entre as variáveis preditoras e a resultante. Na comunidade de aprendizado de máquina, o termo é também ocasionalmente usado livremente para se referir ao uso de qualquer modelo preditivo que produza um resultado numérico previsto (ficando diferente dos métodos de classificação que preveem um resultado binário ou categórico).

Previsão versus Explicação (Profiling)

Historicamente, um dos primeiros usos da regressão era desvendar um suposto relacionamento linear entre as variáveis preditoras e uma variável resultante. O objetivo tem sido entender um relacionamento e explicá-lo usando os dados para os quais a regressão foi ajustada.

Nesse caso, o objetivo principal está no declive estimado da equação de regressão, $\hat{b}$. Os economistas querem saber o relacionamento entre os gastos do consumidor e o crescimento do PIB. Agentes de saúde pública podem querer saber se uma campanha de informação pública está sendo eficaz em promover práticas sexuais seguras. Nesses casos, o objetivo não é prever casos individuais, mas, sim, entender o relacionamento geral.

Com o advento do big data, a regressão é muito usada para formar um modelo para prever resultados individuais para novos dados, em vez de explicar os dados em mãos (ou seja, um modelo preditivo). Nesse exemplo, os itens de interesse são os valores ajustados $\hat{Y}$. No marketing, a regressão pode ser usada para prever a alteração da receita em resposta ao tamanho de um anúncio. As universidades norte-americanas usam a regressão para prever o GPA dos alunos com base em sua pontuação no SAT.

Um modelo de regressão acomoda bem os dados de modo que mudanças em X levem a mudanças em Y. No entanto, sozinha, a equação de regressão não prova a direção de causa. As conclusões sobre a causa devem vir de um contexto maior de entendimento sobre o relacionamento. Por exemplo, uma equação de regressão pode mostrar um relacionamento definido entre o número de cliques em um anúncio online e o número de conversões. É o nosso conhecimento sobre o processo de marketing, e não a equação de regressão, que nos leva à conclusão de que os cliques no anúncio levam às vendas, e não o contrário.

Ideias-chave

- A equação de regressão modela o relacionamento entre a variável responsiva Y e uma variável preditora X como uma linha.

- Um modelo de regressão gera valores ajustados em resíduos — previsões da resposta e erros das previsões.

- Os modelos de regressão costumam ser ajustados pelo método de mínimos quadrados.

- A regressão é usada tanto para previsão quanto para explicação.

Leitura Adicional

Para um tratamento mais aprofundado de previsão versus explicação, veja o artigo de Galit Shmueli, "To Explain or to Predict" (Para Explicar ou para Prever, em tradução livre), disponível em https://projecteuclid.org/euclid.ss/1294167961 (conteúdo em inglês).

Regressão Linear Múltipla

Quando existem múltiplas preditoras, a equação simplesmente se estende para acomodá-las:

$$Y = b_0 + b_1 X_1 + b_2 X_2 + \ldots + b_p X_p + e$$

Em vez de uma linha, agora temos um modelo linear — o relacionamento entre cada coeficiente e sua variável (característica) é linear.

Termos-chave para Regressão Linear Múltipla

Raiz quadrada do erro quadrático médio
A raiz quadrada do erro quadrático médio da regressão (esta é a métrica mais usada para comparar modelos de regressão).
Sinônimo
   RMSE

Erro-padrão residual
O mesmo que a raiz quadrada do erro quadrático médio, mas ajustada para graus de liberdade.
Sinônimo
   RSE

R-quadrado
A proporção de variância explicada pelo modelo, de 0 a 1.
Sinônimos
   coeficiente de determinação, $R2$

Estatística t
O coeficiente para um preditor, dividido pelo erro-padrão do coeficiente, fornecendo uma métrica para comparar a importância das variáveis no modelo.

Regressão ponderada
A regressão com os registros tendo pesos diferentes.

Todos os outros conceitos em regressão linear simples, como ajuste por mínimos quadrados e a definição de valores ajustados e resíduos, se estendem à configuração da regressão linear múltipla. Por exemplo, os valores ajustados são dados por:

$$\widehat{Y}_i = \hat{b}_0 + \hat{b}_1 X_{1,i} + \hat{b}_2 X_{2,i} + \dots + \hat{b}_p X_{p,i}$$

Exemplo: Dados Imobiliários de King County

Um exemplo do uso da regressão é na estimativa de valores de casas. Os avaliadores do município devem estimar o valor de uma casa para fins de formação de impostos. Clientes e corretores de imóveis consultam sites populares como o Zillow para ponderar um valor justo. Aqui estão algumas linhas de dados imobiliários de King County (Seattle), Washington, do `house data.frame`:

```
head(house[, c("AdjSalePrice", "SqFtTotLiving", "SqFtLot", "Bathrooms",
            "Bedrooms", "BldgGrade")])
Source: local data frame [6 x 6]

  AdjSalePrice SqFtTotLiving SqFtLot Bathrooms Bedrooms BldgGrade
         (dbl)         (int)   (int)     (dbl)    (int)     (int)
1       300805          2400    9373      3.00        6         7
2      1076162          3764   20156      3.75        4        10
3       761805          2060   26036      1.75        4         8
4       442065          3200    8618      3.75        5         7
5       297065          1720    8620      1.75        4         7
6       411781           930    1012      1.50        2         8
```

O objetivo é prever o preço de venda a partir de outras variáveis. A lm trata o caso de regressão múltipla simplesmente incluindo mais termos no lado direito da equação. O argumento na.action=na.omit faz o modelo excluir registros que tenham valores faltantes:

```
house_lm <- lm(AdjSalePrice ~ SqFtTotLiving + SqFtLot + Bathrooms +
            Bedrooms + BldgGrade,
          data=house, na.action=na.omit)
```

A impressão do objeto house_lm gera o seguinte resultado:

```
house_lm

Call:
lm(formula = AdjSalePrice ~ SqFtTotLiving + SqFtLot + Bathrooms +
    Bedrooms + BldgGrade, data = house, na.action = na.omit)

Coefficients:
  (Intercept)  SqFtTotLiving        SqFtLot      Bathrooms
    -5.219e+05      2.288e+02     -6.051e-02     -1.944e+04
      Bedrooms      BldgGrade
    -4.778e+04      1.061e+05
```

A interpretação dos coeficientes é feita como na regressão linear simples: o valor previsto $\hat{Y}$ muda pelo coeficiente b_j para cada mudança de unidade em X_j, assumindo que todas as outras variáveis, X_k para $k \neq j$, continuam iguais. Por exemplo, adicionar um metro quadrado acabado a uma casa aumenta o valor estimado em cerca de $229; adicionar 1.000 metros quadrados acabados implica um aumento de $228.800.

Avaliando o Modelo

A métrica de desempenho mais importante da perspectiva da ciência de dados é a *raiz quadrada do erro quadrático médio*, ou *RMSE*, que é a raiz quadrada do erro quadrado médio nos valores previstos $\hat{y}_i$:

$$RMSE = \sqrt{\frac{\sum_{i=1}^{n} (y_i - \hat{y}_i)^2}{n}}$$

Mede a precisão geral do modelo, e é uma base para a comparação com outros modelos (inclusive modelos ajustados usando técnicas de aprendizado de máquina). Semelhante ao RMSE, temos o *erro-padrão residual*, ou *RSE*. Neste caso temos *p* preditoras, e o RSE é dado por:

$$RSE = \sqrt{\frac{\sum_{i=1}^{n} (y_i - \hat{y}_i)^2}{(n - p - 1)}}$$

A única diferença é que o denominador são os graus de liberdade, diferente do número de registros (veja "Graus de Liberdade", no Capítulo 3). Na prática, para regressão linear, a diferença entre RMSE e RSE é muito pequena, especialmente em aplicações de big data.

A função summary no R calcula o RSE, bem como outras métricas para um modelo de regressão:

```
summary(house_lm)

Call:
lm(formula = AdjSalePrice ~ SqFtTotLiving + SqFtLot + Bathrooms +
    Bedrooms + BldgGrade, data = house, na.action = na.omit)

Residuals:
     Min       1Q    Median       3Q      Max
-1199508  -118879    -20982    87414  9472982

Coefficients:
                Estimate Std. Error t value Pr(>|t|)
(Intercept)   -5.219e+05  1.565e+04 -33.349  < 2e-16 ***
SqFtTotLiving  2.288e+02  3.898e+00  58.699  < 2e-16 ***
SqFtLot       -6.051e-02  6.118e-02  -0.989    0.323
Bathrooms     -1.944e+04  3.625e+03  -5.362 8.32e-08 ***
Bedrooms      -4.778e+04  2.489e+03 -19.194  < 2e-16 ***
BldgGrade      1.061e+05  2.396e+03  44.287  < 2e-16 ***
---
Signif. codes:  0 '***' 0.001 '**' 0.01 '*' 0.05 '.' 0.1 ' ' 1

Residual standard error: 261200 on 22683 degrees of freedom
Multiple R-squared:  0.5407,    Adjusted R-squared:  0.5406
F-statistic:  5340 on 5 and 22683 DF,  p-value: < 2.2e-16
```

Outra métrica útil que veremos em resultados de softwares é o *coeficiente de determinação*, também chamado de estatística de *R-quadrado* ou *R2*. O R-quadrado varia de 0 a 1 e mede a proporção de variação nos dados que é contabilizada no modelo. É útil principalmente em usos explicativos da regressão nos quais se quer avaliar quão bem o modelo acomoda os dados. A fórmula para R2 é:

$$R^2 = 1 - \frac{\sum_{i=1}^{n}(y_i - \hat{y}_i)^2}{\sum_{i=1}^{n}(y_i - \bar{y})^2}$$

O denominador é proporcional à variância de Y. O resultado de R também registra um *R-quadrado ajustado*, o qual se ajusta para os graus de liberdade. Isso raramente é significativamente diferente em regressão múltipla.

Juntamente com os coeficientes estimados, o R registra o erro-padrão dos coeficientes (SE) e uma *estatística t*:

$$t_b = \frac{\hat{b}}{SE(\hat{b})}$$

A estatística t — e sua imagem espelhada, o valor p — mede até onde o coeficiente é "estatisticamente significativo" — ou seja, fora da faixa do que um arranjo aleatório casual de variáveis preditoras e alvo poderiam causar. Quanto maior a estatística t (e menor o valor p), mais significativo é o preditor. Já que parcimônia é uma característica de modelo valiosa, é útil ter uma ferramenta como esta para guiar a escolha de variáveis a serem incluídas como preditores (veja "Seleção de Modelo e Regressão Passo a Passo", adiante, neste capítulo).

Além da estatística r, R e outros pacotes costumam registrar um valor p (Pr(>|t|) no resultado R) e uma *estatística F*. Os cientistas de dados geralmente não se envolvem muito com a interpretação dessas estatísticas, nem com a questão de significância estatística. Os cientistas de dados focam principalmente a estatística t como um guia útil para incluir ou não um preditor no modelo. Estatísticas t altas (que acompanham valores p próximos a 0) indicam que um preditor deveria ser retido em um modelo, enquanto estatísticas t muito baixas indicam que um preditor poderia ser descartado. Veja mais sobre isso em "Valor P", no Capítulo 3.

Validação Cruzada

As métricas clássicas de regressão estatística (R^2, estatísticas F e valores p) são todas métricas "na amostra" — são aplicadas nos mesmos dados que foram usados para ajustar o modelo. Intuitivamente, pode-se ver que faria mais sentido deixar de lado uma parte dos dados originais, não usá-los para ajustar o modelo, e então aplicar o modelo aos dados reservados (retenção) para ver como se comportam. Normalmente usaríamos a maioria dos dados para ajustar o modelo, e uma proporção menor para testá-lo.

Essa ideia de validação "fora da amostra" não é nova, mas não foi muito aproveitada até que conjuntos de dados maiores se tornaram mais prevalentes. Com um conjunto de dados menor, os analistas costumam querer usar todos os dados e ajustar o melhor modelo possível.

Porém, usando uma amostra de retenção, ficamos sujeitos a alguma incerteza que surja simplesmente da variabilidade na pequena amostra de retenção. Quão diferente seria a avaliação se selecionássemos uma amostra de retenção diferente?

A validação cruzada estende a ideia de uma amostra de retenção para múltiplas amostras de retenção sequenciais. O algoritmo para *validação cruzada k-fold* básica é o seguinte:

1. Reserve *1/k* dos dados como amostra de retenção.
2. Treine o modelo nos dados restantes.
3. Aplique (score) o modelo na retenção de *1/k* e registre as métricas de avaliação de modelo necessárias.
4. Recoloque os primeiros *1/k* dos dados e reserve os *1/k* seguintes (excluindo quaisquer registros que foram escolhidos na primeira vez).
5. Repita os Passos 2 e 3.
6. Repita até que cada registro tenha sido usado na porção de retenção.
7. Tire a média ou combine as métricas de avaliação do modelo de outra forma.

A divisão dos dados nas amostras de aplicação e na amostra de retenção também é chamada de *fold (dobra)*.

Seleção de Modelo e Regressão Passo a Passo

Em alguns problemas, podem-se usar muitas variáveis como preditoras em uma regressão. Por exemplo, para prever o valor de uma casa, podem ser usadas variáveis adicionais, como o tamanho do porão e o ano de construção. No R, elas são facilmente incluídas na equação de regressão:

```
house_full <- lm(AdjSalePrice ~ SqFtTotLiving + SqFtLot + Bathrooms +
                Bedrooms + BldgGrade + PropertyType + NbrLivingUnits +
                SqFtFinBasement + YrBuilt + YrRenovated +
                NewConstruction,
            data=house, na.action=na.omit)
```

No entanto, adicionar mais variáveis não significa necessariamente que teremos um modelo melhor. Os estatísticos usam o princípio da *navalha de Occam* para guiar a escolha de um modelo: todas as coisas sendo iguais, deve-se preferir usar um modelo mais simples, ao invés de um mais complicado.

Incluir variáveis adicionais sempre reduz o RMSE e aumenta o R^2. Portanto, estes não são indicados para ajudar a guiar a escolha do modelo. Nos anos 1970, Hirotugu Akaike, o ilustre estatístico japonês, desenvolveu uma métrica chamada *AIC* (Akaike's Information Criteria — critério de informação de Akaike), que penaliza a adição de termos a um modelo. No caso da regressão, o AIC tem a seguinte forma:

$$AIC = 2P + n \log(\text{RSS}/n)$$

Em que *p* é o número de variáveis, e *n* é o número de registros. O objetivo é encontrar o modelo que minimiza o AIC. Modelos com mais *k* variáveis extra são penalizados em 2*k*.

AIC, BIC e Cp de Mallows

A fórmula do AIC pode parecer um tanto misteriosa, mas, na verdade, se baseia em resultados assintóticos em teoria da informação. Existem diversas variantes do AIC:

- AICc: Uma versão do AIC corrigida para tamanhos de amostra menores.
- BIC ou critério Bayesiano de informação: Similar ao AIC com penalidades maiores para a inclusão de variáveis adicionais ao modelo.
- Cp de Mallows: Uma variante do AIC desenvolvida por Colin Mallows.

Os cientistas de dados geralmente não precisam se preocupar com as diferenças entre essas métricas na amostra ou com a teoria subjacente por trás delas.

Como encontramos o modelo que minimiza o AIC? Uma abordagem é procurar em todos os modelos possíveis, chamada de *regressão de todos os subconjuntos*. Ela é computacionalmente cara e inviável para problemas com dados grandes e muitas variáveis. Uma alternativa atraente é usar a *regressão passo a passo*, que inclui e exclui sucessivamente os preditores a fim de encontrar um modelo que diminua o AIC. O pacote `MASS` de Venebles e Ripley oferece uma função de regressão passo a passo chamada `stepAIC`:

```
library(MASS)
step <- stepAIC(house_full, direction="both")
step

Call:
lm(formula = AdjSalePrice ~ SqFtTotLiving + Bathrooms + Bedrooms +
    BldgGrade + PropertyType + SqFtFinBasement + YrBuilt, data = house0,
    na.action = na.omit)

Coefficients:
              (Intercept)                  SqFtTotLiving
              6227632.22                         186.50
                Bathrooms                       Bedrooms
                 44721.72                      -49807.18
                BldgGrade    PropertyTypeSingle Family
                139179.23                       23328.69
    PropertyTypeTownhouse                SqFtFinBasement
                 92216.25                           9.04
                  YrBuilt
                 -3592.47
```

A função escolheu um modelo em que diversas variáveis foram descartadas de house_full: SqFtLot, NbrLivingUnits, YrRenovated e NewConstruction.

Ainda mais simples são a *seleção progressiva* e a *seleção regressiva*. Na seleção progressiva, começamos sem preditores e vamos adicionando um a um, adicionando em cada passo o preditor que tem a maior contribuição com o $R2$, e parando quando a contribuição deixa de ser estatisticamente significativa. Na seleção regressiva, *eliminação regressiva*, começamos com o modelo cheio e retiramos os preditores que não são estatisticamente significativos até termos um modelo em que todos os preditores são estatisticamente significativos.

A *regressão penalizada* é fundamentalmente semelhante ao AIC. Em vez de explicitamente procurar em um conjunto discreto de modelos, a equação de ajuste de modelos incorpora uma restrição que penaliza o modelo para variáveis excessivas (parâmetros). E em vez de eliminar totalmente as variáveis preditoras — como a passo a passo e a seleção progressiva e regressiva —, a regressão penalizada aplica a penalidade reduzindo os coeficientes, em alguns casos até próximo a zero. Os métodos comuns de regressão penalizada são *regressão ridge* e *regressão lasso*.

A regressão passo a passo e todas as regressões de subconjunto são métodos em amostra para avaliar e ajustar modelos. Isso significa que a seleção do modelo está possivelmente sujeita a sobreajuste e pode não ter um desempenho tão bom quando aplicada a novos dados. Uma abordagem comum para evitar isso é usar a validação cruzada para validar os modelos. Na regressão linear, o sobreajuste não costuma ser um grande problema, devido à estrutura global simples (linear) imposta aos dados. Para tipos de modelo mais sofisticados, especialmente procedimentos iterativos que respondem à estrutura de dados local, a validação cruzada é uma ferramenta muito importante. Veja mais detalhes em "Validação Cruzada", antes, neste capítulo.

Regressão Ponderada

A regressão ponderada é usada por estatísticos para diversos propósitos. Em especial, é importante para a análise de pesquisas complexas. Os cientistas de dados podem achar a regressão ponderada útil em dois casos:

- Na ponderação de variância inversa, quando diferentes observações foram medidas com precisão diferente.

- Na análise de dados de forma agregada, de modo que a variável ponderada mostra quantas observações originais cada linha nos dados agregados representa.

Por exemplo, com os dados imobiliários, as vendas mais antigas são menos confiáveis que as mais recentes. Usando o `DocumentDate` para determinar o ano da venda, podemos calcular um `Weight` como o número de anos desde 2005 (o começo dos dados).

```
library(lubridate)
house$Year = year(house$DocumentDate)
house$Weight = house$Year - 2005
```

Podemos calcular uma regressão ponderada com a função `lm` usando o argumento `weight`.

```
house_wt <- lm(AdjSalePrice ~ SqFtTotLiving + SqFtLot + Bathrooms +
                Bedrooms + BldgGrade,

             data=house, weight=Weight)
round(cbind(house_lm=house_lm$coefficients,
            house_wt=house_wt$coefficients), digits=3)

                  house_lm    house_wt
(Intercept)    -521924.722 -584265.244
SqFtTotLiving      228.832     245.017
SqFtLot             -0.061      -0.292
Bathrooms       -19438.099  -26079.171
Bedrooms        -47781.153  -53625.404
BldgGrade       106117.210  115259.026
```

Os coeficientes na regressão ponderada são ligeiramente diferentes da regressão original.

Ideias-chave

- A regressão linear múltipla modela o relacionamento entre uma variável responsiva e Y e múltiplas variáveis preditoras $X1, ..., Xp$.

---

144 | Capítulo 4: Regressão e Previsão

- As métricas mais importantes para avaliar um modelo são a raiz quadrada do erro quadrático médio (RMSE) e R-quadrado (R2).

- O erro-padrão dos coeficientes pode ser usado para medir a confiabilidade da contribuição das variáveis para um modelo.

- A regressão passo a passo é um modo de determinar automaticamente quais variáveis devem ser incluídas no modelo.

- A regressão ponderada é usada para dar a certos registros mais ou menos peso no ajuste da equação.

Previsão Usando Regressão

O propósito principal da regressão na ciência de dados é a previsão. É útil ter isso em mente, já que a regressão, sendo um método estatístico antigo e consagrado, traz uma bagagem que é mais relevante ao seu papel de modelagem explicatória tradicional do que à previsão.

Termos-chave para Previsão Usando Regressão

Intervalo de previsão
Um intervalo de incerteza em torno de um valor previsto individual.

Extrapolação
A extensão de um modelo além da faixa dos dados usados para ajustá-lo.

Os Perigos da Extrapolação

Os modelos de regressão não devem ser usados para extrapolar além da faixa dos dados. O modelo é válido apenas para valores preditores para os quais os dados têm valores suficientes (mesmo no caso em que estejam disponíveis dados suficientes, pode haver outros problemas. Veja "Testando as Suposições: Diagnósticos de Regressão", adiante, neste capítulo). Em um caso extremo, suponhamos que seja usado um model_lm para prever um valor de um lote vazio de 5.000 metros quadrados. Nesse caso, todos os preditores relacionados à construção teriam um valor 0 e a equação de regressão resultaria em uma previsão absurda de −521.900 + 5.000 × −.0605 = −\$522.202. Por que isso aconteceu? Os dados contêm apenas lotes com construções — não há registros correspondentes com lotes vazios. Consequentemente, o modelo não tem informação suficiente para dizer como prever o preço de venda para um lote vazio.

Intervalos de Confiança e Previsão

A maior parte da estatística envolve o entendimento e mensuração da variabilidade (incerteza). As estatísticas t e os valores p registrados no resultado da regressão lidam com isso de modo formal, o que muitas vezes é útil para a seleção de variáveis (veja "Avaliando o Modelo", antes, neste capítulo). Uma métrica mais útil é a dos intervalos de confiança, que são intervalos de incerteza posicionados em torno dos coeficientes de regressão e previsões. Um jeito fácil de entender isso é através do bootstrap (veja em "O Bootstrap", no Capítulo 2, mais detalhes sobre o procedimento geral de bootstrap). Os intervalos de confiança de regressão mais comuns em resultados de software são aqueles para parâmetros de regressão (coeficientes). Aqui está um algoritmo bootstrap para gerar intervalos de confiança para parâmetros de regressão (coeficientes) para um conjunto de dados com P preditores e n registros (linhas):

1. Considere cada linha (incluindo a variável resultante) como um único "bilhete" e coloque todos os n bilhetes em uma caixa.
2. Retire um bilhete aleatoriamente, registre os valores e recoloque-o na caixa.
3. Repita o Passo 2 n *vez*es; agora temos uma reamostra bootstrap.
4. Ajuste uma regressão à amostra bootstrap e registre os coeficientes estimados.
5. Repita os Passos 2 a 4, digamos, 1.000 vezes.
6. Agora temos 1.000 valores bootstrap para cada coeficiente. Encontre os percentis adequados para cada um (por exemplo, o 5° e 95° para um intervalo de confiança de 90%).

Podemos usar a função **Boot** do R para gerar intervalos de confiança bootstrap reais para os coeficientes, ou podemos simplesmente usar os intervalos baseados em fórmulas que são rotineiros nos resultados R. O significado e a interpretação conceituais são os mesmos, e não são de importância central para os cientistas de dados, porque dizem respeito aos coeficientes de regressão. Os intervalos em torno dos valores y ($\hat{Y}_i$) previstos são de maior interesse para os cientistas de dados. A incerteza em torno de $\hat{Y}_i$ vem de duas fontes:

- A incerteza em torno de quais são as variáveis preditoras e seus coeficientes (veja o algoritmo bootstrap anterior).
- Erro adicional inerente em pontos de dado individuais.

O erro de ponto de dado individual pode ser visto da seguinte forma: mesmo que soubéssemos com certeza qual é a equação de regressão (por exemplo, se tivéssemos um número enorme de registros para ajustá-la), os valores resultantes *reais* para um dado conjunto de valores preditores variariam. Por exemplo, diversas casas — cada uma com oito quartos, um lote de 6.500 metros quadrados, três banheiros e um porão — poderiam ter valores diferentes. Podemos modelar esse erro individual com os resíduos dos valores ajustados. O algoritmo bootstrap para modelar tanto o erro de modelo de regressão e o erro de ponto de dado individual ficaria assim:

1. Tire uma amostra bootstrap dos dados (especificado com mais detalhes anteriormente).
2. Ajuste a regressão e preveja o novo valor.
3. Tire um único resíduo aleatoriamente do ajuste de regressão original, adicione ao valor previsto e registre o resultado.
4. Repita os Passos 1 a 3, digamos, 1.000 vezes.
5. Encontre o 2,5° e 97,5° percentis dos resultados.

Intervalo de Previsão ou Intervalo de Confiança?

Um intervalo de previsão diz respeito à incerteza em torno de um único valor, enquanto um intervalo de confiança diz respeito à média ou a outras estatísticas calculadas de múltiplos valores. Portanto, um intervalo de previsão geralmente será muito maior que um intervalo de confiança para o mesmo valor. Modelamos esse erro de valor individual no modelo bootstrap selecionando um resíduo individual para aderir ao valor previsto. Qual devemos usar? Isso depende do contexto e do propósito da análise, mas, em geral, os cientistas de dados estão mais interessados em previsões individuais específicas, então um intervalo de previsão seria mais adequado. Usar um intervalo de confiança quando deveria usar um intervalo de previsão subestimará grandemente a incerteza em dado valor previsto.

Ideias-chave

- A extrapolação além da faixa dos dados pode levar a erros.
- Os intervalos de confiança quantificam a incerteza em torno dos coeficientes de regressão.
- Os intervalos de previsão quantificam a incerteza em previsões individuais.
- A maioria dos softwares, inclusive o R, produz intervalos de previsão e confiança por predefinição ou resultado especificado usando fórmulas.
- O bootstrap também pode ser usado. A interpretação e a ideia são as mesmas.

Variáveis Fatoriais em Regressão

As variáveis *fatoriais*, também chamadas de variáveis *categóricas*, assumem um número limitado de valores discretos. Por exemplo, uma finalidade de empréstimo pode ser "consolidação de dívidas", "casamento", "carro" e assim por diante. A variável binária (sim/não), também chamada de variável *indicadora*, é um caso especial de variável fatorial. A regressão exige entradas numéricas, então as variáveis fatoriais precisam ser registradas para serem usadas no modelo. A abordagem mais comum é converter uma variável em um conjunto de variáveis binárias *fictícias*.

Termos-chave para Variáveis Fatoriais

Variáveis fictícias
Variáveis binárias 0–1 derivadas pelo registro dos dados fatoriais para uso em regressão e outros modelos.

Codificação de referência
O tipo mais comum de codificação usada pelos estatísticos, na qual um nível de um fator é usado como uma referência e outros fatores são comparados com aquele nível.
Sinônimo
codificação de tratamento

One hot encoder
Um tipo comum de codificação usado pela comunidade de aprendizado de máquina em que todos os níveis fatoriais são retidos. É útil para certos algoritmos de aprendizado de máquina, mas esta abordagem não é adequada para regressão linear múltipla.

Codificação de desvio
Um tipo de codificação que compara cada nível com a média global, ao contrário do nível de referência.
Sinônimo
contrastes de soma

Representação de Variáveis Fictícias

Nos dados imobiliários de King County, existe uma variável fatorial para o tipo de imóvel; abaixo temos um pequeno subconjunto de seis registros.

---

148 | Capítulo 4: Regressão e Previsão

```
head(house[, 'PropertyType'])
Source: local data frame [6 x 1]

    PropertyType
         (fctr)
1      Multiplex
2  Single Family
3  Single Family
4  Single Family
5  Single Family
6      Townhouse
```

Existem três valores possíveis: Multiplex, Single Family e Townhouse. Para usar essa variável fatorial, precisamos convertê-la em um conjunto de variáveis binárias. Fazemos isso criando uma variável binária para cada valor possível da variável fatorial. Para fazer isso no R, usamos a função model.matrix:[3]

```
prop_type_dummies <- model.matrix(~PropertyType -1, data=house)
head(prop_type_dummies)
  PropertyTypeMultiplex PropertyTypeSingle Family PropertyTypeTownhouse
1                     1                         0                     0
2                     0                         1                     0
3                     0                         1                     0
4                     0                         1                     0
5                     0                         1                     0
6                     0                         0                     1
```

A função model.matrix converte um quadro de dados em uma matriz adequada em um modelo linear. A variável fatorial PropertyType, que possui três níveis distintos, é representada como uma matriz com três colunas. Na comunidade de aprendizado de máquina, essa representação é chamada de *one hot encoding* (veja "One Hot Encoder", no Capítulo 6). Em certos algoritmos de aprendizado de máquina, como modelos de vizinhos mais próximos e árvore, o one hot encoding é o modo-padrão de representar variáveis fatoriais (por exemplo, veja "Modelos de Árvore", no Capítulo 6).

Na configuração de regressão, uma variável fatorial com P níveis distintos costuma ser representada por uma matriz com apenas $P - 1$ colunas. Isso por que um modelo de regressão geralmente inclui um termo interceptor. Com um interceptor, uma vez definidos os valores de $P - 1$ binários, o valor do $P°$ é conhecido e poderia ser considerado redundante. Somar a coluna $P°$ causaria um erro de multicolinearidade (veja "Multicolinearidade", adiante, neste capítulo).

---

3 O argumento -1 em model.matrix produz uma representação one hot encoding (removendo o interceptor, ou seja, o "-"). Ou então, a predefinição no R é produzir uma matriz com $P - 1$ coluna com o primeiro nível de fator como referência.

A representação-padrão no R é usar o primeiro nível de fator como uma *referência* e interpretar os níveis restantes relativos àquele fator.

```
lm(AdjSalePrice ~ SqFtTotLiving + SqFtLot + Bathrooms +
+       Bedrooms + BldgGrade + PropertyType, data=house)

Call:
lm(formula = AdjSalePrice ~ SqFtTotLiving + SqFtLot + Bathrooms +
    Bedrooms + BldgGrade + PropertyType, data = house)

Coefficients:
              (Intercept)              SqFtTotLiving
                -4.469e+05                  2.234e+02
                   SqFtLot                  Bathrooms
                -7.041e-02                 -1.597e+04
                  Bedrooms                  BldgGrade
                -5.090e+04                  1.094e+05
   PropertyTypeSingle Family       PropertyTypeTownhouse
                -8.469e+04                 -1.151e+05
```

O resultado da regressão de R mostra dois coeficientes correspondentes a Property Type: `PropertyTypeSingle Family` e `PropertyTypeTownhouse`. Não há um coeficiente de `Multiplex`, pois está implicitamente definido quando `PropertyTypeSingle Family == 0` e `PropertyTypeTownhouse == 0`. Os coeficientes são interpretados como relativos ao `Multiplex`, então uma casa que seja `Single Family` vale cerca de $85.000 menos, e uma casa que seja `Townhouse` vale acima de $150.000 menos.[4]

Diferentes Codificações Fatoriais

Existem diversos jeitos diferentes de codificar variáveis fatoriais, conhecidos como *sistemas de codificação de contraste*. Por exemplo, *codificação de desvio*, também conhecida como *contrastes de soma*, compara cada nível com a média global. Outro contraste é a *codificação polinomial*, que é adequada a fatores ordenados. Veja a seção "Variáveis de Fator Ordenado", adiante, neste capítulo. Com exceção dos fatores ordenados, os cientistas de dados geralmente não encontram qualquer tipo de codificação além da codificação de referência ou one hot encoder.

---

[4] Isso não é intuitivo, mas pode ser explicado pelo impacto da localização como uma variável de confundimento. Veja "Variáveis de Confundimento", adiante, neste capítulo.

Variáveis Fatoriais com Muitos Níveis

Algumas variáveis fatoriais podem produzir um número enorme de binários fictícios — códigos postais são uma variável fatorial, e existem 43.000 códigos postais nos Estados Unidos. Nesses casos, é útil explorar os dados e os relacionamentos entre as variáveis preditoras e o resultado para determinar se existem informações importantes nas categorias. Se sim, pode-se decidir se é útil manter todos esses fatores ou se os níveis devem ser consolidados.

Em King County, existem 82 códigos postais com casas à venda:

```
table(house$ZipCode)
```

```
 9800 89118 98001 98002 98003 98004 98005 98006 98007 98008 98010 98011
    1     1   358   180   241   293   133   460   112   291    56   163
98014 98019 98022 98023 98024 98027 98028 98029 98030 98031 98032 98033
   85   242   188   455    31   366   252   475   263   308   121   517
98034 98038 98039 98040 98042 98043 98045 98047 98050 98051 98052 98053
  575   788    47   244   641     1   222    48     7    32   614   499
98055 98056 98057 98058 98059 98065 98068 98070 98072 98074 98075 98077
  332   402     4   420   513   430     1    89   245   502   388   204
98092 98102 98103 98105 98106 98107 98108 98109 98112 98113 98115 98116
  289   106   671   313   361   296   155   149   357     1   620   364
98117 98118 98119 98122 98125 98126 98133 98136 98144 98146 98148 98155
  619   492   260   380   409   473   465   310   332   287    40   358
98166 98168 98177 98178 98188 98198 98199 98224 98288 98354
  193   332   216   266   101   225   393     3     4     9
```

ZipCode é uma variável importante, já que é uma proxy para o efeito de uma localização no valor de uma casa. Incluir todos os níveis exige 81 coeficientes correspondentes com 81 graus de liberdade. O modelo original model house_lm tem apenas 5 graus de liberdade; veja "Avaliando o Modelo", antes, neste capítulo. Além disso, muitos códigos postais têm apenas uma venda. Em alguns problemas, podemos consolidar um código postal usando os primeiros dois ou três dígitos, correspondendo a uma região geográfica submetropolitana. Para King County, quase todas as vendas ocorrem em 980xx ou 981xx, então isso não ajuda.

Uma abordagem alternativa é agrupar os códigos postais de acordo com outra variável, como preço de venda. Melhor ainda é formar grupos de códigos postais usando os resíduos de um modelo inicial. O código dplyr a seguir consolida os 82 códigos postais em cinco grupos baseados na mediana do resíduo da regressão house_lm:

Variáveis Fatoriais em Regressão | 151

```
zip_groups <- house %>%
  mutate(resid = residuals(house_lm)) %>%
  group_by(ZipCode) %>%
  summarize(med_resid = median(resid),
            cnt = n()) %>%
  arrange(med_resid) %>%
  mutate(cum_cnt = cumsum(cnt),
         ZipGroup = ntile(cum_cnt, 5))
house <- house %>%
  left join(select(zip groups, ZipCode, ZipGroup), by='ZipCode')
```

O resíduo da mediana é calculado para cada código postal, e a função `ntile` é usada para separar os códigos postais, escolhidos pela mediana, em cinco grupos. Veja em "Variáveis de Confundimento", adiante, neste capítulo, um exemplo de como isso é usado como um termo em uma regressão melhorando o ajuste original.

O conceito do uso de resíduos para ajudar a guiar o ajuste da regressão é um passo fundamental no processo de modelagem. Veja "Testando as Suposições: Diagnósticos de Regressão", adiante, neste capítulo.

Variáveis de Fator Ordenado

Algumas variáveis fatoriais refletem os níveis de um fator. Elas são chamadas de *variáveis de fator ordenado* ou *variáveis categóricas ordenadas*. Por exemplo, a nota de empréstimo poderia ser A, B, C e assim por diante — cada nota traz mais risco que a anterior. As variáveis de fator ordenado geralmente podem ser convertidas em valores numéricos e usadas dessa forma. Por exemplo, a variável `BldgGrade` é uma variável de fator ordenado. Muitos dos tipos de notas estão exibidos na Tabela 4-1. Enquanto as notas têm um significado específico, o valor numérico é ordenado de baixo a alto, correspondendo à casa com notas mais altas. Com o modelo de regressão model `house_lm`, ajustado em "Regressão Linear Múltipla", anteriormente, `BldgGrade` foi tratada como uma variável numérica.

Tabela 4-1. Um formato de dados típicos

Valor	Descrição
1	Cabana
2	Precária
5	Razoável
10	Muito boa
12	Luxuosa
13	Mansão

Tratar os fatores ordenados como uma variável numérica preserva a informação contida na ordem, e que seria perdida se fosse convertida em um fator.

152 | Capítulo 4: Regressão e Previsão

Ideias-chave

- As variáveis fatoriais precisam ser convertidas em variáveis numéricas para uso em uma regressão.
- O método mais comum para converter uma variável fatorial com P valores distintos é representá-la usando P-1 variáveis fictícias.
- Uma variável fatorial com muitos níveis, mesmo em conjuntos de dados muito grandes, pode precisar ser consolidada em uma variável com menos níveis.
- Alguns fatores têm níveis que são ordenados e podem ser representados como uma única variável numérica.

Interpretando a Equação de Regressão

Em ciência de dados, o uso mais importante da regressão é prever alguma variável dependente (resultado). Em alguns casos, no entanto, adquirir conhecimento da própria equação para entender a natureza do relacionamento entre os preditores e o resultado pode ser interessante. Esta seção oferece orientações para examinar e interpretar a equação de regressão.

Termos-chave para Interpretação da Equação de Regressão

Variáveis correlacionadas
Quando as variáveis preditoras são altamente correlacionadas, é difícil interpretar os coeficientes individuais.

Multicolinearidade
Quando as variáveis preditoras têm correlação perfeita, ou quase perfeita, a regressão pode ser instável ou impossível de calcular.
Sinônimo
colinearidade

Variáveis de confundimento
Uma preditora importante que, quando omitida, leva a relacionamentos falsos em uma equação de regressão.

Efeitos principais
O relacionamento entre uma preditora e a variável resultante, independente de outras variáveis.

Interações
Um relacionamento independente entre duas ou mais preditoras e a resposta.

Preditoras Correlacionadas

Em regressão múltipla, as variáveis preditoras costumam ser correlacionadas umas às outras. Como exemplo, examine os coeficientes de regressão para o modelo step_lm, ajustado em "Seleção de Modelo e Regressão Passo a Passo", adiante, neste capítulo:

```
step_lm$coefficients
               (Intercept)              SqFtTotLiving
              6.227632e+06               1.865012e+02
                 Bathrooms                   Bedrooms
              4.472172e+04              -4.980718e+04
                  BldgGrade PropertyTypeSingle Family
              1.391792e+05               2.332869e+04
      PropertyTypeTownhouse             SqFtFinBasement

              9.221625e+04               9.039911e+00
                   YrBuilt
             -3.592468e+03
```

O coeficiente para Bedrooms é negativo! Isso significa que adicionar um quarto em uma casa reduzirá seu valor. Como é possível? Isso acontece porque as variáveis preditoras são correlacionadas: casas maiores tendem a ter mais quartos, e é o tamanho que rege o valor da casa, não o número de quartos. Considere duas casas exatamente do mesmo tamanho: é razoável pensar que uma casa com mais quartos, porém menores, seria considerada menos desejável.

Ter preditoras correlacionadas pode tornar difícil interpretar o sinal e o valor dos coeficientes de regressão (e pode inflar o erro-padrão das estimativas). As variáveis para quartos, tamanho de casa e número de banheiros são todas correlacionadas. Isso está ilustrado no exemplo a seguir, o qual ajusta outra regressão removendo as variáveis SqFtTotLiving, SqFtFinBasement e Bathrooms da equação:

```
update(step_lm, . ~ . -SqFtTotLiving - SqFtFinBasement - Bathrooms)

Call:
lm(formula = AdjSalePrice ~ Bedrooms + BldgGrade + PropertyType +
    YrBuilt, data = house0, na.action = na.omit)

Coefficients:
               (Intercept)                   Bedrooms
                   4834680                      27657
                  BldgGrade PropertyTypeSingle Family
                    245709                     -17604
      PropertyTypeTownhouse                    YrBuilt
                    -47477                      -3161
```

---

154 | Capítulo 4: Regressão e Previsão

A função `update` pode ser usada para adicionar ou remover variáveis de um modelo. Agora o coeficiente para quartos é positivo — em linha com o que esperávamos (apesar de estar, na verdade, agindo como uma proxy para tamanho da casa, agora que essas variáveis foram removidas).

As variáveis correlacionadas são apenas um dos problemas ao interpretar coeficientes de regressão. Em `house_lm`, não há uma variável para contabilizar a localização da casa, e o modelo está misturando muitos tipos diferentes de regiões. A localização pode ser uma variável de confundimento. Veja mais em "Variáveis de Confundimento", adiante, neste capítulo.

Multicolinearidade

Um caso extremo de variáveis correlacionadas produz multicolinearidade — uma condição em que há redundância entre as variáveis preditoras. A multicolinearidade perfeita ocorre quando uma variável preditora pode ser expressa como uma combinação linear das outras. A multicolinearidade ocorre quando:

- Uma variável é incluída múltiplas vezes por erro.
- P fictícios, em vez de $P - 1$ fictícios, são criados de uma variável fatorial (veja "Variáveis Fatoriais em Regressão", antes, neste capítulo).
- Duas variáveis são quase perfeitamente correlacionadas uma à outra.

A multicolinearidade da regressão deve ser analisada — as variáveis devem ser removidas até que a multicolinearidade desapareça. Uma regressão não tem uma solução bem definida na presença de multicolinearidade perfeita. Muitos pacotes de software, inclusive o R, tratam automaticamente certos tipos de multicolinearidade. Por exemplo, se `SqFtTotLiving` for incluído duas vezes na regressão dos dados imobiliários, os resultados serão os mesmos que no modelo `house_lm`. No caso de multicolinearidade não perfeita, o software pode obter uma solução, mas os resultados podem ser instáveis.

A multicolinearidade não é um problema para métodos não regressivos como árvores, agrupamento e vizinhos mais próximos, e em tais métodos pode ser aconselhável reter P fictícios (em vez de $P - 1$). Dito isso, mesmo nesses métodos, a não redundância nas variáveis preditoras ainda é uma virtude.

Variáveis de Confundimento

Com variáveis correlacionadas, o problema é de comissão: incluir diferentes variáveis que têm um relacionamento preditivo semelhante com a resposta. Com *variáveis de confundimento*, o problema é de omissão: uma variável importante não é incluída na equação de regressão. A interpretação ingênua dos coeficientes da equação pode levar a conclusões inválidas.

Assuma, por exemplo, a equação de regressão de King County house_lm de "Exemplo: Dados Imobiliários de King County", antes, neste capítulo. Os coeficientes de regressão de SqFtLot, Bathrooms e Bedrooms são todos negativos. O modelo de regressão original não contém uma variável para representar a localização — uma preditora muito importante do preço do imóvel. Para modelar a localização, inclua uma variável ZipGroup, que categoriza os códigos postais em um dos cinco grupos, dos menos caros (1) aos mais caros (5).[5]

```
lm(AdjSalePrice ~ SqFtTotLiving + SqFtLot +
    Bathrooms + Bedrooms +
    BldgGrade + PropertyType + ZipGroup,
  data=house, na.action=na.omit)

Coefficients:
            (Intercept)            SqFtTotLiving
             -6.709e+05                2.112e+02
                SqFtLot                Bathrooms
             4.692e-01                5.537e+03
               Bedrooms                BldgGrade
             -4.139e+04                9.893e+04
PropertyTypeSingle Family    PropertyTypeTownhouse
             2.113e+04               -7.741e+04
              ZipGroup2                ZipGroup3
             5.169e+04                1.142e+05
              ZipGroup4                ZipGroup5
             1.783e+05                3.391e+05
```

ZipGroup é claramente uma variável importante: uma casa no grupo de código postal mais caro é estimada em ter um preço de venda cerca de $340.000 maior. Os coeficientes de SqFtLot e Bathrooms são agora positivos, e adicionar um banheiro aumenta o preço de venda em $7.500.

O coeficiente para Bedrooms ainda é negativo. Ainda que não seja intuitivo, é um fenômeno bem conhecido no ramo imobiliário. Para casas com a mesma área habitável e número de banheiros, ter mais, e portanto menores, quartos está associado a casas menos valiosas.

---

5 Existem 82 códigos postais em King County, muitos com apenas um punhado de vendas. Uma alternativa para usar os códigos postais diretamente como uma variável fatorial, ZipGroup agrupa códigos postais semelhantes e um único grupo. Veja mais detalhes em "Variáveis Fatoriais com Muitos Níveis", antes, neste capítulo.

Interações e Efeitos Principais

Os estatísticos gostam de distinguir entre *efeitos principais*, ou variáveis independentes, e as *interações* entre os efeitos principais. Os efeitos principais são o que geralmente é chamado de *variável preditora* na equação de regressão. Uma suposição implícita quando apenas os efeitos principais são usados em um modelo é que o relacionamento entre uma variável preditora e a resposta é independente das outras variáveis preditoras. Esse não costuma ser o caso.

Por exemplo, o modelo ajustado aos Dados Imobiliários de King County em "Variáveis de Confundimento", antes, neste capítulo, inclui diversas variáveis como efeitos principais, inclusive ZipCode. A localização em imóveis é tudo, e é natural presumir que o relacionamento entre, digamos, tamanho da casa e preço de venda dependa da localização. Uma casa grande, construída em um distrito com aluguéis baixos, não reterá o mesmo valor que uma casa grande construída em uma área cara. Incluímos interações entre as variáveis no R usando o operador *. Para os dados de King County, o código a seguir ajusta uma interação entre SqFtTotLiving e ZipGroup:

```
lm(AdjSalePrice ~ SqFtTotLiving*ZipGroup + SqFtLot +
    Bathrooms + Bedrooms + BldgGrade + PropertyType,
    data=house, na.action=na.omit)

Coefficients:
            (Intercept)            SqFtTotLiving
             -4.919e+05               1.176e+02
              ZipGroup2                ZipGroup3
             -1.342e+04               2.254e+04
              ZipGroup4                ZipGroup5
              1.776e+04              -1.555e+05
                SqFtLot                Bathrooms
              7.176e-01              -5.130e+03
               Bedrooms                BldgGrade
             -4.181e+04               1.053e+05
  PropertyTypeSingle Family     PropertyTypeTownhouse
              1.603e+04              -5.629e+04
  SqFtTotLiving:ZipGroup2   SqFtTotLiving:ZipGroup3
              3.165e+01               3.893e+01
  SqFtTotLiving:ZipGroup4   SqFtTotLiving:ZipGroup5
              7.051e+01               2.298e+02
```

O modelo resultante tem quatro novos termos: SqFtTotLiving:ZipGroup2, SqFtTotLiving:ZipGroup3 e assim por diante.

Localização e tamanho da casa parecem ter uma forte interação. Para uma casa no Zip-Group mais baixo, o declive é o mesmo que o declive do efeito principal SqFtTotLiving, que é $177 por metro quadrado (porque o R usa codificação de *referência* para variáveis fatoriais; veja "Variáveis Fatoriais em Regressão", antes, neste capítulo). Para cada uma no

ZipGroup mais alto, o declive é a soma do efeito principal mais SqFtTotLiving:ZipGroup5, ou $177 + $230 = $447 por metro quadrado. Em outras palavras, adicionar um metro quadrado no código postal mais caro aumenta o preço de venda previsto em um fator de cerca de 2,7, comparado com o aumento no grupo de códigos postais menos caros.

Seleção de Modelos com Termos de Interação

Em problemas envolvendo muitas variáveis, pode ser desafiador decidir quais termos de interação devem ser incluídos no modelo. Geralmente são usadas muitas abordagens diferentes:

- Em alguns problemas, conhecimento antecipado e intuição podem guiar a escolha de quais termos de interação incluir no modelo.

- Pode-se usar a seleção passo a passo (veja "Seleção de Modelo e Regressão Passo a Passo", antes, neste capítulo) para alternar entre diversos modelos.

- A regressão penalizada pode se ajustar automaticamente a um conjunto grande de possíveis termos de interação.

- Talvez a abordagem mais comum seja o uso dos *modelos de árvore*, bem como seus descendentes, *floresta aleatória e árvores de crescimento gradual*. Essa classe de modelos procura automaticamente termos ótimos de interação. Veja "Modelos de Árvore", no Capítulo 6.

Ideias-chave

- Por causa da correlação entre os preditores, deve-se ter cuidado na interpretação dos coeficientes na regressão linear múltipla.

- A multicolinearidade pode causar instabilidade numérica no ajuste da equação de regressão.

- Uma variável de confundimento é uma preditora importante que é omitida de um modelo e pode levar a uma equação de regressão com relacionamentos falsos.

- Um termo de interação entre duas variáveis é necessário se o relacionamento entre as variáveis e a resposta for interdependente.

Testando as Suposições: Diagnósticos de Regressão

Em modelagem explicativa (ou seja, em um contexto de pesquisa), são dados muitos passos, além das métricas mencionadas anteriormente (veja "Avaliando o Modelo", antes, neste capítulo), para avaliar quão bem o modelo se ajusta aos dados. A maioria se baseia na análise dos resíduos, que podem testar as suposições subjacentes ao modelo. Esses passos não abordam diretamente a precisão preditiva, mas podem oferecer percepções úteis em um ajuste preditivo.

Termos-chave para Diagnósticos de Regressão

Resíduos padronizados
Resíduos divididos pelo erro-padrão dos resíduos.

Outliers
Registros (ou valores resultantes) que estão distantes do restante dos dados (ou do resultado previsto).

Valor influente
Um valor ou registro cuja presença ou ausência faz uma grande diferença na equação de regressão.

Ponto alavanca
O grau de influência que um único registro tem em uma equação de regressão.
Sinônimo
   valor chapéu

Resíduos não normais
Registros não normalmente distribuídos podem invalidar algumas exigências técnicas da regressão, mas não costumam ser uma preocupação na ciência de dados.

Heteroscedasticidade
Quando algumas faixas do resultado experimentam resíduos com maior variância (pode indicar um preditor faltante da equação).

Gráficos residuais parciais
Um gráfico de diagnóstico para exibir o relacionamento entre a variável resultante e uma única preditora.
Sinônimo
   gráfico de variáveis adicionadas

Outliers

Em linhas gerais, um valor extremo, também chamado de *outlier*, é aquele que é distante da maioria das outras observações. Da mesma forma que os outliers precisam ser manipulados para estimativas de localização e variabilidade (veja "Estimativas de Localização" e "Estimativas de Variabilidade", ambas no Capítulo 1), eles podem causar problemas em modelos de regressão. Em regressão, um outlier é um registro cujo valor y real é distante dos valores previstos. Podemos detectar os outliers examinando os *resíduos padronizados*, que são os resíduos divididos pelo erro-padrão dos resíduos.

Não há uma teoria estatística que separa os outliers dos não outliers. Em vez disso, existem regras de ouro (arbitrárias) para quão distante uma observação deve estar para ser chamada de outlier. Por exemplo, com o boxplot, outliers são aqueles pontos de dados que estão muito acima ou abaixo dos limites da caixa (veja "Percentis e Boxplots", no Capítulo 1), em que "muito longe" = "mais de 1,5 vezes a amplitude interquartil". Em regressão, o resíduo padronizado é a métrica que costuma ser usada para determinar se um registro é classificado como um outlier. Os resíduos padronizados podem ser interpretados como "o número de erros-padrão longe da linha de regressão".

Vamos ajustar uma regressão aos dados de vendas imobiliárias de King County para todas as vendas no código postal 98105:

```
house_98105 <- house[house$ZipCode == 98105,]
lm_98105 <- lm(AdjSalePrice ~ SqFtTotLiving + SqFtLot + Bathrooms +
               Bedrooms + BldgGrade, data=house_98105)
```

Extraímos os resíduos padronizados usando a função `rstandard` e obtemos o índice do menor resíduo usando a função `order`:

```
sresid <- rstandard(lm_98105)
idx <- order(sresid)
sresid[idx[1]]
    20431
-4.326732
```

A maior sobrestimação do modelo é mais de quatro erros-padrão acima da linha de regressão, correspondendo a uma sobrestimação de $757.753. O registro original de dados correspondente a esse outlier é o seguinte:

```
house_98105[idx[1], c('AdjSalePrice', 'SqFtTotLiving', 'SqFtLot',
              'Bathrooms', 'Bedrooms', 'BldgGrade')]

AdjSalePrice SqFtTotLiving SqFtLot Bathrooms Bedrooms BldgGrade
      (dbl)         (int)   (int)     (dbl)    (int)     (int)
1    119748          2900    7276         3        6         7
```

Nesse caso, parece que existe algo errado com o registro: uma casa daquele tamanho geralmente é vendida por muito mais que $119.748 naquele código postal. A Figura 4-4 mostra um trecho da escritura dessa venda: está claro que a venda envolveu apenas uma participação parcial na propriedade. Nesse caso, o outlier corresponde a uma venda que é anômala e não deveria ser incluída na regressão. Os outliers podem ser também resultado de outros problemas, como erro de digitação na inclusão dos dados ou uma divergência nas unidades (por exemplo, registrar uma venda em milhares de dólares apenas em dólares).

Figura 4-4. Escritura de venda para o maior resíduo negativo

Em problemas de big data, os outliers não costumam ser um problema no ajuste da regressão a ser usada na previsão de novos dados. No entanto, os outliers são fundamentais na detecção de anomalias, em que o objetivo é encontrar os outliers. O outlier pode também corresponder a um caso de fraude ou ação acidental. De qualquer forma, detectá-los pode ser uma necessidade crucial em negócios.

Valores Influentes

Um valor cuja ausência poderia alterar significativamente a equação de regressão é chamado de *observação influente*. Em regressão, tal valor não precisa ser associado a um grande resíduo. Como exemplo, considere as linhas de regressão na Figura 4-5. A linha sólida corresponde à regressão com todos os dados, enquanto a linha pontilhada corresponde à regressão removendo o ponto no canto superior direito. Claramente, o valor do dado tem uma enorme influência na regressão, apesar de não ser associado a um grande outlier (da regressão completa). Esse valor de dado é tido como um alto *ponto alavanca* na regressão.

Além dos resíduos padronizados (veja "Outliers", antes, neste capítulo), os estatísticos desenvolveram diversas métricas para determinar a influência de um único registro em uma regressão. Uma medida comum de ponto alavanca é o *valor chapéu*. Valores acima de $2P + 1/n$ indicam um valor de dado de alta alavancagem.[6]

---

6 O termo *valor chapéu* vem da noção da matriz chapéu em regressão. A regressão linear múltipla pode ser expressa pela fórmula $\hat{Y} = HY$, em que H é a matriz chapéu. Os valores chapéu correspondem à diagonal de H.

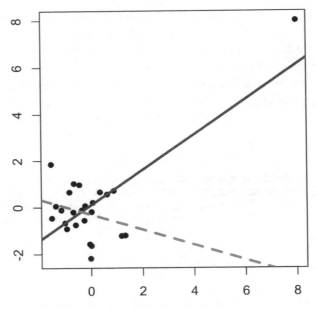

Figura 4-5. Um exemplo de um ponto de dado influente na regressão

Outra métrica é a *distância de Cook*, que define influência como uma combinação de alavancagem e tamanho residual. Uma regra de ouro é que uma observação tem grande influência se a distância de Cook exceder $4/(n - P - 1)$.

Um *gráfico de influência* ou *gráfico bolha* combina os resíduos padronizados, o valor chapéu e a distância de Cook em um único gráfico. A Figura 4-6 mostra o gráfico de influência para os dados imobiliários de King County, e pode ser criado através do código R a seguir:

```
std_resid <- rstandard(lm_98105)
cooks_D <- cooks.distance(lm_98105)
hat_values <- hatvalues(lm_98105)
plot(hat_values, std_resid, cex=10*sqrt(cooks_D))
abline(h=c(-2.5, 2.5), lty=2)
```

Aparentemente, existem diversos pontos de dados que demonstram muita influência na regressão. A distância de Cook pode ser calculada usando a função `cooks.distance`, e podemos usar `hatvalues` para calcular o diagnóstico. Os valores chapéu são representados no eixo x, os resíduos no eixo y, e o tamanho dos pontos está relacionado ao valor da distância de Cook.

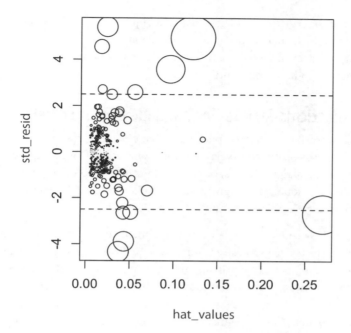

Figura 4-6. Um gráfico para determinar quais observações têm grande influência

A Tabela 4-2 compara a regressão com o conjunto completo de dados e com os pontos de dados de alta influência removidos. O coeficiente de regressão para Bathrooms muda drasticamente.[7]

Tabela 4-2. Comparação dos coeficientes de regressão com os dados completos e com os dados influentes removidos

	Original	Influente removido
(Intercept)	−772550	−647137
SqFtTotLiving	210	230
SqFtLot	39	33
Bathrooms	2282	−16132
Bedrooms	−26320	−22888
BldgGrade	130000	114871

Para fins de ajuste de uma regressão que prevê confiavelmente os dados futuros, identificar observações influentes é útil apenas em conjuntos de dados menores. Para regressões

---

7 O coeficiente para Bathrooms se torna negativo, o que não é intuitivo. A localização não foi considerada, e o código postal 98105 contém áreas com casas de tipos diferentes. Veja uma discussão sobre variáveis de confundimento em "Variáveis de Confundimentos", antes, neste capítulo.

envolvendo muitos registros, é incomum que qualquer observação traga peso suficiente para causar uma influência extrema na equação ajustada (apesar de a regressão poder ainda conter grandes outliers). Para fins de detecção de anomalias, identificar as observações influentes pode ser muito útil.

Heteroscedasticidade, Não Normalidade e Erros Correlacionados

Os estatísticos prestam atenção especial à distribuição dos resíduos. Acontece que os mínimos quadrados ordinários (veja "Mínimos Quadrados", antes, neste capítulo) são não enviesados e, em alguns casos, o estimador "ótimo", sob uma grande variedade de suposições distribucionais. Isso significa que, na maioria dos problemas, os cientistas de dados não precisam se preocupar muito com a distribuição dos resíduos.

A distribuição dos resíduos é relevante principalmente para a validade da inferência estatística formal (testes de hipótese e valores p), a qual é de mínima importância para os cientistas de dados preocupados principalmente com precisão preditiva. Para a inferência formal ser totalmente válida, os resíduos são considerados como sendo normalmente distribuídos, tendo a mesma variância e sendo independentes. Uma área em que isso pode ser de preocupação dos cientistas de dados é no cálculo-padrão de intervalos de confiança para valores previstos, que são baseados nas suposições sobre os resíduos (veja "Intervalos de Confiança e Previsão", antes, neste capítulo).

Heteroscedasticidade é a falta de variância residual constante através da amplitude dos valores previstos. Em outras palavras, os erros são maiores em algumas porções da amplitude do que em outras. O pacote `ggplot2` tem algumas ferramentas convenientes para analisar os resíduos.

O código a seguir plota os resíduos absolutos contra os valores previstos para o ajuste de regressão `lm_98105` em "Outliers", antes, neste capítulo.

```
df data.frame   (
  resid residuals lm_98105  ),
  pred predict lm_98105  ))
ggplot   (df ,aes (pred ,absresid ))) +
geom_point   () +
geom smooth   ()
```

A Figura 4-7 mostra o gráfico resultante. Usando `geom_smooth`, é fácil sobrepor um alisamento dos resíduos absolutos. A função chama o método `loess` para produzir um alisamento visual para estimar o relacionamento entre as variáveis nos eixos x e y em um gráfico de dispersão (veja "Suavizadores de Gráficos de Dispersão", adiante, neste capítulo).

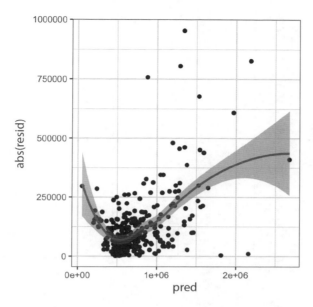

Figura 4-7. Um gráfico do valor absoluto dos resíduos versus os valores previstos

Evidentemente, a variância dos resultados tende a aumentar para casas de maior valor, mas também é grande para casas de menor valor. Esse gráfico indica que lm_98105 tem erros *heteroscedásticos*.

Por que um Cientista de Dados Se Preocuparia com Heteroscedasticidade?

A heteroscedasticidade indica que os erros de previsão são diferentes para diferentes amplitudes de valores previstos, e pode sugerir um modelo incompleto. Por exemplo, a heteroscedasticidade em lm_98105 pode indicar que a regressão deixou algo não contabilizado para casas em amplitudes baixas e altas.

A Figura 4-8 é um histograma dos resíduos padronizados para a regressão lm_98105. A distribuição tem caudas decididamente mais longas que a distribuição normal e mostra leve assimetria em direção a resíduos maiores.

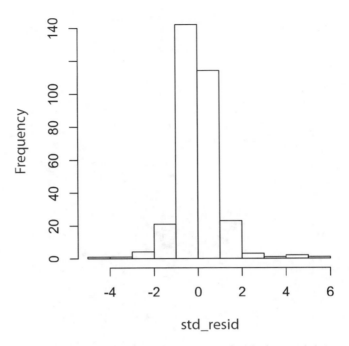

Figura 4-8. Um histograma dos resíduos da regressão dos dados imobiliários

Os estatísticos podem verificar também a suposição de que os erros são independentes. Isso é particularmente real em dados que são coletados ao longo do tempo. A estatística *Durbin-Watson* pode ser usada para detectar se existe uma autocorrelação significativa em uma regressão envolvendo dados de séries temporais.

Mesmo que uma regressão possivelmente viole uma das suposições distribucionais, devemos nos importar? Na maioria dos casos, em ciência de dados, o interesse é principalmente em precisão preditiva, então pode ser que haja alguma revisão de heteroscedasticidade. Podemos descobrir que há algum sinal nos dados que o modelo não capturou. No entanto, satisfazer as suposições distribucionais simplesmente para validar a inferência estatística formal (valores p, estatísticas F etc.) não é tão importante para o cientista de dados.

Suavizadores de Gráficos de Dispersão

A regressão é feita para modelar o relacionamento entre as variáveis responsivas e preditoras. Ao avaliar um modelo de regressão, é útil usar um *suavizador de gráfico de dispersão* para ressaltar visualmente os relacionamentos entre duas variáveis.

Por exemplo, na Figura 4-7, uma suavização do relacionamento entre os resíduos absolutos e o valor previsto mostra que a variância dos resíduos depende do valor dos resíduos. Nesse caso, a função loess foi usada e ela funciona ajustando repetitivamente uma série de regressões locais a subconjuntos contínuos para conseguir uma suavização. loess é provavelmente o suavizador mais comumente usado, mas outros suavizadores de gráficos de dispersão estão disponíveis no R, tais como super smooth (supsmu) e kernal smoothing (ksmooth). Para fins de avaliação de um modelo de regressão, geralmente não há necessidade de preocupação com os detalhes desses suavizadores de gráficos de dispersão.

Gráficos Residuais Parciais e Não Linearidade

Gráficos residuais parciais são um meio de visualizar quão bem o ajuste estimado se ajusta ao relacionamento entre uma preditora e uma resultante. Juntamente à detecção de outliers, este é, provavelmente, o diagnóstico mais importante para os cientistas de dados. A ideia básica de um gráfico residual parcial é isolar o relacionamento entre uma variável preditora e a resposta, *levando em consideração todas as outras variáveis preditoras*. Um residual parcial pode ser visto como um valor "resultante sintético", combinando a previsão baseada em uma única preditora com o residual real de equação de regressão completa. Um residual parcial para a preditora X_i é o residual ordinário mais o termo de regressão associado a X_i:

Partial residual = Residual + $\hat{b}_i X_i$

Em que $\hat{b}_i$ é o coeficiente de regressão estimado. A função predict no R tem uma opção para retornar os termos individuais da regressão $\hat{b}_i X_i$:

```
terms <- predict(lm_98105, type='terms')
partial_resid <- resid(lm_98105) + terms
```

O gráfico residual parcial exibe a X_i no eixo x e o residuais parciais no eixo y. Usar ggplot2 facilita a sobreposição de um alisamento dos residuais parciais.

```
df <- data.frame(SqFtTotLiving = house_98105[, 'SqFtTotLiving'],
                 Terms = terms[, 'SqFtTotLiving'],
                 PartialResid = partial_resid[, 'SqFtTotLiving'])
ggplot(df, aes(SqFtTotLiving, PartialResid)) +
  geom_point(shape=1) + scale_shape(solid = FALSE) +
  geom_smooth(linetype=2) +
  geom_line(aes(SqFtTotLiving, Terms))
```

O gráfico resultante está na Figura 4-9. O residual parcial é uma estimativa da contribuição que SqFtTotLiving faz ao preço de venda. O relacionamento entre SqFtTotLiving e o preço de venda é evidentemente não linear. A linha de regressão subestima o preço de venda para casas com menos de 1.000 metros quadrados e sobrestima o preço para casas entre 2.000 e 3.000 metros quadrados. Existem muito poucos pontos de dados acima de 4.000 metros quadrados para tirar conclusões para essas casas.

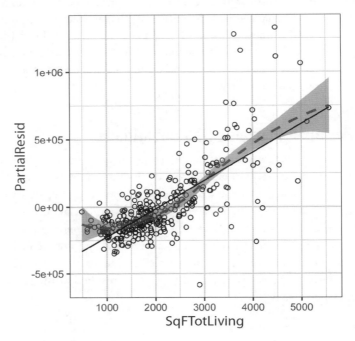

Figura 4-9. Um gráfico residual parcial para a variável SqFtTotLiving

Essa não linearidade faz sentido neste caso: adicionar 500 metros a uma casa pequena faz uma diferença muito maior do que adicionar 500 metros a uma casa grande. Isso sugere que, em vez de um simples termo linear para SqFtTotLiving, devemos considerar um termo não linear (veja "Regressão Polinomial e Spline", a seguir).

> ## Ideias-chave
>
> - Os outliers podem causar problemas em pequenos conjuntos de dados, mas o interesse principal com eles é identificar problemas nos dados ou localizar anomalias.
>
> - Registros únicos (incluindo outliers de regressão) podem ter grande influência em uma equação de regressão com dados pequenos, mas esse efeito desaparece em dados grandes.

- Se o modelo de regressão for usado para inferência formal (valores p e semelhantes), então certas suposições sobre a distribuição dos resíduos devem ser verificadas. Em geral, no entanto, a distribuição dos resíduos não é crucial na ciência de dados.
- O gráfico residual parcial pode ser usado para avaliar quantitativamente o ajuste para cada termo da regressão, possivelmente levando a especificações alternativas no modelo.

Regressão Polinomial e Spline

O relacionamento entre a resposta e uma variável preditora não é necessariamente linear. A resposta a uma dose de uma droga geralmente é não linear: dobrar a dosagem, em geral, não leva a uma resposta duplicada. A demanda de um produto não é uma função linear de dólares gastos em marketing, já que, em algum momento, a demanda costuma ficar saturada. Existem diversas maneiras sob as quais uma regressão pode ser estendida para capturar esses efeitos não lineares.

Termos-chave para Regressão Não Linear

Regressão polinomial
    Adiciona termos polinomiais (quadrados, cubos etc.) a uma regressão.

Regressão spline
    Ajusta uma curva de suavização com uma série de seguimentos polinomiais.

Nós
    Valores que separam seguimentos spline.

Modelos aditivos generalizados
    Modelos spline com seleção automatizada de nós.
    Sinônimo
        GAM

Regressão Não Linear

Quando os estatísticos falam sobre *regressão não linear*, estão se referindo a modelos que não podem ser ajustados usando mínimos quadrados. Quais tipos de modelos são não lineares? Essencialmente todos os modelos em que a resposta não pode ser expressa como uma combinação linear das preditoras ou alguma transformação das preditoras. Os modelos de regressão não linear são mais difíceis e mais computacionalmente intensivos de ajustar, já que exigem otimização numérica. Por isso, é geralmente preferível usar um modelo linear, se possível.

Polinomial

Regressão polinomial envolve a inclusão de termos a uma equação de regressão. O uso de regressão polinomial teve origem quase que no desenvolvimento da própria regressão em um artigo de Gergonne em 1815. Por exemplo, uma regressão quadrática entre a resposta Y e a preditora X teria a forma:

$$Y = b_0 + b_1 X + b_2 X^2 + e$$

A regressão polinomial pode ser ajustada em R através da função poly. Por exemplo, a seguir está o ajuste de uma polinomial quadrática para SqFtTotLiving com os dados imobiliários de King County:

```
lm(AdjSalePrice ~ poly(SqFtTotLiving, 2) + SqFtLot +
            BldgGrade + Bathrooms + Bedrooms,
            data=house_98105)

Call:
lm(formula = AdjSalePrice ~ poly(SqFtTotLiving, 2) + SqFtLot +
    BldgGrade + Bathrooms + Bedrooms, data = house_98105)

Coefficients:
            (Intercept)  poly(SqFtTotLiving, 2)1
              -402530.47               3271519.49
poly(SqFtTotLiving, 2)2                   SqFtLot
               776934.02                     32.56
               BldgGrade                 Bathrooms
               135717.06                  -1435.12
                Bedrooms
                -9191.94
```

Há dois coeficientes associados a SqFtTotLiving: um para o termo linear e um para o termo quadrático.

O gráfico residual parcial (veja "Gráficos Residuais Parciais e Não Linearidade", antes, neste capítulo) indica algumas curvaturas na equação de regressão associada a SqFtTotLiving. A linha ajustada coincide mais proximamente com a suavização (veja "Splines", a seguir) dos resíduos parciais do que comparada com um ajuste linear (veja a Figura 4-10).

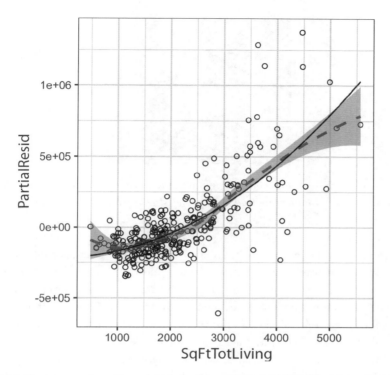

Figura 4-10. Uma regressão polinomial ajustada para a variável SqFtTotLiving (linha sólida) versus uma suavização (linha tracejada; veja a seção a seguir sobre splines)

Splines

A regressão polinomial captura apenas uma certa quantidade de curvaturas em um relacionamento não linear. A adição de termos de ordem maior, como um polinômio cúbico, costuma gerar um indesejável "agito" na equação de regressão. Uma abordagem alternativa, e geralmente superior para modelar relacionamentos não lineares, é o uso de *splines*, que oferecem um meio de interpolar suavemente com os pontos fixados. Foram usados originalmente por projetistas para desenhar uma curva suave, especialmente na construção de navios e aviões.

Os splines foram criados através da sobra de um pedaço de madeira fino utilizando pesos, chamados de "patos". Veja a Figura 4-11.

Figura 4-11. Os splines foram criados originalmente usando madeira dobrável e "patos", e eram usados como uma ferramenta para projetistas ajustarem curvas. Foto cortesia de Bob Perry

A definição técnica de um spline é uma série de trechos polinomiais contínuos. Foram desenvolvidos primeiramente durante a Segunda Guerra Mundial no US Aberdeen Proving Grounds por I. J. Schoenberg, um matemático romeno. Os trechos polinomiais são suavemente conectados a uma série de pontos fixos em uma variável preditora, chamados de *nós*. A formulação de splines é muito mais complicada que a regressão polinomial. Softwares estatísticos geralmente tratam dos detalhes de ajuste de um spline. O pacote R **splines** inclui a função **bs** para criar um termo *b-spline* em um modelo de regressão. Por exemplo, o código a seguir adiciona um termo b-spline ao modelo de regressão das casas:

```
library(splines)
knots <- quantile(house_98105$SqFtTotLiving, p=c(.25, .5, .75))
lm_spline <- lm(AdjSalePrice ~ bs(SqFtTotLiving, knots=knots, degree=3) +
    SqFtLot + Bathrooms + Bedrooms + BldgGrade,  data=house_98105)
```

Dois parâmetros devem ser especificados: o grau do polinomial e a localização dos nós. Neste caso, a preditora **SqFtTotLiving** está inclusa no modelo usando um spline cúbico (**degree=3**). Por predefinição, **bs** coloca nós nos limites. Além disso, os nós também foram colocados no quartil inferior, no quartil mediano e no quartil superior.

Ao contrário de um termo linear, para o qual o coeficiente tem um significado direto, os coeficientes para um termo spline não são interpretáveis. Em vez disso, é mais útil usar exposições visuais para revelar a natureza do ajuste de spline. A Figura 4-12 mostra o gráfico residual parcial da regressão. Ao contrário do modelo polinomial, o modelo spline corresponde mais proximamente à suavização, demonstrando a maior flexibilidade dos splines. Nesse caso, a linha se ajusta com maior proximidade aos dados. Isso significa que a regressão spline é um modelo melhor? Não necessariamente: não faria sentido economicamente que casas muito pequenas (menos de 1.000 metros quadrados) tivessem um valor maior do que casas ligeiramente maiores. Isso provavelmente é uma obra da variável de confundimento. Veja "Variáveis de Confundimento", antes, neste capítulo.

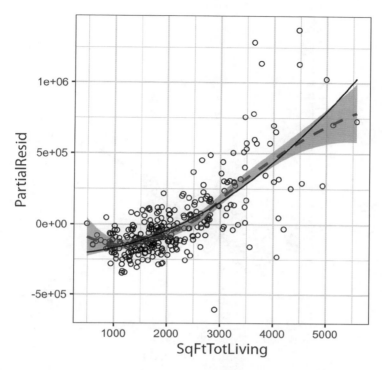

Figura 4-12. Uma regressão spline ajustada para a variável SqFtTotLiving (linha sólida) comparada com uma suavização (linha tracejada)

Modelos Aditivos Generalizados

Suponha que suspeitamos de um relacionamento não linear entre a resposta e uma variável preditora, seja por um conhecimento antecipado ou pelo exame dos diagnósticos de regressão. Os termos polinomiais podem não ser flexíveis o bastante para capturar o relacionamento, e os termos spline exigem a especificação dos nós. Os *modelos aditivos generalizados*, ou *GAM*, são uma técnica para ajustar automaticamente uma regressão spline. O pacote gam no R pode ser usado para ajustar um modelo GAM aos dados imobiliários:

```
library(mgcv)
lm_gam <- gam(AdjSalePrice ~ s(SqFtTotLiving) + SqFtLot +
                  Bathrooms + Bedrooms + BldgGrade,
              data=house_98105)
```

O termo s(SqFtTotLiving) diz à função gam para encontrar os "melhores" nós para um termo spline (veja a Figura 4-13).

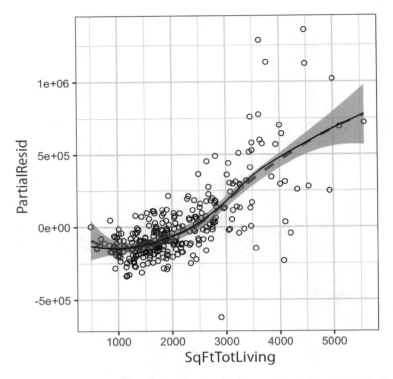

Figura 4-13. Uma regressão GAM ajustada para a variável SqFtTotLiving (linha sólida) comparada com um alisamento (linha tracejada)

Ideias-chave

- Os outliers em uma regressão são registros com um grande resíduo.
- A multicolinearidade pode causar instabilidade numérica no ajuste de uma equação de regressão.
- Uma variável de confundimento é uma preditora importante que é omitida de um modelo e pode levar a uma equação de regressão com relacionamentos falsos.
- Um termo de interação entre duas variáveis é necessário se o efeito de uma variável depende do nível da outra.
- A regressão polinomial pode ajustar relacionamentos não lineares entre preditoras e a variável resultante.

- Os splines são uma série de segmentos polinomiais alinhados juntos, juntando todos os nós.

- Os modelos aditivos generalizados (GAM) automatizam o processo de especificação dos nós nos splines.

Leitura Adicional

Para saber mais sobre modelos spline e GAMS, veja *The Elements of Statistical Learning* (Os Elementos do Aprendizado Estatístico, em tradução livre), de Trevor Hastie, Robert Tibshirani e Jerome Friedman, e seu primo mais curto baseado em R, *An Introduction to Statistical Learning* (Uma Introdução ao Aprendizado Estatístico, em tradução livre), de Gareth James, Daniela Witten, Trevor Hastie e Robert Tibshirani, ambos da Springer Books.

Resumo

Talvez nenhum outro método estatístico tenha tido maior uso ao longo dos anos do que a regressão — o processo de estabelecer um relacionamento entre múltiplas variáveis preditoras e uma variável resultante. A forma fundamental é a linear: cada variável preditora tem um coeficiente que descreve um relacionamento linear entre a preditora e a resultante. As formas mais avançadas de regressão, como as regressões polinomiais e o spline, permitem que o relacionamento seja não linear. Em estatística clássica, a ênfase está em encontrar um bom ajuste para os dados observados a fim de explicar ou descrever algum fenômeno, e a força desse ajuste é como as métricas tradicionais ("em amostra") são usadas para avaliar o modelo. Em ciência de dados, ao contrário, o objetivo é tipicamente prever valores para novos dados, então são usadas métricas baseadas em precisão preditiva para dados fora da amostra para reduzir a dimensionalidade e criar modelos mais compactos.

CAPÍTULO 5
Classificação

Os cientistas de dados costumam encarar problemas que exigem decisões automatizadas. É um e-mail ou uma tentativa de phishing? O cliente está propenso a desistir? O usuário web está propenso a clicar em um anúncio? Esses problemas são todos de *classificação*. A classificação é, talvez, a forma mais importante de previsão: o objetivo é prever se um registro é um 0 ou um 1 (phishing/não phishing, clicar/não clicar, desistir/não desistir), ou, em alguns casos, uma entre muitas categorias (por exemplo, a filtragem do Gmail em sua caixa de entrada em "principal", "social", "promoções" ou "fóruns").

Geralmente, precisamos de mais do que uma simples classificação binária: queremos saber a probabilidade prevista de um caso pertencer a uma classe.

Em vez de ter um modelo simplesmente atribuindo uma classificação binária, a maioria dos algoritmos pode retornar uma pontuação (propensão) de probabilidade de pertencimento à classe de interesse. Na verdade, com a regressão logística, o resultado predefinido de R está em escala registro-chances, e isso deve ser transformado em uma propensão. Pode ser usado um corte deslizante para converter a pontuação de propensão para uma decisão. A abordagem geral é a seguinte:

1. Estabelecer uma probabilidade de corte para a classe de interesse acima da qual consideramos um registro como pertencente àquela classe.

2. Estimar (com qualquer modelo) a probabilidade de um registro pertencer à classe de interesse.

3. Se tal probabilidade estiver acima da probabilidade de corte, atribuir o novo registro à classe de interesse.

Quanto maior o corte, menos registros previstos como 1 — ou seja, pertencentes à classe de interesse. Quanto menor o corte, mais registros previstos como 1.

Este capítulo cobre muitas técnicas-chave para a classificação e estimativa de propensões, e no próximo capítulo há descrições de métodos adicionais que podem ser usados tanto para classificação quanto para previsão numérica.

Mais de Duas Categorias?

A grande maioria dos problemas envolve uma resposta binária. Alguns problemas de classificação, no entanto, envolvem uma resposta com mais de dois resultados possíveis. Por exemplo, no aniversário de assinatura de contrato de um cliente, pode haver três resultados: o consumidor vai embora, ou "desiste" ($Y = 2$), passa para um contrato mensal ($Y = 1$) ou assina um novo contrato de longo prazo ($Y = 0$). O objetivo é prever $Y = j$ para $j = 0$, 1 ou 2. A maioria dos métodos de classificação neste capítulo pode ser aplicada diretamente, ou com algumas adaptações, em respostas que têm mais de dois resultados. O problema geralmente pode ser reformulado em uma série de problemas binários, usando probabilidades condicionais. Por exemplo, para prever o resultado do contrato, podemos resolver dois problemas binários de previsão:

- Prever se $Y = 0$ ou $Y > 0$.
- Dado que $Y > 0$, prever se $Y = 1$ ou $Y = 2$.

Nesse caso, faz sentido quebrar o problema em dois casos: se o cliente desistir, e se não desistir, que tipo de contrato ele escolherá. Do ponto de vista de ajuste de modelo, costuma ser vantajoso converter problemas multiclasses em uma série de problemas binários. Isso é especialmente real quando uma categoria é muito mais comum que outras categorias.

Naive Bayes

O algoritmo Naive Bayes usa a probabilidade de observação de valores preditores, dado um resultado, para estimar a probabilidade de observar o resultado $Y = i$, dado um conjunto de valores preditores.

Termos-chave para Naive Bayes

Probabilidade condicional
A probabilidade de observar algum evento (digamos $X = i$) dado algum outro evento (digamos $Y = i$), escrito como $P(X_i \mid Y_i)$.

---

[1] Esta seção e as subsequentes deste capítulo têm © 2017 Datastats, LLC, Peter Bruce e Andrew Bruce, usado com autorização.

> **Probabilidade posterior**
> A probabilidade de um resultado após a informação preditora ter sido incorporada (ao contrário da probabilidade de resultados anterior, não considerando a informação preditora).

Para entender a classificação Bayesiana, podemos começar imaginando a classificação Bayesiana "não naive". Para cada registro a ser classificado:

1. Encontre todos os outros registros com o mesmo perfil preditivo (ou seja, nos quais os valores preditores sejam os mesmos).
2. Determine a quais classes aqueles registros pertencem e qual classe é prevalente (ou seja, provável).
3. Atribua aquela classe ao novo registro.

A abordagem anterior equivale a encontrar todos os registros na amostra que sejam exatamente como o novo registro a ser classificado, sendo que todos os valores preditores são idênticos.

As variáveis preditoras devem ser variáveis categóricas (fator) no algoritmo Naive Bayes padrão. Veja em "Variáveis Preditoras Numéricas", adiante, neste capítulo, duas alternativas para usar variáveis contínuas.

Por que a Classificação Bayesiana Exata é Impraticável

Quando o número de variáveis preditoras excede a quantidade, muitos dos registros a serem classificados ficarão sem correspondências exatas. Isso pode ser compreendido no contexto de um modelo para prever votações com base em variáveis demográficas. Mesmo uma amostra considerável pode não conter uma única correspondência para um novo registro, que é um homem hispânico, com renda alta, do Centro-Oeste dos Estados Unidos, que votou na última eleição e não votou na eleição anterior, tem três filhas e um filho e é divorciado. E são apenas oito variáveis, um número pequeno para a maioria dos problemas de classificação. A adição de uma única variável nova com cinco categorias igualmente frequentes reduz a probabilidade de uma correspondência em um fator de 5.

Apesar de seu nome, o Naive Bayes não é considerado um método de estatística Bayesiana. Naive Bayes é um método empírico, orientado por dados, que exige relativamente pouca expertise estatística. O nome vem da *regra de Bayes* — como cálculo na formação de previsões —, especificamente o cálculo inicial das probabilidades de valor preditor dado um resultado, e então o cálculo final das probabilidades resultantes.

Naive Bayes | 179

A Solução Naive

Na solução Naive Bayes, não restringimos mais o cálculo da probabilidade àqueles registros que se correspondem com o registro a ser classificado. Em vez disso, usamos todo o conjunto de dados. A modificação Naive Bayes é a seguinte:

1. Para uma resposta binária $Y = i$ ($i = 0$ ou 1), estime as probabilidades condicionais individuais para cada preditor $P(X_j \mid Y) = i$; estas são as probabilidades de o valor preditor estar no registro quando observamos $Y = i$. Essa probabilidade é estimada pela proporção de valores X_j entre os registros $Y = i$ no conjunto de treinamento.

2. Multiplique essas probabilidades uma pela outra, e então pela proporção de registros pertencentes a $Y = i$.

3. Repita os Passos 1 e 2 para todas as classes.

4. Estime uma probabilidade para o resultado i assumindo o valor calculado no Passo 2 para classe i e dividindo-o pela soma de tais valores para todas as classes.

5. Atribua o registro à classe com a maior probabilidade para esse conjunto de valores preditores.

Esse algoritmo pode também ser escrito como uma equação para a probabilidade de observar um resultado $Y = i$, dado um conjunto de valores preditores $X_1, \cdots, X_p$:

$$P\left(X_1, X_2, \ldots, X_p\right)$$

O valor de $P(X_1, X_2, \cdots, X_p)$ é um fator de escalonamento para garantir que a probabilidade esteja entre 0 e 1 e não dependa de:

$$P\left(X_1, X_2, \ldots, X_p\right) = P(Y = 0)\left(P(X_1 \mid Y = 0)P(X_2 \mid Y = 0)\ldots P\left(X_p \mid Y = 0\right)\right) + P(Y = 1)$$
$$\left(P(X_1 \mid Y = 1)P(X_2 \mid Y = 1)\ldots P\left(X_p \mid Y = 1\right)\right)$$

Por que esta fórmula é chamada de "naive" (ingênuo)? Fizemos uma suposição simplificada de que a *probabilidade condicional exata* de um vetor dos valores preditores, dada a observação de um resultado, é suficientemente bem estimada pelo produto das probabilidades condicionais individuais $P(X_j \mid Y = i)$. Em outras palavras, ao estimar $P(X_j \mid Y = i)$, em vez de $P(X_1, X_2, \cdots X_p \mid Y = i)$, estamos supondo que X_j seja *independente* de todas as outras variáveis preditoras X_k para $k \neq j$.

Diversos pacotes em R podem ser usados para estimar um modelo Naive Bayes. A seguir, temos um código que ajusta um modelo usando o pacote klaR:

```
library(klaR)
naive_model <- NaiveBayes(outcome ~ purpose_ + home_ + emp_len_,
                          data = na.omit(loan_data))
naive_model$table
$purpose_
          var
grouping   credit_card debt_consolidation home_improvement major_purchase
  paid off   0.1857711          0.5523427       0.07153354     0.05541148
  default    0.1517548          0.5777144       0.05956086     0.03708506
          var
grouping      medical      other small_business
  paid off 0.01236169 0.09958506     0.02299447
  default  0.01434993 0.11415111     0.04538382

$home_
          var
grouping     MORTGAGE        OWN       RENT
  paid off 0.4966286 0.08043741 0.4229340
  default  0.4327455 0.08363589 0.4836186

$emp_len_
          var
grouping    > 1 Year    < 1 Year
  paid off 0.9690526 0.03094744
  default  0.9523686 0.04763140
```

O modelo resulta as probabilidades condicionais $P(X_j \mid Y = i)$. Ele pode ser usado para prever o resultado de um novo empréstimo:

```
new_loan
        purpose_     home_   emp_len_
1 small_business MORTGAGE   > 1 Year
```

Neste caso, o modelo prevê inadimplência:

```
predict(naive_model, new_loan)
$class
[1] default
Levels: paid off default

$posterior
      paid off    default
[1,] 0.3717206 0.6282794
```

A previsão também retorna uma estimativa `posterior` da probabilidade de inadimplência. O classificador Bayesiano Naive é conhecido por produzir estimativas *enviesadas*. No entanto, no que o objetivo seja *ordenar* os registros conforme a probabilidade de $Y = 1$, as estimativas de probabilidade não enviesadas não são necessárias, e o Naive Bayes produz bons resultados.

Variáveis Preditoras Numéricas

A partir da definição, vemos que o classificador Bayesiano funciona apenas com preditoras categóricas (por exemplo, com classificação de spam, em que a presença ou ausência de palavras, frases, caracteres e afins é o centro da tarefa preditiva). Para aplicar Naive Bayes a preditores numéricos, devemos adotar uma das seguintes abordagens:

- Discretizar e converter as preditoras numéricas em preditoras categóricas e aplicar o algoritmo da seção anterior.

- Usar um modelo de probabilidade — por exemplo, a distribuição normal (veja "Distribuição Normal", no Capítulo 2) — para estimar a probabilidade condicional $P(X_j \mid Y = i)$.

Quando uma categoria preditora está ausente nos dados de treinamento, o algoritmo atribui probabilidade *zero* à variável resultante nos novos dados, em vez de simplesmente ignorar essa variável e usar a informação das outras variáveis, como outros métodos fariam. Isso é algo no que prestar atenção ao discretizar variáveis contínuas.

Ideias-chave

- Naive Bayes funciona com preditoras categóricas (fator) e resultantes.

- Pergunta: "Dentro de cada categoria resultante, quais categorias preditoras são mais prováveis?"

- Essa informação é então invertida para estimar as probabilidades das categorias resultantes, dados os valores preditores.

Leitura Adicional

- *Elements of Statistical Learning* (Elementos do Aprendizado Estatístico, em tradução livre), 2. ed., de Trevor Hastie, Robert Tibshirani e Jerome Friedman (Springer, 2009).

- Há um capítulo completo sobre Naive Bayes em *Data Mining for Business Analytics* (Mineração de Dados para Analítica de Negócios, em tradução livre), 3. ed., de Galit Shmueli, Peter Bruce e Nitin Patel (Wiley, 2016, com variantes para R, Excel e JMP).

Análise Discriminante

A *análise discriminante* é o classificador estatístico mais recente. Foi apresentado por R. A. Fisher em 1936 em um artigo publicado no periódico *Annals of Eugenics*.[2]

> **Termos-chave para Análise Discriminante**
>
> *Covariância*
> Uma medida da extensão em que uma variável varia em conjunto com outra (ou seja, magnitude e direção semelhantes).
>
> *Função discriminante*
> A função que, quando aplicada às variáveis preditoras, maximiza a separação das classes.
>
> *Pesos discriminantes*
> As pontuações que resultam da aplicação da função discriminante e são usadas para estimar as probabilidades de pertencer a uma ou outra classe.

A análise discriminante engloba diversas técnicas, mas a mais comumente usada é a *análise discriminante linear*, ou *LDA*. O método original proposto por Fisher era, na verdade, um pouco diferente da LDA, mas a mecânica é essencialmente a mesma. A LDA hoje é menos usada com o advento de técnicas mais sofisticadas, como modelos de árvores e regressão logística.

No entanto, podemos ainda encontrar LDA em algumas aplicações, e ela possui ligações com outros métodos mais usados (como a análise de principais componentes; veja "Análise dos Componentes Principais", no Capítulo 7). Além disso, a análise discriminante pode fornecer uma medida da importância preditora e é usada como um método computacionalmente eficiente para a seleção de características.

A análise discriminante linear não deve ser confundida com a Alocação de Dirichlet Latente, também chamada de LDA, que é usada em processamento de textos e linguagem natural e não é relacionada à análise discriminante linear.

---

2 É realmente surpreendente que o primeiro artigo sobre classificação estatística tenha sido publicado em um periódico dedicado à eugenia. De fato, há uma conexão desconcertante entre o desenvolvimento inicial de estatísticas e a eugenia.

Matriz de Covariância

Para entender a análise discriminante, é necessário primeiro apresentar o conceito de *covariância* entre duas ou mais variáveis. A covariância mede o relacionamento entre duas variáveis x e z. Denote a média de cada variável por $\bar{x}$ e $\bar{z}$ (veja "Média", no Capítulo 1). A covariância $s_{x,z}$ entre x e z é dada por:

$$s_{x,z} = \frac{\sum_{i=1}^{n}(x_i - \bar{x})(z_i - \bar{z})}{n-1}$$

em que n é o número de registros (note que dividimos $n - 1$, em vez de n: veja "Graus de Liberdade e n ou $n - 1$?", no Capítulo 1).

Da mesma forma que com o coeficiente de correlação (veja "Correlação", no Capítulo 1), valores positivos indicam um relacionamento positivo e valores negativos indicam um relacionamento negativo. A correlação, no entanto, é restrita a estar entre –1 e 1, enquanto a covariância está na mesma escala que as variáveis x e z. A *matriz de covariância* Σ para x e z é composta pelas variâncias individuais das variáveis, s_x^2 e s_y^2, na diagonal (em que linha e coluna são a mesma variável) e as covariâncias entre os pares de variáveis fora da diagonal.

$$\hat{\Sigma} = \begin{bmatrix} s_x^2 & s_{x,z} \\ s_{x,z} & s_z^2 \end{bmatrix}$$

Lembre-se de que o desvio-padrão é usado para normalizar uma variável para um escore z. A matriz de covariância é usada em uma extensão multivariada desse processo de padronização. Isso é conhecido como distância de Mahalanobis (veja "Outras Métricas de Distância", no Capítulo 6) e está relacionado à função LDA.

Discriminante Linear de Fisher

Para simplificar, nos concentramos em um problema de classificação no qual queremos prever um resultado binário y usando apenas duas variáveis numéricas contínuas (x, z). Tecnicamente, a análise discriminante supõe que as variáveis preditoras são variáveis contínuas normalmente distribuídas, mas, na prática, o método funciona bem mesmo em partidas não extremas da normalidade e para preditoras binárias. A discriminante linear de Fisher distingue, por um lado, a variação *entre* os grupos e, por outro lado, a variação *dentro* dos grupos. Procurando especificamente dividir os registros em dois grupos, a LDA foca maximizar a soma dos quadrados "between" (entre) $SS_{between}$ (medindo a variação entre os dois grupos) relativa à soma dos quadrados "within" (dentro) SS_{within} (medindo a variação dentro do grupo). Nesse caso, os dois grupos correspondem aos registros (x_0, z_0), para os quais $y = 0$, e aos registros (x_1, z_1), para os quais $y = 1$. O método encontra a combinação linear $w_x x + w_z z$, que maximiza a razão da soma dos quadrados.

$$\frac{SS_{between}}{SS_{within}}$$

A soma dos quadrados é a distância quadrada entre as duas médias do grupo, e a soma dos quadrados dentro é espalhada em torno das médias dentro de cada grupo, ponderada pela matriz de covariância. Intuitivamente, ao maximizar a soma dos quadrados entre e minimizar a soma dos quadrados dentro, esse método resulta em maior separação entre os dois grupos.

Um Exemplo Simples

O pacote MASS, associado ao livro *Modern Applied Statistics with S* (Estatística Moderna Aplicada com S, em tradução livre), de W. N. Venables e B. D. Ripley (Springer, 1994), oferece uma função para LDA com R. A seguinte aplicação dessa função em uma amostra de dados de empréstimo usando duas variáveis preditoras, borrower_score e payment_inc_ratio, imprime os pesos discriminadores lineares estimados.

```
library(MASS)
loan_lda <- lda(outcome ~ borrower_score + payment_inc_ratio,
                data=loan3000)
loan_lda$scaling
                          LD1
borrower_score     -6.2962811
payment_inc_ratio   0.1288243
```

> **Usando a Análise Discriminante para Seleção de Características**
>
> Se as variáveis preditoras são normalizadas antes da execução da LDA, os pesos discriminantes são medidas de importância variável, oferecendo, assim, um método computacionalmente eficiente para a seleção de características.

A função lda pode prever a probabilidade de "default" (inadimplente) versus "paid off" (pago):

```
pred <- predict(loan_lda)
head(pred$posterior)
      paid off   default
25333 0.5554293 0.4445707
27041 0.6274352 0.3725648
7398  0.4014055 0.5985945
35625 0.3411242 0.6588758
17058 0.6081592 0.3918408
2986  0.6733245 0.3266755
```

Um gráfico das previsões ajuda a ilustrar como a LDA funciona. Usando-se do resultado da função predict, um gráfico da probabilidade estimada de inadimplência é produzido da seguinte forma:

```
lda_df <- cbind(loan3000, prob_default=pred$posterior[,'default'])
ggplot(data=lda_df,
       aes(x=borrower_score, y=payment_inc_ratio, color=prob_default)) +
    geom_point(alpha=.6) +
    scale_color_gradient2(low='white', high='blue') +
    geom_line(data=lda_df0, col='green', size=2, alpha=.8) +
```

O gráfico resultante está na Figura 5-1.

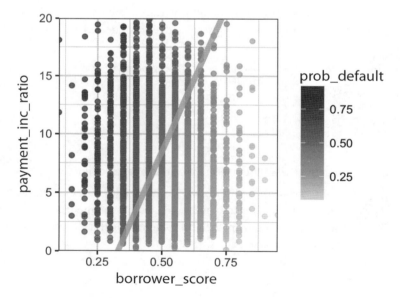

Figura 5-1. Previsão LDA de empréstimos inadimplentes usando duas variáveis: a nota de crédito do tomador e a relação entre pagamentos e rendimentos.

Usando os pesos da função discriminante, a LDA divide o espaço preditor em duas regiões, como mostrado pela linha sólida. As previsões mais distantes da linha têm maior nível de confiança (ou seja, uma probabilidade ainda mais distante de 0,5).

Extensões da Análise Discriminante

Mais variáveis preditoras: mesmo que o texto e o exemplo desta seção tenham usado apenas duas variáveis preditoras, a LDA funciona tão bem quanto com mais de duas variáveis preditoras. O único fator limitante é o número de registros (estimar a matriz de covariância exige um número suficiente de registros por variável, o que não costuma ser um problema em aplicações das ciências de dados).

Análise Discriminante Quadrática: existem outras variantes da análise discriminante. A mais conhecida é a análise discriminante quadrática (QDA). Apesar de seu nome, a QDA ainda é uma função discriminante linear. A principal diferença é que, na LDA, a matriz de covariância é suposta como sendo a mesma para os dois grupos correspondentes a $Y = 0$ e $Y = 1$. Na QDA, a matriz de covariância pode ser diferente para os dois grupos. Na prática, a diferença na maioria das aplicações não é crítica.

Ideias-chave para Análise Discriminante

- A análise discriminante funciona com preditoras contínuas ou categóricas, bem como com resultados categóricos.

- Usando a matriz de covariância, ela calcula uma função discriminante linear, a qual é usada para distinguir os registros que pertencem a uma classe daqueles que pertencem à outra.

- Essa função é aplicada nos registros para derivar os pesos, ou notas, para cada registro (um peso para cada classe possível) que determina sua classe estimada.

Leitura Adicional

- *Elements of Statistical Learning* (sem edição em português), 2. ed., de Trevor Hastie, Robert Tibshirani e Jerome Freidman, e seu primo menor, *An Introduction to Statistical Learning* (sem edição em português), de Gareth James, Daniela Witten, Trevor Hastie e Robert Tibshirani (ambos da Springer). Ambos possuem uma seção sobre análise discriminante.

- *Data Mining for Business Analytics* (sem edição em português), 3. ed., de Galit Shmueli, Peter Bruce e Nitin Patel (Wiley, 2016, com variantes para R, Excel e JMP), tem um capítulo completo sobre análise discriminante.

- Para interesse histórico, o artigo original de Fisher sobre o tópico, "The Use of Multiple Measurements in Taxonomic Problems" (O Uso de Medidas Múltiplas em Problemas Taxonômicos, em tradução livre), como publicado em 1936 na *Annals of Eugenics* (agora chamada de *Annals of Genetics*), pode ser encontrado online em https://onlinelibrary.wiley.com/doi/epdf/10.1111/j.1469-1809.1936.tb02137.x (conteúdo em inglês).

Regressão Logística

A regressão logística é análoga à regressão linear múltipla, exceto pelo seu resultado ser binário. São empregadas diversas transformações para converter o problema para um no qual se possa ajustar um modelo linear. Como a análise discriminante é diferente de K-Vizinhos Mais Próximos e Naive Bayes, a regressão logística é uma abordagem de modelo estruturado, e não uma abordagem centrada em dados. É um método popular devido à sua grande velocidade computacional e seu resultado de um modelo que se presta à rápida pontuação de novos dados.

Termos-chave para Regressão Logística

Logito
> A função que mapeia a probabilidade de pertencimento a uma classe com amplitude de $\pm \infty$ (em vez de 0 a 1).

Sinônimo
> chances de log (veja abaixo)

Chances
> A proporção entre "sucesso" (1) e "não sucesso" (0).

Chances de log
> A resposta no modelo transformado (agora linear), que é mapeada até uma probabilidade.

Como passamos de uma variável resultante binária para uma variável resultante que pode ser modelada de modo linear, e então de volta a uma resultante binária?

Função de Resposta Logística e Logito

Os principais ingredientes são a *função de resposta logística* e o *logito*, em que mapeamos a probabilidade (que fica em uma escala 0–1) para uma escala mais expansiva para modelagem linear.

O primeiro passo é pensar na variável resultante não como um rótulo binário, mas como a probabilidade p de que o rótulo seja um "1". Ingenuamente, podemos ficar tentados a modelar p como uma função linear das variáveis preditoras:

$$p = \beta_0 + \beta_1 x_1 + \beta_2 x_2 + \dots + \beta_q x_q,$$

No entanto, ajustar esse modelo não garante que p ficará entre 0 e 1, como uma probabilidade deveria.

Em vez disso, modelamos p aplicando uma função *resposta logística* ou *logito inverso* nas preditoras:

$$p = \frac{1}{1 + e^{-\left(\beta_0 + \beta_1 x_1 + \beta_2 x_2 + \dots + \beta_q x_q\right)}}.$$

Essa transformação garante que p fique entre 0 e 1.

Para tirar a expressão exponencial do denominador, consideramos *chances* em vez de probabilidades. Chances, familiares para apostadores de todo lugar, são a proporção de "sucessos" (1) e "não sucessos" (0). Em termos de probabilidades, as chances são a probabilidade de um evento dividida pela probabilidade de que o evento não ocorra. Por exemplo, se a probabilidade de que um cavalo ganhe é 0,5, a probabilidade de que não ganhe é $(1 - 0,5) = 0,5$, e as chances são 1,0.

$$\text{Odds}(Y = 1) = \frac{p}{1 - p}.$$

Podemos obter a probabilidade a partir das chances usando a função odds inversamente:

$$p = \frac{\text{Odds}}{1 + \text{Odds}}.$$

Combinamos isso com a função resposta logística, mostrada anteriormente, para ter:

$$\text{Odds}(Y = 1) = e^{\beta_0 + \beta_1 x_1 + \beta_2 x_2 + \dots + \beta_q x_q}.$$

Finalmente, pegando o logaritmo dos dois lados, temos uma expressão que envolve uma função linear dos preditores:

$$\log(\text{Odds}(Y = 1)) = \beta_0 + \beta_1 x_1 + \beta_2 x_2 + \ldots + \beta_q x_q.$$

A função *log-chances*, também conhecida como função *logito*, mapeia a probabilidade *p* de (0, 1) para qualquer valor (– ∞, + ∞). Veja a Figura 5-2. O ciclo de transformação está completo. Usamos um modelo linear para prever uma probabilidade, que em contrapartida podemos mapear para um rótulo de classe através de aplicação de uma regra de corte — qualquer registro com uma probabilidade maior do que o corte é classificado como 1.

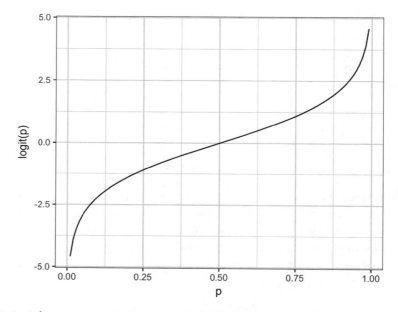

Figura 5-2. A função que mapeia uma probabilidade para uma escala adequada para um modelo linear (logito)

Regressão Logística e o GLM

A resposta na fórmula de regressão logística é a chance de log de um resultado binário de 1. Nós observamos apenas o resultado binário, não as chances de log, então os métodos estatísticos especiais são necessários para ajustar a equação. A regressão logística é um exemplo especial de um *modelo linear generalizado* (GLM) desenvolvido para estender a regressão linear a outras configurações.

Em R, para ajustar uma regressão logística, a função `glm` é usada com o parâmetro `family` ajustado para `binomial`. O código a seguir ajusta uma regressão logística aos dados de empréstimo pessoal apresentados em "K-Vizinhos Mais Próximos", no Capítulo 6.

```
logistic_model

Call:  glm(formula = outcome ~ payment_inc_ratio + purpose_ + home_ +
    emp_len_ + borrower_score, family = "binomial", data = loan_data)

Coefficients:
                 (Intercept)          payment_inc_ratio
                     1.26982                    0.08244

   purpose_debt_consolidation    purpose_home_improvement
                     0.25216                    0.34367
       purpose_major_purchase             purpose_medical
                     0.24373                    0.67536
               purpose_other       purpose_small_business
                     0.59268                    1.21226
                    home_OWN                   home_RENT
                     0.03132                    0.16867
           emp_len_ < 1 Year              borrower_score
                     0.44489                   -4.63890

Degrees of Freedom: 46271 Total (i.e. Null);  46260 Residual
Null Deviance:      64150
Residual Deviance: 58530        AIC: 58550
```

A resposta é `outcome`, o qual assume um 0 se o empréstimo for pago e 1 se o empréstimo não for cumprido. `purpose_` e `home_` são as variáveis fatoriais que representam o propósito do empréstimo e o status de propriedade de cada. Como em uma regressão, uma variável fatorial com P níveis é representada com $P - 1$ colunas. Por predefinição em R, a codificação de *referência* é usada, e os níveis são todos comparados com o nível de referência (veja "Variáveis Fatoriais em Regressão", no Capítulo 4). Os níveis de referência para esses fatores são `credit_card` e `MORTGAGE`, respectivamente. A variável `borrower_score` é uma nota de 0 e 1, representando a nota de crédito do tomador (de baixa a excelente). Essa variável foi criada a partir de diversas outras variáveis usando *K*-Vizinho Mais Próximo: veja "KNN como um Motor de Característica", no Capítulo 6.

Modelos Lineares Generalizados

Os modelos lineares generalizados (GLMs, na sigla em inglês) são a segunda classe mais importante de modelos além da regressão. GLMs são caracterizados por dois componentes principais:

- Uma distribuição de probabilidade ou família (binomial, no caso de regressão logística).

- Uma função de ligação mapeando a resposta até os preditores (logito, em caso de regressão logística).

A regressão logística é, de longe, a forma mais comum de GLM. Um cientista de dados encontrará outros tipos de GLMs. Algumas vezes, uma função de ligação de log é usada, em vez de logito. Na prática, o uso de uma ligação de log não costuma levar a resultados muito diferentes para a maioria das aplicações. A distribuição de poisson é comumente usada para modelar dados de contagem (por exemplo, o número de vezes que um usuário visita uma página da web em um certo período de tempo). Outras famílias incluem binomial e gama negativos, geralmente usados para modelar o tempo percorrido (por exemplo, tempo para a falha). Ao contrário da regressão logística, a aplicação de GLMs com esses modelos é mais sutil e demanda mais cuidado. É melhor evitá-las, a menos que esteja familiarizado e entenda a utilidade e as armadilhas desses métodos.

Valores Previstos a Partir da Regressão Logística

O valor previsto da regressão logística é em termos de chances de log: $\hat{Y} = \log$ (Chances $(Y = 1)$). A probabilidade prevista é dada pela função de resposta logística:

$$\hat{p} = \frac{1}{1 + e^{-\hat{Y}}}$$

Por exemplo, observe as previsões do modelo `logistic_model`:

```
pred <- predict(logistic_model)
summary(pred)
      Min.   1st Qu.    Median      Mean   3rd Qu.       Max.
-2.728000 -0.525100 -0.005235  0.002599  0.513700  3.658000
```

Converter esses valores em probabilidades é uma simples transformação:

```
prob <- 1/(1 + exp(-pred))
> summary(prob)
   Min. 1st Qu.  Median    Mean 3rd Qu.    Max.
0.06132 0.37170 0.49870 0.50000 0.62570 0.97490
```

Eles estão em uma escala de 0 a 1 e ainda não declaram se o valor previsto é inadimplente ou pago. Poderíamos declarar qualquer valor maior que 0,5 como inadimplente, análogo ao classificador K-Vizinhos Mais Próximos. Na prática, um corte mais baixo costuma ser mais apropriado se o objetivo é identificar os membros de uma classe rara (veja "O Problema da Classe Rara", adiante, neste capítulo).

Interpretando os Coeficientes e as Razões de Chances

Uma vantagem da regressão logística é que ela produz um modelo que pode ser pontuado a novos dados rapidamente, sem recálculo. Outra é a facilidade relativa de interpretação do modelo, se comparado com outros métodos de classificação. A ideia conceitual principal é o entendimento da *razão de chances*. A razão de chances é mais fácil de entender para uma variável fatorial binária X:

$$\text{odds ratio} = \frac{\text{Odds}(Y = 1 \,|\, X = 1)}{\text{Odds}(Y = 1 \,|\, X = 0)}$$

Isso é interpretado como as chances de $Y = 1$ quando $X = 1$ versus as chances de $Y = 1$ quando $X = 0$. Se a razão de chances for 2, então as chances de $Y = 1$ são duas vezes maiores quando $X = 1$ do que quando $X = 0$.

Por que se preocupar com a razão de chances em vez das probabilidades? Nós trabalhamos com chances porque o coeficiente β_j na regressão logística é o log da razão de chances para X_j.

Um exemplo tornará isso mais claro. Para o modelo ajustado em "Regressão Logística e o GLM", antes, neste capítulo, o coeficiente de regressão para `purpose_small_business` é 1,21226. Isso significa que um empréstimo para um pequeno negócio, comparado com um empréstimo para quitar uma dívida de cartão de crédito, reduz as chances de não cumprimento contra ser pago em *exp* 1,21226 ≈ 3,4. Obviamente os empréstimos para criar ou expandir um pequeno negócio são consideravelmente mais arriscados do que outros tipos de empréstimo.

A Figura 5-3 mostra o relacionamento entre a razão de chances e a razão de chances de log para razões de chance maiores que 1. Como os coeficientes estão na escala de log, um aumento de 1 no coeficiente resulta em um aumento de *exp* 1 ≈ 2,72 na razão de chances.

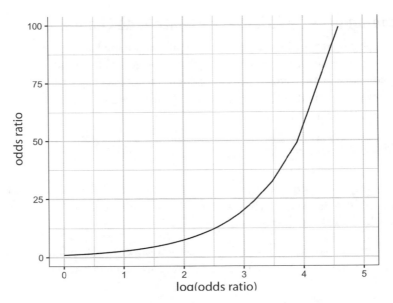

Figura 5-3. O relacionamento entre a razão de chances e a razão de chances de log

As razões de chances para variáveis numéricas X podem ser interpretadas semelhantemente: elas medem a mudança na razão de chances por uma mudança de unidade em X. Por exemplo, o efeito de aumentar a razão de pagamento contra renda de, digamos, 5 para 6, aumenta as chances de o empréstimo ser inadimplente em um fator de exp 0,08244 ≈ 1,09. A variável `borrower_score` é uma nota ao crédito do tomador e varia de 0 (baixa) a 1 (alta). As chances de os melhores tomadores relativas aos piores tomadores não quitarem seus empréstimos é menor em um fator de exp – 4,63890 ≈ 0,01. Em outras palavras, o risco de não cumprimento dos tomadores com crédito mais baixo é 100 vezes maior do que a dos melhores tomadores!

Regressão Linear e Logística: Semelhanças e Diferenças

A regressão linear múltipla e a regressão logística têm muito em comum. Ambas assumem uma forma paramétrica linear em relação às preditoras com a resposta. A exploração e o encontro do melhor modelo são feitos de formas muito semelhantes. Generalidades ao modelo linear em usar uma transformação spline da preditora são igualmente aplicáveis na configuração da regressão logística. A regressão logística difere de dois modos fundamentais:

- O modo como o modelo é ajustado (mínimos quadrados não se aplicam).
- A natureza e a análise dos resíduos do modelo.

Ajustando o modelo

A regressão linear é ajustada usando mínimos quadrados, e a qualidade do ajuste é avaliada usando estatísticas RMSE e R-quadrado. Em regressão logística (diferente da regressão linear), não existe solução fechada, e o modelo deve ser ajustado usando *estimação de máxima verossimilhança* (MLE, da sigla em inglês). Estimação de máxima verossimilhança é um processo que tenta encontrar o modelo que mais provavelmente produziu os dados que observamos. Na equação de regressão logística, a resposta não é 0 ou 1, mas, sim, uma estimativa das chances de log de que a resposta seja 1. A MLE encontra a solução de forma que as chances de log estimadas melhor descrevam o resultado observado. A mecânica do algoritmo envolve uma otimização quase Newton, o que itera entre o passo de pontuação (*pontuação de Fisher*), baseado nos parâmetros atuais, e uma atualização nos parâmetros para melhorar o ajuste.

Estimação de Máxima Verossimilhança

Mais detalhadamente, se você gosta de símbolos estatísticos: começa com um conjunto de dados $(X_1, X_2, ..., X_n)$ e um modelo de probabilidade $\mathcal{P}_\theta(X_1, X_2, ..., X_n)$ que depende de um conjunto de parâmetros θ. O objetivo da MLE é encontrar o conjunto de parâmetros $\hat{\theta}$ que maximiza o valor de $\mathcal{P}_\theta(X_1, X_2, ..., X_n)$, ou seja, maximiza a probabilidade de observar $(X_1, X_2, ..., X_n)$, dado o modelo $\mathcal{P}$. No processo de ajuste, o modelo é avaliado usando uma métrica chamada desviância:

$$\text{deviance} = -2 \log\left(\mathcal{P}_{\hat{\theta}}(\mathcal{X}_1, \mathcal{X}_2, ..., \mathcal{X}_n)\right)$$

Uma menor desviância corresponde a um melhor ajuste.

Felizmente, a maioria dos usuários não precisa se preocupar com os detalhes do algoritmo de ajuste, pois isso é feito pelo software. A maioria dos cientistas de dados não precisará se preocupar com o método de ajuste, além do entendimento de que é um jeito de encontrar um bom modelo frente a certas suposições.

Tratando Variáveis Fatoriais

Em regressão logística, as variáveis fatoriais devem ser codificadas como na regressão linear; veja "Variáveis Fatoriais em Regressão", no Capítulo 4. No R e em outros softwares, isso costuma ser feito automaticamente, e geralmente se usa codificação de referência. Todos os outros métodos de classificação abordados neste capítulo normalmente usam a representação de one hot encoder (veja "One Hot Encoder", no Capítulo 6).

Regressão Logística | 195

Avaliando o Modelo

Como em outros métodos de classificação, a regressão logística é avaliada pela precisão com que o modelo classifica os novos dados (veja "Avaliando Modelos de Classificação", adiante, neste capítulo). Como na regressão linear, algumas ferramentas estatísticas padrão adicionais estão disponíveis para avaliar e melhorar o modelo. Juntamente com os coeficientes estimados, o R relata o erro-padrão dos coeficientes (SE), um valor z e um valor p:

```
summary(logistic_model)

Call:
glm(formula = outcome ~ payment_inc_ratio + purpose_ + home_ +
    emp_len_ + borrower_score, family = "binomial", data = loan_data)

Deviance Residuals:
    Min       1Q    Median       3Q       Max
-2.71430  -1.06806  -0.04482   1.07446   2.11672

Coefficients:
                           Estimate Std. Error z value Pr(>|z|)
(Intercept)                1.269822   0.051929  24.453  < 2e-16 ***
payment_inc_ratio          0.082443   0.002485  33.177  < 2e-16 ***
purpose_debt_consolidation 0.252164   0.027409   9.200  < 2e-16 ***
purpose_home_improvement   0.343674   0.045951   7.479 7.48e-14 ***
purpose_major_purchase     0.243728   0.053314   4.572 4.84e-06 ***
purpose_medical            0.675362   0.089803   7.520 5.46e-14 ***
purpose_other              0.592678   0.039109  15.154  < 2e-16 ***
purpose_small_business     1.212264   0.062457  19.410  < 2e-16 ***
home_OWN                   0.031320   0.037479   0.836    0.403
home_RENT                  0.168670   0.021041   8.016 1.09e-15 ***
emp_len_ < 1 Year          0.444892   0.053342   8.340  < 2e-16 ***
borrower_score            -4.638902   0.082433 -56.275  < 2e-16 ***
---
Signif. codes:  0 '***' 0.001 '**' 0.01 '*' 0.05 '.' 0.1 ' ' 1

(Dispersion parameter for binomial family taken to be 1)

    Null deviance: 64147  on 46271  degrees of freedom
Residual deviance: 58531  on 46260  degrees of freedom
AIC: 58555

Number of Fisher Scoring iterations: 4
```

A interpretação do valor p vem com o mesmo alerta que na regressão, e deve ser visto mais como um indicador relativo da importância da variável (veja "Avaliando o Modelo", no Capítulo 4) do que como uma medida formal de significância estatística. Um modelo de regressão logística, que tem uma resposta binária, não tem um RMSE ou R-quadrado associados. Em vez disso, um modelo de regressão logística costuma ser avaliado usando métricas de classificação mais gerais; veja "Avaliando Modelos de Classificação", adiante, neste capítulo.

Muitos outros conceitos de regressão linear se estendem ao ajuste da regressão logística (e outros GLMs). Por exemplo, é possível usar regressão passo a passo, termos de interação ajustados ou incluir termos spline. As mesmas questões relativas a variáveis de confundimento e correlacionadas se aplicam na regressão logística (veja "Interpretando a Equação de Regressão", no Capítulo 4). Podemos ajustar modelos aditivos generalizados (veja "Modelos Aditivos Generalizados", no Capítulo 4) usando o pacote mgcv:

```
logistic_gam <- gam(outcome ~ s(payment_inc_ratio) + purpose_ +
                    home_ + emp_len_ + s(borrower_score),
                data=loan_data, family='binomial')
```

Uma área em que a regressão logística é diferente é na análise dos resíduos. Como na regressão (veja a Figura 4-9), é simples calcular os resíduos parciais:

```
terms <- predict(logistic_gam, type='terms')
partial_resid <- resid(logistic_model) + terms
df <- data.frame(payment_inc_ratio = loan_data[, 'payment_inc_ratio'],
                terms = terms[, 's(payment_inc_ratio)'],
                partial_resid = partial_resid[, 's(payment_inc_ratio)'])
ggplot(df, aes(x=payment_inc_ratio, y=partial_resid, solid = FALSE)) +
  geom_point(shape=46, alpha=.4) +
  geom_line(aes(x=payment_inc_ratio, y=terms),
            color='red', alpha=.5, size=1.5) +
  labs(y='Partial Residual')
```

O gráfico resultante está exibido na Figura 5-4. O ajuste estimado, mostrado pela linha, passa entre duas nuvens de conjuntos de pontos. A nuvem superior corresponde à resposta de 1 (empréstimos inadimplentes), e a nuvem inferior corresponde à resposta de 0 (empréstimos pagos). Isso é muito comum nos resíduos de uma regressão logística, já que o resultado é binário. Os resíduos parciais na regressão logística, mesmo que menos valiosos do que na regressão, ainda são úteis para confirmar o comportamento não linear e identificar registros altamente influentes.

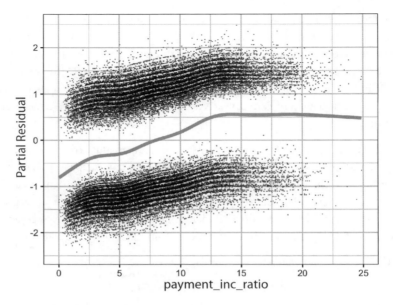

Figura 5-4. Resíduos parciais da regressão logística

 Alguns dos resultados da função summary podem ser efetivamente ignorados. O parâmetro de dispersão não se aplica na regressão logística e existe para outros tipos de GLMs. O desvio residual e o número de iterações de pontuação são relacionados ao método de ajuste de máxima verossimilhança. Veja "Estimação de Máxima Verossimilhança", antes, neste capítulo.

Ideias-chave para Regressão Logística

- A regressão logística é igual à regressão linear, exceto pelo resultado, que é uma variável binária.

- São necessárias muitas transformações para deixar o modelo em um formato que possa ser ajustado como um modelo linear, com o log da razão de chances como a variável responsiva.

- Depois que o modelo linear é ajustado (por um processo iterativo), as chances de log são mapeadas de volta a uma probabilidade.

- A regressão logística é popular por ser computacionalmente rápida e produzir um modelo que pode ser pontuado a novos dados sem recálculo.

Leitura Adicional

1. A referência-padrão em regressão logística é *Applied Logistic Regression* (Regressão Logística Aplicada, em tradução livre), 3. ed., de David Hosmer, Stanley Lemeshow e Rodney Sturdivant (Wiley).

2. Dois livros de Joseph Hilbe também são populares: *Logistic Regression Models* (Modelos de Regressão Logística, em tradução livre) (muito abrangente) e *Practical Guide to Logistic Regression* (Guia Prático para Logística Aplicada, em tradução livre) (compacto), ambos da CRC Press.

3. *Elements of Statistical Learning*, 2. ed., de Trevor Hastie, Robert Tibshirani e Jerome Freidman, e seu primo menor, *An Introduction to Statistical Learning*, de Gareth James, Daniela Witten, Trevor Hastie e Robert Tibshirani (ambos da Springer e sem edição em português) têm uma seção sobre regressão logística.

4. *Data Mining for Business Analytics*, 3. ed., de Galit Shmueli, Peter Bruce e Nitin Patel (sem edição em português) (Wiley, 2016, com variantes para R, Excel e JMP), tem um capítulo completo sobre regressão logística.

Avaliando Modelos de Classificação

É comum na modelagem preditiva testar diversos modelos diferentes, aplicar cada um em uma amostra de retenção (também chamada de *teste* ou *amostra de validação*) e avaliar seu desempenho. Essencialmente, isso equivale a ver qual produz as previsões mais precisas.

Termos-chave para Avaliar Modelos de Classificação

Precisão
O percentual (ou proporção) de casos classificados corretamente.

Matriz de confusão
Uma exibição tabular (2×2, no caso binário) das contagens do registro por seu status de classificação previsto e real.

Sensibilidade
O percentual (ou proporção) de 1s corretamente classificados.
Sinônimo
revocação

Especificidade
O percentual (ou proporção) de 0s corretamente classificados.

Exatidão
O percentual (proporção) de 1s previstos que são realmente 1s.

> **Curva ROC**
> Um gráfico de sensibilidade versus especificidade.
>
> **Lift**
> Uma medida de quão eficaz é o modelo em identificar (comparativamente raros) 1s em diferentes cortes de probabilidade.

Um jeito simples de medir o desempenho da classificação é contar a proporção de previsões que estão corretas.

Na maioria dos algoritmos de classificação, a cada caso se atribui uma "probabilidade estimada de ser um 1".[3] O ponto de decisão, ou corte, costuma ser 0,50, ou 50%. Se a probabilidade está acima de 0,5, a classificação é "1", ou então é "0". Um corte predefinido alternativo é a probabilidade prevalente de 1s nos dados.

A precisão é simplesmente uma medida do erro total:

$$\text{accuracy} = \frac{\sum \text{TruePositive} + \sum \text{TrueNegative}}{\text{SampleSize}}$$

Matriz de Confusão

No centro das métricas de classificação está a *matriz de confusão*, que é uma tabela que mostra o número de previsões corretas e incorretas categorizadas por tipo de resposta. Estão disponíveis diversos pacotes em R para calcular a matriz de confusão, mas no caso binário, é simples calcular um à mão.

Para ilustrar a matriz de confusão, considere o modelo `logistic_gam` que foi testado em um conjunto de dados equilibrado com um número igual de empréstimos inadimplentes e pagos (veja a Figura 5-4). Seguindo as convenções usuais, $Y = 1$ corresponde ao evento de interesse (por exemplo, não cumprido), e $Y = 0$ corresponde a um evento negativo ou incomum (por exemplo, pago). O código a seguir calcula a matriz de confusão para o modelo `logistic_gam` model aplicado em um conjunto completo (desequilibrado) de teste:

```
pred <- predict(logistic_gam, newdata=train_set)
pred_y <- as.numeric(pred > 0)
true_y <- as.numeric(train_set$outcome=='default')
true_pos <- (true_y==1) & (pred_y==1)
true_neg <- (true_y==0) & (pred_y==0)
false_pos <- (true_y==0) & (pred_y==1)
false_neg <- (true_y==1) & (pred_y==0)
```

---

3 Nem todos os métodos oferecem estimativas de probabilidade não enviesadas. Na maioria dos casos, é suficiente que o método ofereça uma classificação equivalente às classificações que resultariam de uma estimativa de probabilidade não enviesada. O método de corte é então funcionalmente equivalente.

200 | CAPÍTULO 5: Classificação

```
conf_mat <- matrix(c(sum(true_pos), sum(false_pos),
                     sum(false_neg), sum(true_neg)), 2, 2)
colnames(conf_mat) <- c('Yhat = 1', 'Yhat = 0')
rownames(conf_mat) <- c('Y = 1', 'Y = 0')
conf_mat
      Yhat = 1 Yhat = 0
Y = 1 14635    8501
Y = 0 8236     14900
```

Os resultados previstos são as colunas, e os resultados reais são as linhas. Os elementos diagonais da matriz mostram o número de previsões corretas, e os elementos fora da diagonal mostram o número de previsões incorretas. Por exemplo, 6.126 empréstimos inadimplentes foram corretamente previstos como inadimplentes, mas 17.010 empréstimos inadimplentes foram incorretamente previstos como pagos.

A Figura 5-5 mostra o relacionamento entre a matriz de confusão para uma resposta binária Y e diferentes métricas (veja mais sobre métricas em "Precisão, Revocação e Especificidade", adiante, neste capítulo). Como no exemplo dos dados de empréstimo, a resposta real está ao longo das linhas, e a resposta prevista está ao longo das colunas. (É possível ver matrizes de confusão com isso ao contrário.) As caixas diagonais (superior esquerda, inferior direita) mostram quando as previsões Y previram a resposta corretamente. Uma métrica importante não explicitamente chamada é a taxa falsamente positiva (a imagem espelhada da exatidão). Quando 1s são raros, a razão de falsos positivos para todos previstos como positivos pode ser alta, levando a uma situação não intuitiva em que um 1 previsto é mais provavelmente um 0. Esse problema atormenta testes de triagem médica (por exemplo, mamografias) que são largamente aplicados: devido à raridade relativa da condição, os resultados de testes positivos geralmente não significam câncer de mama. Isso causa muita confusão no público.

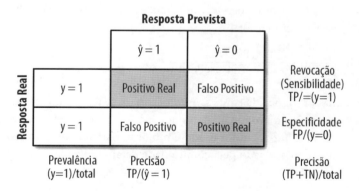

Figura 5-5. Matriz de confusão para uma resposta binária e diversas métricas

O Problema da Classe Rara

Em muitos casos, existe um desequilíbrio nas classes a serem previstas, com uma classe muito mais prevalente que a outra — por exemplo, pedidos de seguro legítimos versus fraudulentos, ou curiosos versus compradores em um site. A classe rara (por exemplo, os pedidos fraudulentos) geralmente é a classe de maior interesse, e costuma ser designada como 1, ao contrário dos mais prevalentes 0s. Em um cenário típico, os 1s são o caso mais importante, no sentido de que classificá-los erroneamente como 0s fica mais caro do que classificar erroneamente 0s como 1s. Por exemplo, identificar corretamente um pedido de seguro fraudulento pode economizar milhares de dólares. Por outro lado, identificar corretamente um pedido não fraudulento economiza apenas o custo e o tempo de passar o pedido manualmente com uma revisão mais cuidadosa (que é o que você faria se o pedido fosse rotulado como "fraudulento").

Nesses casos, a menos que as classes sejam facilmente separáveis, o modelo de classificação mais preciso pode ser aquele que simplesmente classifica tudo como 0. Por exemplo, se apenas 0,1% dos visitantes em uma loja online faz uma compra, um modelo que prevê que cada visitante sairá sem fazer uma compra será 99,9% preciso. No entanto, será inútil. Em vez disso, seria melhor ter um modelo que seja menos preciso no geral, mas bom em identificar os compradores, mesmo que classifique erroneamente alguns não compradores no meio do caminho.

Precisão, Revocação e Especificidade

Métricas que não sejam de precisão pura — métricas mais sutis — são comumente usadas na avaliação de modelos de classificação. Muitas delas têm uma longa história na estatística — especialmente na bioestatística, em que são usadas para descrever o desempenho esperado dos testes de diagnóstico. A *exatidão* mede a precisão de um resultado previsto como positivo (veja a Figura 5-5):

$$\text{precision} = \frac{\sum \text{TruePositive}}{\sum \text{TruePositive} + \sum \text{FalsePositive}}$$

A *revocação*, também conhecida como *sensibilidade*, mede a força do modelo em prever um resultado positivo — a proporção de 1s que identifica corretamente (veja a Figura 5-5). O termo *sensibilidade* é muito usado em bioestatística e diagnósticos médicos, enquanto *revocação* é mais usado pela comunidade de aprendizado de máquina. A definição de revocação é:

$$\text{recall} = \frac{\sum \text{TruePositive}}{\sum \text{TruePositive} + \sum \text{FalseNegative}}$$

Outra métrica usada é *especificidade*, que mede a habilidade de um modelo prever um resultado negativo:

$$\text{specificity} = \frac{\Sigma \text{TrueNegative}}{\Sigma \text{TrueNegative} + \Sigma \text{FalseNegative}}$$

```
# precision
conf_mat[1,1]/sum(conf_mat[,1])
# recall
conf_mat[1,1]/sum(conf_mat[1,])
# specificity
conf_mat[2,2]/sum(conf_mat[2,])
```

Curva ROC

Pode-se ver que existe uma troca entre revocação e especificidade. Capturar mais 1s geralmente significa classificar erroneamente mais 0s como 1s. O classificador ideal faria um trabalho excelente na classificação dos 1s, sem classificar erroneamente mais 0s como 1s.

A métrica que captura essa troca é a curva de "Característica Operatória do Receptor", geralmente chamada de *curva ROC*. A curva ROC plota a revocação (sensibilidade) no eixo y contra a especificidade no eixo x,[4] e ela mostra a troca entre revocação e especificidade conforme o corte é mudado para classificar um registro. A sensibilidade (revocação) é representada no eixo y, e é possível encontrar duas formas de como o eixo x é rotulado:

- Especificidade representada no eixo x, com 1 à esquerda e 0 à direita.
- Especificidade representada no eixo x, com 0 à esquerda e 1 à direita.

A curva continua igual de qualquer maneira que seja feita. O processo para calcular a curva ROC é:

1. Organize os dados pela probabilidade prevista de serem 1, começando com o mais provável e terminando com o menos provável.
2. Calcule a especificidade e a revocação cumulativas com base nos registros organizados.

---

4 A curva ROC foi primeiramente usada durante a Segunda Guerra Mundial para descrever o desempenho de estações de recepção de radar, cujo trabalho era identificar (classificar) corretamente os sinais de radar refletidos e alertar as forças de defesa a respeito da chegada de aviões.

Calcular a curva ROC no R é simples. O código a seguir calcula a ROC para os dados do empréstimo:

```
idx <- order(-pred)
recall <- cumsum(true_y[idx]==1)/sum(true_y==1)
specificity <- (sum(true_y==0) - cumsum(true_y[idx]==0))/sum(true_y==0)
roc_df <- data.frame(recall = recall, specificity = specificity)
ggplot(roc_df, aes(x=specificity, y=recall)) +
  geom_line(color='blue') +
  scale_x_reverse(expand=c(0, 0)) +
  scale_y_continuous(expand=c(0, 0)) +

  geom_line(data=data.frame(x=(0:100)/100), aes(x=x, y=1-x),
            linetype='dotted', color='red')
```

O resultado está na Figura 5-6. A linha pontilhada diagonal corresponde a um classificador que não passa de chance aleatória. Um classificador extremamente eficaz (ou, em situações médicas, um teste de diagnóstico extremamente eficaz) terá uma ROC que abraça o canto superior esquerdo — ele identificará corretamente muitos 1s sem classificar erroneamente muitos 0s como 1s. Para esse modelo, se quisermos um classificador com especificidade mínima de 50%, então a revocação deve ser de cerca de 75%.

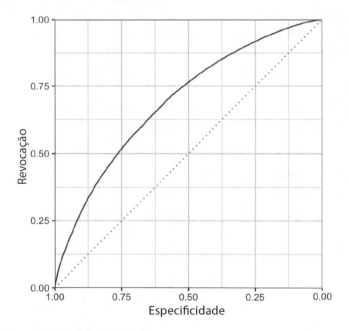

Figura 5-6. Curva ROC para os dados de empréstimo

Curva de Precisão-Revocação

Além das curvas ROC, pode ser esclarecedor examinar a curva de precisão-revocação (PR), que é calculada de modo semelhante, exceto pelo fato de os dados serem ordenados do menos ao mais provável, e são calculadas estatísticas cumulativas de precisão e revocação. As curvas PR são especialmente úteis na avaliação de dados com resultados altamente desequilibrados.

AUC

A curva ROC é uma valiosa ferramenta gráfica, mas sozinha não constitui uma única medida para o desempenho de um classificador. A curva ROC pode ser usada, no entanto, para produzir a métrica de área sob a curva (AUC). A AUC é simplesmente a área total sob a curva ROC. Quanto maior o valor da AUC, mais eficaz é o classificador. Uma AUC de 1 indica um classificador perfeito: classifica todos os 1s corretamente, e não classifica erroneamente nenhum 0 como 1.

Um classificador completamente ineficiente — a linha diagonal — terá uma AUC de 0,5.

A Figura 5-7 mostra a área sob a curva ROC para o modelo de empréstimo. O valor da AUC pode ser calculado por uma integração numérica:

```
sum(roc_df$recall[-1] * diff(1-roc_df$specificity))
[1] 0.5924072
```

O modelo tem uma AUC de cerca de 0,59, correspondendo a um classificado relativamente fraco.

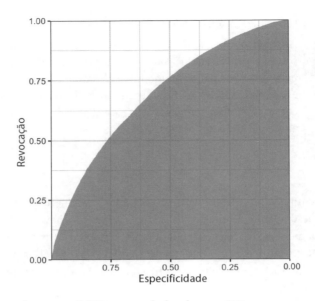

Figura 5-7. Área sob a curva ROC para os dados de empréstimo

Confusão de Taxa de Falso Positivo

As taxas de falso positivo/negativo costumam ser confundidas ou associadas com especificidade ou sensibilidade (mesmo em publicações e softwares!). Às vezes, a taxa de falso positivo é definida como a proporção de negativos reais que são testados como positivos. Em muitos casos (como na detecção de intrusos em redes), o termo é usado para se referir à proporção de sinais positivos que são negativos reais.

Lift

Usar a AUC como métrica é um avanço além da simples precisão, pois pode avaliar quão bem um classificador lida com a troca entre a precisão geral e a necessidade de identificar os 1s mais importantes. Mas ela não aborda totalmente o problema de casos raros, em que é necessário diminuir o corte de probabilidade do modelo abaixo de 0,5 para evitar que todos os registros sejam classificados como 0. Nesses casos, para que um registro seja classificado como 1, deve ser suficiente que tenha uma probabilidade de 0,4, 0,3 ou menos. Efetivamente, acabamos superidentificando 1s, refletindo sua maior importância.

Mudar esse corte melhorará suas chances de detectar os 1s (ao custo de classificar erroneamente mais 0s como 1s). Mas qual é o corte ótimo?

O conceito de lift permite que você adie a resposta a essa pergunta. Em vez disso, considere os registros na ordem de sua probabilidade prevista serem 1s. Dos 10% superiores classificados como 1s, quanto o algoritmo melhorou, se comparado com a referência de apenas escolher ao acaso? Se você consegue 0,3% de resposta nesse decil superior, em vez do 0,1% que consegue na seleção geral aleatória, é dito que o algoritmo teve um *lift* (também chamado de *ganhos*) de 3 no decil superior. Um gráfico de lift (gráfico de ganhos) quantifica isso acima da faixa dos dados. Pode ser produzido decil a decil, ou continuamente acima da faixa dos dados.

Para calcular um gráfico de lift, primeiro produzimos um *gráfico de ganhos cumulativos* que mostra a revocação no eixo y e o número total de registros no eixo x. A *curva lift* é a razão dos ganhos cumulativos contra a linha diagonal correspondente à seleção aleatória. *Gráficos de ganhos de decil* são algumas das técnicas mais antigas em modelagem preditiva, originados nos dias anteriores ao comércio na internet. Eram muito populares entre os profissionais de mala direta, que é um método caro de propaganda, se aplicado indiscriminadamente, e os anunciantes usavam modelos preditivos (alguns muito simples nos primórdios) para identificar os potenciais clientes com a maior prospecção de compra.

Uplift

Às vezes, o termo *uplift* é usado no mesmo sentido de lift. Um significado alternativo é usado em uma configuração mais restrita, quando um teste A-B tiver sido conduzido e o tratamento (A ou B) for então usado como variável preditora em um modelo preditivo. O uplift é a melhoria na resposta prevista *para um caso individual* com tratamento A versus tratamento B. Isso é determinado pela pontuação do caso individual primeiro com a preditora configurada como A, e então novamente com a preditora alterada para B. Marqueteiros e consultores de campanhas políticas usam esse método para determinar qual entre dois tratamentos de mensagem deveria ser usado com quais consumidores ou eleitores.

Uma curva lift permite que vejamos as consequências de definir diferentes cortes de probabilidade para a classificação de registros como 1s. Pode ser um passo intermediário na definição de um nível de corte adequado. Por exemplo, uma autoridade fiscal pode ter apenas certa quantidade de recursos que pode investir em auditorias fiscais, que quer aplicá-los nas sonegações de impostos mais comuns. Com essa restrição em mente, a autoridade utilizaria um gráfico lift para estimar onde separar os recebimentos de impostos selecionados para auditoria daqueles que não foram selecionados.

> ## Ideias-chave para Avaliação de Modelos de Classificação
>
> - A precisão (o percentual de classificações previstas que estão corretas) é apenas o primeiro passo na avaliação de um modelo.
> - Outras métricas (revocação, especificidade, exatidão) se concentram mais em características específicas de desempenho (por exemplo, a revocação mede quão bom um modelo é em identificar 1s corretamente).
> - A AUC (área sob a curva ROC) é uma métrica comum para a habilidade de um modelo em distinguir 1s e 0s.
> - Semelhantemente, o lift mede quão eficaz um modelo é em identificar os 1s, e isso costuma ser calculado decil a decil, começando com os 1s mais prováveis.

Leitura Adicional

Análise e avaliação costumam ser tratadas no contexto de um modelo específico (por exemplo, *K*-Vizinhos Mais Próximos ou árvores de decisão). Três livros que tratam disso são:

- *Data Mining* (Mineração de Dados, em tradução livre), 3. ed., de Ian Whitten, Elbe Frank e Mark Hall (Morgan Kaufmann, 2011).
- *Modern Data Science with R* (Ciência de Dados Moderna com R, em tradução livre), de Benjamin Baumer, Daniel Kaplan e Nicholas Horton (CRC Press, 2017).
- *Data Mining for Business Analytics* (sem edição em português), 3. ed., de Galit Shmueli, Peter Bruce e Nitin Patel (Wiley, 2016, com variantes para R, Excel e JMP).

Um excelente tratamento sobre validação cruzada e reamostragem pode ser encontrado em:

- *An Introduction to Statistical Learning* (sem edição em português), de Gareth James et al. (Springer, 2013).

Estratégias para Dados Desequilibrados

A seção anterior abordou a avaliação dos modelos de classificação usando métricas que vão além da simples precisão, e são adequadas para dados desequilibrados — dados em que o resultado de interesse (compra em um site, fraude em seguros etc.) é raro. Nesta seção veremos estratégias adicionais que podem melhorar o desempenho da modelagem preditiva com dados desequilibrados.

Termos-chave para Dados Desequilibrados

Undersample
Usar menos registros da classe prevalente no modelo de classificação.

Sinônimo
downsample

Oversample
Usar mais registros da classe rara no modelo de classificação, bootstrapping, se necessário.

Sinônimo
upsample

Ponderação acima ou ponderação abaixo
Aplicar mais (ou menos) peso à classe rara (ou prevalente) no modelo.

Geração de dados
Igual ao bootstrapping, exceto pelo fato de que cada novo registro bootstrapped é ligeiramente diferente de sua fonte.

Escore Z
O resultante depois da padronização.

K
O número de vizinhos considerados no cálculo de vizinho mais próximo.

Undersampling

Se tivermos muitos dados, como é o caso nos dados de empréstimo, uma solução é fazer um *undersample* (ou downsample) na classe prevalente, de modo que os dados a serem modelados estejam mais equilibrados entre 0s e 1s. A ideia básica da undersampling é a de que os dados da classe dominante têm muitos registros redundantes. Lidar com um conjunto de dados menor e mais equilibrado traz benefícios ao desempenho do modelo e facilita o preparo dos dados e a exploração e pilotagem do modelo.

Quantos dados são suficientes? Depende da aplicação, mas, em geral, ter dezenas de milhares de registros para a classe dominante é o suficiente. Quanto mais fácil for a distinção entre 1s e 0s, menos dados serão necessários.

Os dados de empréstimo analisados em "Regressão Logística", antes, neste capítulo, foram baseados em um conjunto de treinamento equilibrado: metade dos empréstimos era paga, e a outra metade era de inadimplentes. Os valores previstos eram semelhantes:

metade das probabilidades era menor que 0,5, e metade era maior que 0,5. No conjunto completo de dados, apenas cerca de 5% dos empréstimos estavam inadimplentes:

```
mean(loan_all_data$outcome == 'default')
[1] 0.05024048
```

O que acontece se usarmos os dados completos para treinar o modelo?

```
full_model <- glm(outcome ~ payment_inc_ratio + purpose_ +
                    home_ + emp_len_+ dti + revol_bal + revol_util,
                data=train_set, family='binomial')
pred <- predict(full_model)
mean(pred > 0)
[1] 0.00386009
```

Apenas 0,39% dos empréstimos estão previstos como estando em não cumprimento, ou menos do que 1/12 do número esperado. Os empréstimos que estavam como pagos se sobrepõem aos empréstimos inadimplentes, porque o modelo é treinado usando todos os dados igualmente. Pensando sobre isso intuitivamente, a presença de tantos empréstimos que não estão inadimplentes, com a inevitável variabilidade nos dados preditores, significa que, mesmo para um empréstimo inadimplente, o modelo provavelmente encontrará alguns empréstimos que não estão inadimplentes e aos quais ele seja semelhante, ao acaso. Quando usamos uma amostra equilibrada, cerca de 50% dos empréstimos foram previstos como estando inadimplentes.

Oversampling e Ponderação Acima/Abaixo

Uma das críticas ao método de undersampling é a de que ele descarta dados e não usa todas as informações disponíveis. Se tivermos um conjunto de dados relativamente pequeno, e as classes mais raras contiverem algumas centenas ou milhares de registros, aplicar undersampling na classe dominante traz o risco de que se descartem informações úteis. Nesse caso, em vez de aplicar downsampling no caso dominante, devemos aplicar oversample (upsample) na classe mais rara, extraindo linhas adicionais com reposição (bootstrapping).

Podemos atingir um efeito semelhante ponderando os dados. Muitos algoritmos de classificação assumem um argumento de pesos que nos permite ponderar os dados acima/abaixo. Por exemplo, aplicar um peso vetor nos dados de empréstimos usando o argumento weight no glm:

210 | CAPÍTULO 5: Classificação

```
wt <- ifelse(loan_all_data$outcome=='default',
             1/mean(loan_all_data$outcome == 'default'), 1)
full_model <- glm(outcome ~ payment_inc_ratio + purpose_ +
                  home_ + emp_len_+ dti + revol_bal + revol_util,
                  data=loan_all_data, weight=wt, family='binomial')
pred <- predict(full_model)
mean(pred > 0)
[1] 0.4344177
```

Os pesos para empréstimos inadimplentes são definidos como $\frac{1/p}{}$, em que p é a probabilidade de inadimplência. Os empréstimos não inadimplentes têm peso 1. A soma dos pesos para os empréstimos inadimplentes e empréstimos não inadimplentes é praticamente a mesma. A média dos valores previstos é agora 43%, em vez de 0,39%.

Note que a ponderação oferece uma alternativa tanto de upsampling das classes mais raras quanto de downsampling da classe dominante.

Adaptando a Função Perda

Muitos algoritmos de classificação e regressão otimizam um certo critério ou *função perda*. Por exemplo, a regressão logística tenta minimizar a desviância. Na literatura, alguns se propõem a modificar a função perda a fim de evitar os problemas causados por uma classe rara. Na prática, é difícil fazer isso: os algoritmos de classificação podem ser complexos e difíceis de modificar. A ponderação é um jeito fácil de mudar a função perda, descontando erros para registros com pesos baixos em favor de registros com pesos maiores.

Geração de Dados

Uma variação da upsampling através do bootstrapping (veja "Undersampling", antes, neste capítulo) é a *geração de dados* através da perturbação dos dados existentes a fim de criar novos registros. A intuição por trás dessa ideia é a de que, como observamos apenas um conjunto limitado de exemplos, o algoritmo não tem um conjunto rico de informações para criar "regras" de classificação. Com a criação de novos registros que são semelhantes, mas não idênticos aos registros existentes, o algoritmo tem uma oportunidade de definir um conjunto mais robusto de regras. Esse conceito é, em sua essência, semelhante aos modelos estatísticos de agrupamento, como boosting e bagging (veja o Capítulo 6).

A ideia ganhou força com a publicação do algoritmo *SMOTE*, da sigla em inglês para "Técnica de Oversampling Minoritário Sintético". O algoritmo SMOTE encontra um registro que seja semelhante ao registro sendo upsampled (veja "K-Vizinhos Mais Próximos", no Capítulo 6) e cria um registro sintético que é uma média aleatoriamente ponderada do registro original e do registro vizinho, em que o peso é gerado separadamente para cada preditora. O número de registros oversampled sintéticos criados depende da razão de oversampling necessária para trazer o conjunto de dados a um equilíbrio aproximado, no que diz respeito às classes resultantes.

Existem diversas implementações da SMOTE no R. O pacote mais abrangente para o tratamento de dados desequilibrados é o unbalanced. Ele oferece uma variedade de técnicas, incluindo um algoritmo "Racing" para selecionar o melhor método. No entanto, o algoritmo SMOTE é simples o bastante para ser implementado diretamente no R usando o pacote knn.

Classificação Baseada em Custos

Na prática, a precisão e a AUC são um jeito pobre de selecionar uma regra de classificação. Geralmente, pode-se atribuir um custo estimado a falsos positivos contra falsos negativos, e é mais adequado incorporar esses custos para determinar o melhor corte ao classificar 1s e 0s. Por exemplo, suponha que o custo esperado de uma inadimplência em um novo empréstimo seja C e que o retorno esperado de um empréstimo pago seja R. Então, o retorno esperado daquele empréstimo é:

$$\text{expected return} = P(Y = 0) \times R + P(Y = 1) \times C$$

Em vez de simplesmente rotular um empréstimo como inadimplente ou pago, ou determinar a probabilidade de inadimplência, faz mais sentido determinar se o empréstimo tem um retorno esperado positivo. A probabilidade prevista de inadimplência é um passo intermediário, e deve ser combinado com o valor total do empréstimo para determinar o lucro esperado, que é a métrica de planejamento mais importante para os negócios. Por exemplo, um empréstimo de valor menor pode ser ignorado em favor de um maior, com uma probabilidade ligeiramente maior de inadimplência.

Explorando as Previsões

Uma única métrica, como a AUC, não consegue capturar todos os aspectos de adequação de um modelo para uma situação. A Figura 5-8 mostra as regras de decisão para quatro modelos diferentes ajustados para os dados de empréstimo usando apenas duas variáveis preditoras: borrower_score e payment_inc_ratio. Os modelos são análise linear discriminante (LDA), regressão logística linear, regressão logística ajustada usando um modelo aditivo generalizado (GAM) e um modelo de árvore (veja "Modelos de Árvore", no Capítulo 6). A região superior à esquerda das linhas corresponde a uma inadimplência prevista. A LDA e a regressão logística linear têm resultados quase idênticos neste caso. O modelo de árvore produz a regra menos regular: na verdade, existem situações em que aumentar a pontuação do tomador muda a previsão de "pago" para "inadimplente"!

212 | CAPÍTULO 5: Classificação

Finalmente, o ajuste GAM da regressão logística representa um comprometimento entre os modelos de árvore e os modelos lineares.

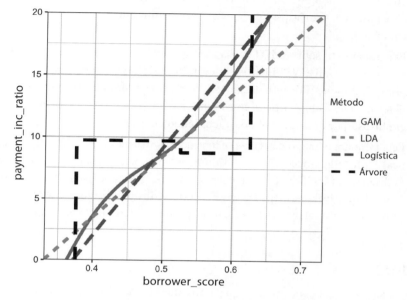

Figura 5-8. Comparação entre as regras de classificação para quatro métodos diferentes

Não é fácil visualizar as regras de previsão em dimensões maiores ou, no caso de modelos GAM e árvores, até mesmo gerar as regiões de tais regras.

De qualquer forma, a análise exploratória dos valores previstos é sempre necessária.

Ideias-chave para Estratégias de Dados Desequilibrados

- Dados altamente desequilibrados (ou seja, nos quais os resultados interessantes, os 1s, são raros) são um problema para os algoritmos de classificação.

- Uma estratégia é equilibrar os dados de treinamento através de undersampling do caso abundante (ou oversampling do caso raro).

- Se ao usar todos os 1s eles ainda forem muito poucos, pode-se aplicar bootstrap nos casos raros, ou usar SMOTE para criar dados sintéticos semelhantes aos casos raros existentes.

- Dados desequilibrados geralmente indicam que a classificação correta de uma classe (os 1s) tem maior valor, e que a razão daquele valor deve ser embutida na métrica de avaliação.

Leitura Adicional

- Tom Fawcett, autor de *Data Science para Negócios*, tem um bom artigo sobre classes desequilibradas em https://www.svds.com/learning-imbalanced-classes/ (conteúdo em inglês).

- Para saber mais sobre SMOTE, leia o artigo de Nitesh V.Chawla, Kevin W.Bowyer, Lawrence O. Hall e W.Philip Kegelmeyer, "SMOTE: Synthetic Minority Over-sampling Technique" (Técnica de Superamostragem de Minoria Sintética, em tradução livre), no *Journal of Artificial Intelligence Research* 16 (2002): 321–357, disponível em https://jair.org/index.php/jair (conteúdo em inglês).

- Leia também o artigo da equipe de conteúdo da Analytics Vidhya, Practical Guide to deal with Imbalanced Classification Problems in R" (Guia Prático para Lidar com Problemas de Classificação Desequilibrada em R, em tradução livre), de 28 de março de 2016, disponível em https://www.analyticsvidhya.com/blog/2016/03/practical--guide-deal-imbalanced-classification-problems/ (conteúdo em inglês).

Resumo

Classificação, o processo de prever à qual entre duas (ou um pequeno número de) categorias um registro pertence, é uma ferramenta fundamental da análise preditiva. Um empréstimo será inadimplente (sim ou não)? Será antecipado? Um visitante da web clicará em um link? Ele comprará algo? Um pedido de seguro é fraudulento? Geralmente, em problemas de classificação, uma das classes é a de maior interesse (por exemplo, o pedido de seguro fraudulento), e na classificação binária essa classe é definida como 1, com a outra, a classe mais prevalente, sendo 0. Muitas vezes, uma parte crucial no processo é a estimação de uma *nota de propensão*, uma probabilidade de pertencimento à classe de interesse. Um cenário comum é aquele no qual a classe de interesse é relativamente rara. O capítulo termina com uma discussão sobre diversas métricas de avaliação de modelo que vão além da simples precisão; elas são importantes na situação de classe rara, quando a classificação de todos os registros como 0s pode resultar alta precisão.

CAPÍTULO 6
Aprendizado de Máquina Estatístico

Os recentes avanços em estatística têm sido no sentido de desenvolver técnicas automatizadas mais potentes de modelagem preditiva — tanto regressão quanto classificação. Esses métodos ficam sob o guarda-chuva do *aprendizado de máquina estatístico*, e são distintos dos métodos estatísticos clássicos por serem orientados por dados e não tentarem impor uma estrutura linear ou outra geral aos dados. O método de K-Vizinhos Mais Próximos, por exemplo, é bem simples: classificar um registro de acordo com a classificação dos registros semelhantes. As técnicas mais bem-sucedidas e usadas são baseadas em *aprendizado de agrupamento* aplicado em *árvores de decisão*. A ideia básica do aprendizado de agrupamento é usar muitos modelos para formar uma previsão diferente daquela de um único modelo. As árvores de decisão são uma técnica automática e flexível para aprender regras sobre o relacionamento entre as variáveis preditoras e as variáveis resultantes. Acontece que a combinação de aprendizado agrupado com árvores de decisão leva a técnicas de modelagem preditiva de ponta com ótimo desempenho.

O desenvolvimento de muitas das técnicas em aprendizado de máquina estatístico pode ser conferido aos estatísticos Leo Breiman (veja a Figura 6-1) na Universidade da Califórnia, em Berkeley, e Jerry Friedman, na Universidade de Stanford. Seu trabalho, com outros pesquisadores em Berkeley e Stanford, começou com o desenvolvimento de modelos de árvore em 1984. O desenvolvimento posterior dos métodos de agrupamento de bagging e boosting nos anos 1990 estabeleceu os fundamentos do aprendizado de máquina estatístico.

Figura 6-1. Leo Breiman, que era professor de estatística em Berkeley, foi o pioneiro no desenvolvimento de muitas técnicas cruciais no ferramental dos cientistas de dados

Aprendizado de Máquina Versus Estatística

No contexto da modelagem preditiva, qual é a diferença entre aprendizado de máquina e estatística? Não existe uma fronteira muito definida dividindo as duas disciplinas. O aprendizado de máquina tende a ser mais concentrado no desenvolvimento de algoritmos eficientes que escalonam dados grandes a fim de otimizar o modelo preditivo. A estatística geralmente presta mais atenção à teoria probabilística e à estrutura subjacente do modelo. Bagging e a floresta aleatória (veja "Bagging e a Floresta Aleatória", adiante, neste capítulo), cresceram muito no campo da estatística. Boosting (veja "Boosting", adiante, neste capítulo), por outro lado, foi desenvolvido nas duas disciplinas, mas recebe mais atenção pelo lado do aprendizado de máquina. Apesar da história, a promessa do boosting garante que ele prosperará como técnica tanto na estatística quanto no aprendizado de máquina.

K-Vizinhos Mais Próximos

A ideia por trás dos *K*-Vizinhos Mais Próximos (KNN) é muito simples.[1] Para cada registro a ser classificado ou previsto:

1. Encontre *K* registros que tenham características similares (ou seja, valores preditivos semelhantes).
2. Para classificação: descubra qual é a classe majoritária entre esses registros semelhantes e atribua tal classe ao novo registro.
3. Para previsão (também chamada de *regressão KNN*): encontre a média entre aqueles registros semelhantes e preveja tal média para o novo registro.

---

[1] Esta seção e as subsequentes deste capítulo têm © 2017 Datastats, LLC, Peter Bruce e Andrew Bruce, usado com autorização.

Termos-chave para K-Vizinhos Mais Próximos

Vizinho
Um registro que tem valores preditores semelhantes a outro registro.

Métricas de distância
Medidas que resumem em um único número a distância entre um registro e outro.

Padronização
Subtrai a média e divide pelo desvio-padrão.

Sinônimo
normalização

Escore Z
O valor resultante depois da padronização.

K
O número de vizinhos considerados no cálculo de vizinho mais próximo.

KNN é uma das técnicas mais simples de previsão/classificação: não existem modelos a serem ajustados (como na regressão). Isso não significa que usar o KNN seja um procedimento automático. Os resultados previstos dependem de como as características foram escalonadas, como a similaridade foi medida e qual o tamanho em que K foi definido. Além disso, todas as preditoras têm que estar em forma numérica. Vamos ilustrar isso com um exemplo de classificação.

Um Pequeno Exemplo: Prevendo Inadimplência em Empréstimos

A Tabela 6-1 mostra alguns registros de dados de empréstimo pessoal do Lending Club. O Lending Club é um líder em empréstimo pessoal no qual pools de investidores fazem empréstimos pessoais a indivíduos. O objetivo de uma análise seria prever o resultado de um novo empréstimo em potencial: pago versus inadimplente.

Tabela 6-1. Alguns registros e colunas para os dados de empréstimo do Lending Club

Resultado	Quantia do empréstimo	Renda	Destinação	Anos no emprego	Moradia	Estado
Pago	10.000	79.100	consolidação_débito	11	HIPOTECA	NV
Pago	9.600	48.000	mudança	5	HIPOTECA	TN
Pago	18.800	120.036	consolidação_débito	11	HIPOTECA	MD
Inadimplente	15.250	232.000	pequeno_negócio	9	HIPOTECA	CA
Pago	17.050	35.000	consolidação_débito	4	ALUGUEL	MD
Pago	5.500	43.000	consolidação_débito	4	ALUGUEL	KS

K-Vizinhos Mais Próximos | 217

Considere um modelo bem simples com apenas duas preditoras: `dti`, que é a razão entre pagamentos de débitos (exceto hipoteca) e renda, e `payment_inc_ratio`, que é a razão entre o pagamento do empréstimo e a renda. Ambas as razões são multiplicadas por 100. Usando um pequeno conjunto de 200 empréstimos, `loan200`, com resultados binários conhecidos (inadimplente ou não inadimplente, especificado na preditora `outcome200`), e com *K* ajustado em 20, a estimativa KNN para um novo empréstimo a ser previsto, `newloan`, com `dti=22.5` e `payment_inc_ratio=9`, pode ser calculada em R da seguinte forma:

```
library(FNN)
knn_pred <- knn(train=loan200, test=newloan, cl=outcome200, k=20)
knn_pred == 'default'
[1] TRUE
```

A previsão KNN é a de que o empréstimo será inadimplente.

Enquanto R possui uma função `knn` nativa, o pacote `FNN`, de Vizinho Mais Próximo Rápido (Fast Nearest Neighbor), contribuído para R, escalona melhor para big data e oferece mais flexibilidade.

A Figura 6-2 oferece uma visualização desse exemplo. O novo empréstimo a ser previsto é o quadrado no meio. Os círculos (inadimplente) e os triângulos (pago) são os dados de treinamento. A linha preta mostra a fronteira dos 20 pontos mais próximos. Neste caso, 14 empréstimos inadimplentes estão dentro do círculo, bem como 6 empréstimos pagos. Portanto, o resultado previsto do empréstimo é o de inadimplência.

Enquanto o resultado de KNN para classificação costuma ser uma decisão binária, como inadimplente ou pago nos dados de empréstimo, as rotinas de KNN costumam oferecer a oportunidade de emitir uma probabilidade (propensão) entre 0 e 1. A probabilidade é baseada na fração de uma classe nos *K*-vizinhos mais próximos. No exemplo anterior, essa probabilidade de inadimplência teria sido estimada em $\frac{14}{20}$ ou 0,7. Usar uma pontuação de probabilidade nos permite usar regras de classificação além dos simples votos majoritários (probabilidade de 0,5). Isso é ainda mais importante em problemas com classes desequilibradas (veja "Estratégias para Dados Desequilibrados", no Capítulo 5). Por exemplo, se o objetivo for identificar membros de uma classe rara, o corte geralmente seria ajustado abaixo dos 50%. Uma abordagem comum é ajustar o corte na probabilidade do evento raro.

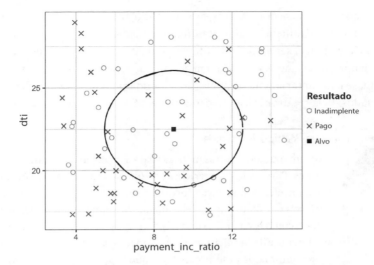

Figura 6-2. Previsão KNN de inadimplência em empréstimos usando duas variáveis: razão débito para renda e razão pagamento de empréstimo para renda

Métricas de Distância

A similaridade (proximidade) é determinada usando uma *métrica de distância*, que é uma função que mede quão longe dois registros $(x_1, x_2, \ldots x_p)$ e $(u_1, u_2, \ldots u_p)$ estão um do outro. A métrica de distância entre dois vetores mais popular é a *distância Euclidiana*. Para medir a distância Euclidiana entre dois vetores, subtraia um do outro, multiplique a diferença por si mesma, some e tire a raiz quadrada:

$$\sqrt{(x_1 - u_1)^2 + (x_2 - u_2)^2 + \ldots + (x_p - u_p)^2}.$$

A distância euclidiana oferece vantagens computacionais especiais. Isso é ainda mais importante para grandes conjuntos de dados, já que o KNN envolve comparações em pares $K \times n$, em que n é o número de linhas.

Outra métrica de distância comum para dados numéricos é a distância de *Manhattan*:

$$|x_1 - u_1| + |x_2 - u_2| + \ldots + |x_p - u_p|$$

A distância Euclidiana corresponde à distância em linha reta entre dois pontos. A distância de Manhattan é a distância entre dois pontos traçada em uma única direção de cada vez (por exemplo, caminhar ao redor de quarteirões). Por isso, a distância de Manhattan é uma aproximação útil se a similaridade for definida como uma viagem de um ponto a outro de cada vez.

Ao medir a distância entre dois vetores, as variáveis (característica) que forem medidas com uma escala relativamente maior dominarão a medida. Por exemplo, nos dados de empréstimo, a distância seria quase totalmente uma função das variáveis de renda e da quantia de empréstimo, que são medidas em dezenas ou centenas de milhares. As variáveis de razão quase não contariam na comparação. Nós lidamos com esse problema padronizando os dados. Veja "Padronização (Normalização, Scores Z)", adiante, neste capítulo.

Outras Métricas de Distância

Existem inúmeras outras métricas para a medição da distância entre os vetores. Para dados numéricos, a *distância de Mahalanobis* é atraente, pois considera a correlação entre duas variáveis. Isso é útil, pois se duas variáveis são altamente correlacionadas, a Mahalanobis basicamente as tratará como uma única variável em termos de distância. As distâncias Euclidiana e de Manhattan não consideram a correlação, efetivamente aplicando maior peso no atributo que baseia tais características. O lado ruim de usar a distância de Mahalanobis é o maior esforço computacional e a complexidade. Ela é calculada usando a *matriz de covariância*. Veja "Matriz de Covariância", no Capítulo 5.

One Hot Encoder

Os dados de empréstimo na Tabela 6-1 incluem diversas variáveis fatoriais (linha). A maioria dos modelos estatísticos e de aprendizado de máquina exige que esse tipo de variável seja convertido em uma série de variáveis binárias fictícias contendo a mesma informação, como na Tabela 6-2. Em vez de uma única variável representando o status de moradia como "proprietário com hipoteca", "proprietário sem hipoteca", "aluga" ou "outros", acabamos com quatro variáveis binárias. A primeira seria "possui com hipoteca — S/N", a segunda seria "possui sem hipoteca — S/N" e assim por diante. Essa única preditora, status de moradia, resulta então em um vetor com um 1 e três 0s, que podem ser usados em algoritmos estatísticos e de aprendizado de máquina. A frase *one hot encoding* vem da terminologia de circuitos digitais, em que descreve configurações de circuitos nos quais apenas uma parte pode ser positiva (hot).

Tabela 6-2. Representando os dados do fator de moradia como uma variável fictícia numérica

Hipoteca	Outro	Proprietário	Aluga
1	0	0	0
1	0	0	0
1	0	0	0
1	0	0	0
0	0	0	1
0	0	0	1

Em regressão linear e logística, o one hot encoding causa problemas com multicolinearidade (veja "Multicolinearidade", no Capítulo 4). Nesses casos, uma fictícia é omitida (esse valor pode ser inferido de outros valores). Isso não é um problema em KNN e outros métodos.

Padronização (Normalização, Escores Z)

Em medição, geralmente não nos interessamos muito por "quanto", mas, sim, por "quão diferente da média". A padronização, também chamada de *normalização*, põe todas as variáveis em escalas semelhantes através da subtração da média e divisão pelo desvio-padrão. Dessa forma, garantimos que uma variável não influencie exageradamente um modelo simplesmente pela escala de sua medição original.

$$z = \frac{x - \bar{x}}{s}$$

Estes costumam ser chamados de *escores z*. As medições são então descritas em termos de "desvios-padrão longe da média". Assim, o impacto de uma variável em um modelo não será afetado pela escala de sua medição original.

 A *normalização* neste contexto estatístico não deve ser confundida com *normalização de base de dados*, que é a remoção de dados redundantes e a verificação de dependências de dados.

Para o KNN e alguns outros procedimentos (por exemplo, análise de componentes principais e agrupamento), é essencial considerar a padronização dos dados antes de aplicar o procedimento. Para ilustrar essa ideia, o KNN está aplicado nos dados usando `dti` e `payment_inc_ratio` (veja "Um Pequeno Exemplo: Prevendo Inadimplência em Empréstimos", antes, neste capítulo) mais duas outras variáveis: `revol_bal`, o crédito rotativo total disponível ao tomador em dólares, e `revol_util`, o percentual de crédito em uso. O novo registro a ser previsto está aqui:

```
newloan
    payment_inc_ratio dti revol_bal revol_util
1              2.3932   1      1687        9.4
```

A magnitude de `revol_bal`, que é em dólares, é muito maior que a das outras variáveis. A função `knn` retorna o índice dos vizinhos mais próximos como um atributo `nn.index`, e isso pode ser usado para mostrar as cinco linhas mais próximas em `loan_df`:

```
loan_df <- model.matrix(~ -1 + payment_inc_ratio + dti + revol_bal +
                         revol_util, data=loan_data)
knn_pred <- knn(train=loan_df, test=newloan, cl=outcome, k=5)
loan_df[attr(knn_pred,"nn.index"),]
      payment_inc_ratio   dti  revol_bal revol_util
36054           2.22024  0.79      1687        8.4
33233           5.97874  1.03      1692        6.2
28989           5.65339  5.40      1694        7.0
29572           5.00128  1.84      1695        5.1
20962           9.42600  7.14      1683        8.6
```

O valor de `revol_bal` nesses vizinhos é muito próximo a seu valor no novo registro, mas as outras variáveis preditoras estão por todo o mapa e não têm muita influência na determinação dos vizinhos.

Compare isso com o KNN aplicado nos dados padronizados usando a função `scale` do R, que calcula o escore *z* para cada variável:

```
loan_std <- scale(loan_df)
knn_pred <- knn(train=loan_std, test=newloan_std, cl=outcome, k=5)
loan_df[attr(knn_pred,"nn.index"),]
      payment_inc_ratio   dti  revol_bal revol_util
2081            2.61091  1.03      1218        9.7
36054           2.22024  0.79      1687        8.4
23655           2.34286  1.12       523       10.7
41327           2.15987  0.69      2115        8.1
39555           2.76891  0.75      2129        9.5
```

Os cinco vizinhos mais próximos são muito mais parecidos em todas as variáveis, fornecendo um resultado mais sensível. Note que os resultados estão exibidos na escala original, mas o KNN foi aplicado nos dados escalonados e no novo empréstimo a ser previsto.

Usar o escore *z* é apenas um meio de redimensionar as variáveis. Em vez da média, pode-se usar uma estimativa de localização mais robusta, como a mediana. Da mesma forma, poderia ser usada uma estimativa de escala diferente, como a amplitude interquartil, em vez do desvio-padrão. Algumas vezes as variáveis são "esmagadas" na amplitude 0–1. Também é importante perceber que escalonar cada variável para ter variância unitária é algo um tanto arbitrário. Isso implica supor que cada variável tenha a mesma importância em potência preditiva. Se tivermos o conhecimento subjetivo de que algumas variáveis são mais importantes que outras, então estas poderão ser escalonadas. Por exemplo, nos dados de empréstimo, é razoável esperar que a razão pagamento para renda seja muito importante.

A normalização (padronização) não muda o formato distribucional dos dados; não os tornaria normalmente formatados se já não fossem normalmente formatados (veja "Distribuição Normal", no Capítulo 2).

Escolhendo K

A escolha de *K* é muito importante para o desempenho de KNN. A opção mais simples é ajustar *K* = 1, conhecido como o classificador de 1-vizinho mais próximo. A previsão é intuitiva: se baseia em encontrar o registro de dado no conjunto de treinamento que seja mais semelhante ao novo registro a ser previsto. Configurar *K* = 1 raramente é a melhor opção; quase sempre se obterá melhor desempenho usando *K* > 1-vizinhos mais próximos.

Em linhas gerais, se *K* for muito baixo, podemos estar sobreajustando: incluindo o ruído nos dados. Valores de *K* maiores oferecem uma suavização que reduz o risco de sobreajuste nos dados de treinamento. Por outro lado, se *K* for muito alto, podemos supersuavizar os dados e perder a habilidade dos KNN de capturar a estrutura local dos dados, uma de suas muitas vantagens.

O *K* que melhor se equilibra entre sobreajuste e supersuavização costuma ser determinado pelas métricas de precisão e, especialmente, precisão com dados de retenção ou validação. Não existe uma regra geral para o melhor *K* — depende muito da natureza dos dados. Para dados altamente estruturados com pouco ruído, valores menores de *K* funcionam melhor. Emprestando um termo da comunidade de processamento de sinal, esse tipo de dado às vezes é citado como aquele que tem uma alta *razão sinal-a-ruído* (*SNR*). Exemplos de dados com SNR tipicamente alto são reconhecimento de escrita à mão e fala. Para dados ruidosos com menos estrutura (dados com SNR baixa), como os dados de empréstimo, são adequados valores maiores de *K*. Geralmente os valores de *K* ficam na faixa de 1 a 20, e é comum escolher um número ímpar para evitar empates.

Compromisso Viés-Variância

A tensão entre supersuavização e sobreajuste é um exemplo do *compromisso viés-variância*, um problema onipresente no ajuste de modelos estatísticos. A variância se refere ao erro de modelagem que ocorre por causa da escolha dos dados de treinamento. Ou seja, se escolhêssemos um conjunto de dados de treinamento diferente, o modelo resultante seria diferente. Viés se refere ao erro de modelagem que ocorre por não identificarmos adequadamente o cenário real subjacente, e esse erro não desapareceria com a simples adição de dados de treinamento. Quando um modelo flexível estiver sobreajustado, a variância aumentará. Podemos reduzir isso através do uso de um modelo mais simples, mas o viés pode aumentar devido à perda de flexibilidade na modelagem da real situação subjacente. Uma abordagem geral para o tratamento desse compromisso é através da *validação cruzada*. Veja mais detalhes em "Validação Cruzada", no Capítulo 4.

KNN como um Motor de Característica

O KNN ganhou popularidade devido à sua simplicidade e natureza intuitiva. Em termos de desempenho, o KNN sozinho não costuma ser competitivo com técnicas de classificação mais sofisticadas. Em ajustes práticos de modelos, no entanto, o KNN pode ser usado para adicionar "conhecimento local" em um processo em estágios com outras técnicas de classificação.

1. O KNN é executado nos dados, e para cada registro, uma classificação (ou quase probabilidade de uma classe) é derivada.
2. Tal resultado é adicionado ao registro como uma nova característica, e outro método de classificação é então executado nos dados. As variáveis preditoras originais são, então, usadas duas vezes.

Em princípio, você pode se perguntar se esse processo, já que usa algumas preditoras duas vezes, causa algum problema com multicolinearidade (veja "Multicolinearidade", no Capítulo 4). Isso não é um problema, já que a informação sendo incorporada no modelo da segunda etapa é altamente local, derivando apenas de alguns registros próximos, sendo então informação adicional, e não redundante.

Podemos pensar nesse uso em etapas do KNN como uma forma de aprendizado agrupado, em que múltiplos métodos de modelagem preditiva são usados em conjunto uns com os outros. Pode também ser considerado uma forma de engenharia de característica em que o objetivo é derivar características (variáveis preditoras) que têm potência preditiva. Isso costuma envolver alguma revisão manual dos dados, e o KNN oferece um jeito bastante automático de fazer isso.

Por exemplo, considere os dados imobiliários de King County. Ao precificar uma casa para venda, o corretor baseará o preço em casas semelhantes vendidas recentemente. Em suma, os corretores estão fazendo uma versão manual do KNN: ao olhar para os preços de venda de casas semelhantes, podem estimar qual será o preço de venda de uma casa. Podemos criar uma nova característica para um modelo estatístico a fim de imitar o corretor aplicando KNN nas vendas recentes. O valor previsto é o preço de venda, e as variáveis preditoras existentes podem incluir localização, metros quadrados totais, tipo de estrutura, tamanho do terreno e número de banheiros e quartos. A nova variável preditora (característica) que adicionamos através do KNN é a preditora KNN para cada registro (semelhante ao que o corretor fez). Como estamos prevendo um valor numérico, a média dos *K*-Vizinhos Mais Próximos é usada no lugar de um voto majoritário (conhecido como *regressão KNN*).

De maneira semelhante, para os dados de empréstimo, podemos criar características que representam diferentes aspectos do processo de empréstimo. Por exemplo, o código a seguir criaria uma característica que representa o crédito de um tomador:

```
borrow_df <- model.matrix(~ -1 + dti + revol_bal + revol_util + open_acc +
                    delinq_2yrs_zero + pub_rec_zero, data=loan_data)
borrow_knn <- knn(borrow_df, test=borrow_df, cl=loan_data[, 'outcome'],
            prob=TRUE, k=10)
prob <- attr(borrow_knn, "prob")
borrow_feature <- ifelse(borrow_knn=='default', prob, 1-prob)
summary(borrow_feature)
   Min. 1st Qu.  Median    Mean 3rd Qu.    Max.
 0.0000  0.4000  0.5000  0.5012  0.6000  1.0000
```

O resultado é uma característica que prevê a possibilidade de um tomador ser inadimplente com base em seu histórico de crédito.

Ideias-chave para K-Vizinhos Mais Próximos

- *Os K*-vizinhos Mais Próximos (KNN) classificam um registro atribuindo-o à classe que contém registros semelhantes.

- A similaridade (distância) é determinada pela distância Euclidiana ou outras métricas relacionadas.

- O número de vizinhos mais próximos contra os quais comparar um registro, *K*, é determinado pelo desempenho do algoritmo nos dados de treinamento usando-se diferentes valores em *K*.

- Geralmente as variáveis preditoras são padronizadas de modo que as variáveis de alta escala não dominem a métrica de distância.

- KNN costuma ser usado como um primeiro estágio na modelagem preditiva, e o valor previsto é adicionado de volta aos dados como uma preditora para modelagem de segundo estágio (não KNN).

K-Vizinhos Mais Próximos | 225

Modelos de Árvore

Os modelos de árvore, também chamados de *Árvores de Classificação e Regressão (CART)*[2], *árvores de decisão* ou apenas *árvores*, são um método de classificação (e regressão) efetivo e popular, inicialmente desenvolvido por Leo Breiman e outros em 1984. Os modelos de árvore e seus descendentes mais potentes, *florestas aleatórias* e *boosting* (veja "Bagging e as Florestas Aleatórias" e "Boosting", ambos adiante, neste capítulo), formam a base das ferramentas de modelagem preditiva mais potentes e amplamente usadas na ciência de dados tanto para regressão quanto para classificação.

Termos-chave para Árvores

Repartição recursiva
> Dividir e subdividir repetitivamente os dados com o objetivo de tornar os resultados homogêneos em cada subdivisão final o mais possível.

Valor dividido
> Um valor preditor que divide os registros naqueles em que o preditor é menor que o valor dividido e aqueles em que é maior.

Nó
> Na árvore de decisão ou no conjunto de regras de ramificação correspondentes, um nó é a representação gráfica ou de regra de um valor dividido.

Folha
> O fim de um conjunto de regras if-then, ou galhos de uma árvore — a regra que leva àquela folha fornece uma das regras de classificação para qualquer registro na árvore.

Perda
> O número de classificações errôneas em um estágio do processo de divisão. Quanto mais perdas, mais impureza.

Impureza
> A extensão da mistura de classes em uma subpartição dos dados (quanto mais misturado, mais impuro).

Sinônimo
> heterogeneidade

---

2 O termo CART é marca registrada da Salford Systems relacionada a seus modelos de árvores específicos para implementação.

Antônimos
>   homogeneidade, pureza

Poda
>   O processo de pegar uma árvore totalmente desenvolvida e cortar seus galhos progressivamente para reduzir o sobreajuste.

Um modelo de árvore é um conjunto de regras "if-then-else" que são fáceis de entender e implementar. Diferente da regressão e da regressão logística, as árvores têm a habilidade de descobrir padrões escondidos correspondentes a iterações complexas nos dados. No entanto, diferente do KNN ou Naive Bayes, modelos de árvore simples podem ser expressos em termos de relacionamentos de preditoras que são facilmente interpretáveis.

Árvores de Decisão em Pesquisa de Operações

O termo *árvores de decisão* tem um significado diferente (e mais antigo) de ciência de decisões e pesquisa de operações, em que se refere a um processo de análise da decisão humana. Nesse significado, os pontos de decisão, possíveis resultados e suas probabilidades estimadas são dispostos em um diagrama ramificado, e o caminho de decisão com o valor máximo esperado é escolhido.

Um Exemplo Simples

Os dois principais pacotes para ajustar modelos de árvore em R são rpart e tree. Usando o pacote rpart, um modelo é ajustado em uma amostra de 3.000 registros dos dados de empréstimo usando as variáveis payment_inc_ratio e borrower_score (veja uma descrição dos dados em "K-Vizinhos mais Próximos", antes, neste capítulo).

```
library(rpart)
loan_tree <- rpart(outcome ~ borrower_score + payment_inc_ratio,
                data=loan_data, control = rpart.control(cp=.005))
plot(loan_tree, uniform=TRUE, margin=.05)
text(loan_tree)
```

A árvore resultante está na Figura 6-3. Essas regras de classificação são determinadas atravessando uma árvore hierárquica, começando na raiz até chegar a uma folha.

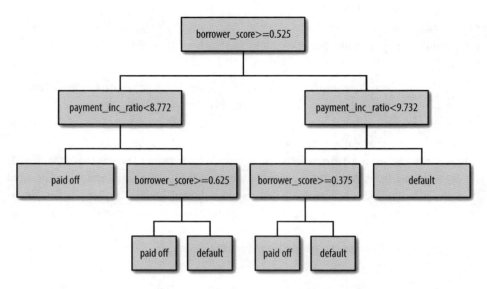

Figura 6-3. As regras para um modelo de árvore simples ajustado aos dados de empréstimo

Geralmente a árvore é representada de cabeça para baixo, então a raiz fica no topo, e as folhas, na base. Por exemplo, se pegarmos um empréstimo com borrower_score de 0.6 e uma payment_inc_ratio de 8.0, chegamos à folha mais à esquerda e prevemos que o empréstimo será pago.

É fácil produzir uma boa versão impressa da árvore:

```
loan_tree
n= 3000

node), split, n, loss, yval, (yprob)
      * denotes terminal node

 1) root 3000 1467 paid off (0.5110000 0.4890000)
   2) borrower_score>=0.525 1283   474 paid off (0.6305534 0.3694466)
     4) payment_inc_ratio< 8.772305 845   249 paid off (0.7053254 0.2946746) *
     5) payment_inc_ratio>=8.772305 438   213 default (0.4863014 0.5136986)
      10) borrower_score>=0.625 149    60 paid off (0.5973154 0.4026846) *
      11) borrower_score< 0.625 289   124 default (0.4290657 0.5709343) *
   3) borrower_score< 0.525 1717   724 default (0.4216657 0.5783343)
     6) payment_inc_ratio< 9.73236 1082   517 default (0.4778189 0.5221811)
      12) borrower_score>=0.375 784   384 paid off (0.5102041 0.4897959) *
      13) borrower_score< 0.375 298   117 default (0.3926174 0.6073826) *
     7) payment_inc_ratio>=9.73236 635   207 default (0.3259843 0.6740157) *
```

A profundidade da árvore é exibida pelo traço. Cada nó corresponde a uma classificação provisória determinada pelo resultado prevalente naquela repartição. A "perda" é o número de classificações errôneas geradas pela classificação provisória em uma repartição. Por exemplo, no nó 2 havia 474 classificações errôneas, em um total de 1.467 registros. Os valores entre parênteses correspondem à proporção de registros que são pagos e inadimplentes, respectivamente. Por exemplo, no nó 13, que prevê inadimplência, mais de 60% dos registros são empréstimos inadimplentes.

O Algoritmo Recursivo de Repartição

O algoritmo para construir uma árvore de decisão, chamado de *repartição recursiva*, é simples e intuitivo. Os dados são repetitivamente repartidos usando valores preditores que fazem um bom trabalho ao repartir os dados em repartições relativamente homogêneas. A Figura 6-4 mostra uma imagem das repartições criadas para a árvore na Figura 6-3. A primeira regra é `borrower_score >= 0.525` e é representada pela regra 1 no gráfico. A segunda regra é `payment_inc_ratio < 9.732` e divide a região da direita em duas.

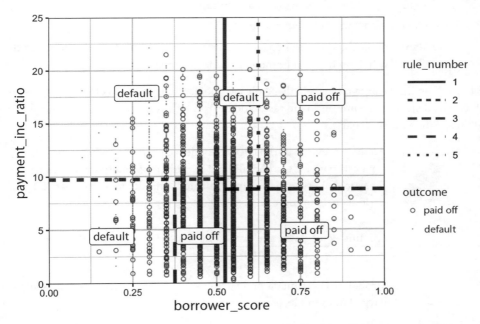

Figura 6-4. As regras para um modelo de árvore simples ajustado para os dados de empréstimo

Suponha que temos uma variável responsiva Y e um conjunto de P variáveis preditoras X_j para $j = 1, ..., P$. Para uma repartição A de registros, a repartição recursiva encontrará o melhor jeito de repartir A em duas sub-repartições:

1. Para cada variável preditora X_j:

a. Para cada valor s_j de X_j:

  i. Divida os registros em A com X_j valores < s_j como uma repartição, e os registros restantes em que $X_j \geq s_j$ como outra repartição.

  ii. Meça a homogeneidade de classes dentro de cada sub-repartição de A.

b. Selecione o valor de s_j que produz máxima homogeneidade de classes dentro da repartição.

2. Selecione a variável X_j e divida o valor s_j que produz máxima homogeneidade de classes dentro da repartição.

Agora vem a parte recursiva:

1. Inicialize A com o conjunto de dados completo.
2. Aplique o algoritmo de repartição para dividir A em duas sub-repartições, A_1 e A_2.
3. Repita o Passo 2 nas sub-repartições A_1 e A_2.
4. O algoritmo acaba quando nenhuma outra repartição puder ser feita a fim de melhorar suficientemente a homogeneidade das repartições.

O resultado final é uma repartição dos dados, como na Figura 6-4, exceto nas dimensões P, com cada repartição prevendo um resultado de 0 ou 1, dependendo do voto majoritário da resposta naquela repartição.

Além da previsão binária 0/1, os modelos de árvore podem produzir uma estimativa de probabilidade baseada no número de 0s e 1s na repartição. A estimativa é simplesmente a soma de 0s e 1s na repartição dividida pelo número de observações na repartição.

$$\text{Prob}(Y = 1) = \frac{\text{Number of 1s in the partition}}{\text{Size of the partition}}$$

A $\text{Prob}(Y = 1)$ estimada pode então ser convertida em uma decisão binária. Por exemplo, ajuste a estimativa para 1 se $\text{Prob}(Y = 1) > 0.5$.

Medindo Homogeneidade ou Impureza

Os modelos de árvore criam repartições recursivamente (conjuntos de registros), A, que preveem um resultado de $Y = 0$ ou $Y = 1$. Pode-se ver pelo algoritmo anterior que precisamos de um meio de medir a homogeneidade, também chamada de *pureza de classe*, dentro de uma repartição. Ou igualmente precisamos medir a impureza de uma repartição. A precisão das repartições é a proporção p dos registros classificados erroneamente dentro daquela repartição, o que varia de 0 (perfeita) a 0.5 (adivinhação aleatória pura).

Acontece que a precisão não é uma boa medida para impureza. Em vez disso, duas medidas comuns para impureza são *impureza de Gini* e *entropia* ou *informação*. Enquanto estas (e outras) medidas de impureza se aplicam a problemas de classificação com mais de duas classes, focamos o caso binário. A impureza de Gini para um conjunto de registros A é:

$$I(A) = p(1 - p)$$

A medida de entropia é dada por:

$$I(A) = -p \log_2 (p) - (1 - p) \log_2 (1 - p)$$

A Figura 6-5 mostra que as medidas de impureza de Gini (redimensionada) e entropia são semelhantes, com a entropia dando maiores pontuações de impureza para taxas de precisão alta e moderada.

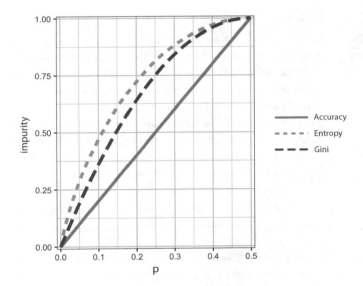

Figura 6-5. Medidas de impureza de Gini e entropia

Coeficiente de Gini

A impureza de Gini não deve ser confundida com o *coeficiente de Gini*. Eles representam conceitos semelhantes, mais o coeficiente de Gini é limitado ao problema de classificação binária e é relacionado à métrica AUC (veja "AUC", no Capítulo 5).

A métrica de impureza é usada no algoritmo de divisão descrito anteriormente. Para cada repartição de dados proposta, a impureza é medida para cada uma das repartições resultantes. Uma média ponderada é então calculada, e seja qual for a repartição (em qualquer estágio) que produzir, a média ponderada mais baixa será selecionada.

Fazendo a Árvore Parar de Crescer

Conforme a árvore cresce, as regras de divisão ficam mais detalhadas, e a árvore para de identificar regras "grandes" que identificam relacionamentos reais e confiáveis nos dados para identificar regras "pequenas" que refletem apenas ruídos. Uma árvore totalmente crescida resulta em folhas totalmente puras, e portanto 100% de precisão na classificação dos dados em que é treinada.

Essa precisão é, obviamente, ilusória — nós sobreajustamos (veja Compromisso Viés-Variância, antes, neste capítulo) os dados, ajustando os ruídos nos dados de treinamento, e não o sinal que queremos identificar nos novos dados.

Poda

Um método simples e intuitivo de reduzir o tamanho da árvore é *podando* os galhos terminais e menores da árvore, deixando-a menor. Até onde devemos fazer a poda? Uma técnica comum é podar a árvore até o ponto em que o erro e os dados de retenção sejam minimizados. Quando combinamos previsões de múltiplas árvores (veja "Bagging e a Floresta Aleatória", adiante, neste capítulo), no entanto, precisamos de um meio para não deixar a árvore crescer. A poda tem um papel no processo de validação cruzada para determinar até onde deve crescer uma árvore usada em métodos de agrupamento.

Precisamos de um jeito de determinar quando parar o crescimento de uma árvore em um estágio que se generalizará para novos. Existem dois jeitos comuns de parar a divisão:

- Evitar dividir uma repartição se a sub-repartição resultante for muito pequena ou se uma folha terminal for muito pequena. Em rpart, essas restrições são controladas separadamente pelos parâmetros minsplit e minbucket, respectivamente, com predefinições de 20 e 7.

- Não dividir uma repartição se a nova repartição não reduzir "significativamente" a impureza. Em rpart, isso é controlado pelo *parâmetro de complexidade* cp, que é uma medida de quão complexa é uma árvore — quanto mais complexa, maior o valor de cp. Na prática, o cp é usado para limitar o crescimento da árvore anexando uma penalidade para complexidades (divisões) adicionais em uma árvore.

O primeiro método envolve regras arbitrárias e pode ser útil em trabalhos exploratórios, mas não podemos determinar facilmente valores ótimos (ou seja, valores que maximizam a precisão preditiva com novos dados). Com o parâmetro de complexidade, `cp`, podemos estimar qual tamanho de árvore terá um melhor desempenho com os novos dados.

Se o `cp` for muito pequeno, então a árvore sobreajustará os dados, ajustando o ruído, e não o sinal. Por outro lado, se o `cp` for muito grande, então a árvore será muito pequena e terá pouco potencial preditivo. A predefinição em `rpart` é 0,01, apesar de que, para conjuntos de dados maiores, provavelmente veremos que isso é muito. No exemplo anterior, o `cp` estava ajustado em `0.005`, já que a predefinição levou a uma árvore com uma única divisão. Em análise exploratória, é suficiente simplesmente tentar algumas árvores.

Determinar o `cp` ótimo é um exemplo do compromisso viés-variância (veja "Compromisso Viés-Variância", antes, neste capítulo). O jeito mais comum de estimar um bom valor de `cp` é através da validação cruzada (veja "Validação Cruzada", adiante, neste capítulo):

1. Divida os dados em conjuntos de treinamento e validação (retenção).
2. Cresça a árvore com os dados de treinamento.
3. Pode-a sucessivamente, passo a passo, registrando o `cp` (usando os dados de *treinamento*) em cada passo.
4. Observe o `cp` que corresponde ao erro (perda) mínimo nos dados de *validação*.
5. Reparta os dados em treinamento e validação e repita o processo de crescimento, poda e registro de `cp`.
6. Faça isso repetidamente e tire a média dos `cp`s que refletem erro mínimo para cada árvore.
7. Volte aos dados originais, ou dados futuros, e faça uma árvore, parando no valor ótimo de `cp`.

No `rpart`, pode-se usar o argumento `cptable` para produzir uma tabela dos valores CP e seus erros de validação cruzada associados (`xerror` no R), a partir dos quais é possível determinar o valor CP que tem o menor erro de validação cruzada.

Prevendo um Valor Contínuo

A previsão de um valor contínuo (também chamado de *regressão*) com uma árvore segue também a mesma lógica e o mesmo procedimento, exceto pelo fato de a impureza ser medida pelos desvios quadráticos da média (erros quadráticos) em cada sub-repartição, e o desempenho preditivo ser julgado pela raiz quadrada do erro quadrado médio (RMSE) (veja "Avaliando o Modelo", no Capítulo 4) em cada repartição.

Como as Árvores São Usadas

Um dos grandes obstáculos enfrentados pelos modeladores preditivos nas organizações é a percebida natureza de "caixa-preta" dos métodos que eles usam, o que eleva a oposição de outros elementos da organização. Nesse aspecto, os modelos de árvore têm dois aspectos atraentes:

- Os modelos de árvore oferecem uma ferramenta visual para explorar os dados, para obter uma ideia de quais variáveis são importantes e como se relacionam umas com as outras. As árvores são capazes de capturar relacionamentos não lineares entre as variáveis preditoras.

- Os modelos de árvore oferecem um conjunto de regras que pode ser efetivamente comunicado a não especialistas, seja para implementação ou para "vender" um projeto de pesquisa de dados.

Quando se trata de previsão, no entanto, aproveitar os resultados de múltiplas árvores costuma ser mais potente do que simplesmente usar uma única árvore. Em especial, a floresta aleatória e os algoritmos de árvore boosted sempre oferecem maior precisão e desempenho preditivos (veja "Bagging e a Floresta Aleatória" e "Boosting", ambos adiante, neste capítulo), mas as vantagens anteriormente mencionadas de uma única árvore são perdidas.

Ideias-chave

- As árvores de decisão produzem um conjunto de regras para classificar ou prever um resultado.

- As regras correspondem à divisão sucessiva dos dados em sub-repartições.

- Cada repartição, ou divisão, se refere a um valor específico de uma variável preditora e divide os dados em registros em que aquele valor preditor está acima ou abaixo do valor dividido.

- Em cada estágio, o algoritmo de árvore escolhe a divisão que minimiza a impureza do resultado dentro de cada sub-repartição.

- Quando não puder haver mais nenhuma sub-repartição, a árvore estará totalmente crescida e cada nó terminal, ou folha, possuirá registros de uma única classe. Novos casos seguindo aquele caminho de regra (divisão) seriam atribuídos àquela classe.

- Uma árvore totalmente crescida sobreajusta os dados e deve ser podada de modo a capturar sinais, e não ruídos.

- Algoritmos de árvores múltiplas, como as florestas aleatórias e as árvores boosted, resultam melhor desempenho preditivo, mas perdem o poder comunicativo baseado em regras das árvores únicas.

Leitura Adicional

- Equipe de conteúdo da Analytics Vidhya, "A Complete Tutorial on Tree Based Modeling from Scratch (in R & Python)" (Um Tutorial Completo Desde o Início sobre Modelagem Baseada em Árvores [em R e Python], em tradução livre), 12 de abril de 2016, disponível em https://www.analyticsvidhya.com/blog/2016/04/complete-tutorial-tree-based-modeling-scratch-in-python/ (conteúdo em inglês).
- Terry M. Therneau, Elizabeth J. Atkinson e a Mayo Foundation, "An Introduction to Recursive Partitioning Using the RPART Routines" (Uma Introdução à Segmentação Recursiva Usando as Rotinas RPART, em tradução livre), 29 de junho de 2015, disponível em https://cran.r-project.org/web/packages/rpart/vignettes/longintro.pdf (conteúdo em inglês).

Bagging e a Floresta Aleatória

Em 1907, o estatístico Sir Francis Galton estava visitando uma feira popular na Inglaterra, onde estava havendo uma competição para adivinhar o peso limpo de um touro que estava em exibição. Havia 800 palpites, e enquanto os palpites variavam muito individualmente, tanto a média quanto a mediana estavam dentro de 1% do peso real do touro. James Suroweicki explorou esse fenômeno em seu livro *The Wisdom of Crowds* (Doubleday, 2004, sem edição em português). Esse princípio também se aplica em modelos preditivos: tirar a média (ou tomar votos majoritários) de múltiplos modelos — um *agrupamento* de modelos — acaba sendo mais preciso do que simplesmente escolher um modelo.

Termos-chave para Bagging e a Floresta Aleatória

Agrupamento
Formar uma previsão usando uma coletânea de modelos.
Sinônimo
média de modelos

Bagging
Uma técnica geral para formar uma coleção de modelos através de bootstrapping dos dados.
Sinônimo
agregação por bootstrap

Floresta aleatória
Um tipo de estimativa bagged baseada em modelos de árvore de decisão.
Sinônimo
árvores de decisão bagged

> **Importância de variável**
> Uma medida da importância de uma variável preditora no desempenho do modelo.

A abordagem de agrupamento tem sido aplicada em, e através de, muitos métodos de modelagem diferentes, mais publicamente no Concurso Netflix, no qual a Netflix ofereceu um prêmio de US$1 milhão para qualquer concorrente que desenvolvesse um modelo que trouxesse uma melhora de 10% na taxa de previsão da nota que um consumidor da Netflix daria a um filme. A versão simples de agrupamentos é a seguinte:

1. Desenvolver um modelo preditivo e registrar as previsões de determinado conjunto de dados.
2. Repetir em múltiplos modelos, nos mesmos dados.
3. Para cada registro a ser previsto, tirar uma média (ou uma média ponderada, ou um voto majoritário) das previsões.

Os métodos de agrupamento têm sido aplicados mais sistemática e efetivamente em árvores de decisão. Os modelos de árvore de agrupamento são tão potentes que oferecem um meio de construir bons modelos preditivos com esforço relativamente pequeno.

Indo além do algoritmo de agrupamento simples, existem duas variantes principais nos modelos de agrupamento: *bagging* e *boosting*. Os modelos de árvore de agrupamento são chamados de modelos de *floresta aleatória* e modelos de *árvore boosted*. Esta seção se concentra em bagging, e o boosting é descrito em "Boosting", adiante, neste capítulo.

Bagging

Bagging, que significa "bootstrap agregador", foi apresentado por Leo Breiman em 1994. Suponha que temos uma resposta Y e P variáveis preditoras $= X_1, X_2, \ldots, X_P$ com n registros.

Bagging é como o algoritmo básico de agrupamentos, exceto pelo fato de que, em vez de ajustar diversos modelos aos mesmos dados, cada modelo é ajustado a uma reamostra bootstrap. Aqui está o algoritmo apresentado mais formalmente:

1. Inicialize M, o número de modelos a serem ajustados, e n, o número de registros a escolher $(n < N)$. Ajuste a iteração $m = 1$.
2. Tire uma reamostra bootstrap (ou seja, com reposição) de n registros dos dados de treinamento para formar uma subamostra Y_m a $\mathbf{X}_m$ (a bag).
3. Treine um modelo usando Y_m e $\mathbf{X}_m$ para criar um conjunto de regras de decisão $\hat{f}_m(\mathbf{X})$.

4. Incremente o contador do modelo $m = m + 1$. Se $m <= M$, volte ao Passo 1.

No caso em que $\hat{f}_m$ prevê a probabilidade $Y = 1$, a estimativa bagged é dada por:

$$\hat{f} = \frac{1}{M}\left(\hat{f}_1(\mathbf{X}) + \hat{f}_2(\mathbf{X}) + ... \hat{f}_M(\mathbf{X})\right)$$

Floresta Aleatória

A *floresta aleatória* se baseia na aplicação de bagging em árvores de decisão, com uma importante extensão: além de amostrar os registros, o algoritmo também amostra as variáveis.[3] Nas árvores de decisão tradicionais, para determinar como criar uma sub-repartição de uma repartição A, o algoritmo escolhe uma variável e um ponto de divisão através da minimização de um critério como a impureza de Gini (veja "Medindo Homogeneidade ou Impureza", antes, neste capítulo). Com as florestas aleatórias, em cada estágio do algoritmo, a escolha de uma variável é limitada a um *subconjunto aleatório de variáveis*. Comparado com o algoritmo de árvore básico (veja "O Algoritmo Recursivo de Repartição", antes, neste capítulo), o algoritmo de floresta aleatória básico adiciona mais dois passos: o bagging, discutido anteriormente (veja "Bagging e a Floresta Aleatória", antes, neste capítulo), e a amostragem bootstrap das variáveis em cada divisão:

1. Tire uma subamostra bootstrap (com reposição) dos *registros*.

2. Para a primeira divisão, amostre $p < P$ *variáveis* aleatoriamente sem reposição.

3. Para cada uma das variáveis amostradas $X_{j(1)}$, $X_{j(2)}$, ..., $X_{j(p)}$, aplique o algoritmo de divisão:

   a. Para cada valor $s_{j(k)}$ de $X_{j(k)}$:

      i. Divida os registros na repartição A com $X_{j(k)} < s_{j(k)}$ como uma repartição, e os registros restantes em que $X_{j(k)} \geq s_{j(k)}$ como outra repartição.

      ii. Meça a homogeneidade de classes dentro de cada sub-repartição de A.

   b. Selecione o valor de $s_{j(k)}$ que produza máxima homogeneidade de classes dentro da repartição.

4. Selecione a variável $X_{j(k)}$ e o valor de divisão $s_{j(k)}$ que produzam máxima homogeneidade de classes dentro da repartição.

5. Prossiga à próxima divisão e repita os passos anteriores, começando com o Passo 2.

---

3 O termo *floresta aleatória* é marca registrada de Leo Breiman e Adele Cutler e licenciado para a Salford Systems. Não existe um nome-padrão livre de registro, e o termo floresta aleatória é sinônimo do algoritmo, da mesma forma que Maizena é de amido de milho.

6. Continue com divisões adicionais seguindo o mesmo procedimento até que a árvore tenha crescido.

7. Volte ao Passo 1, tire outra subamostra bootstrap, e recomece todo o processo.

Quantas variáveis amostrar em cada passo? Uma regra de ouro é escolher $\sqrt{9}$, em que P é o número de variáveis preditoras. O pacote randomForest implementa a floresta aleatória em R. O código a seguir aplica esse pacote nos dados de empréstimo (veja uma descrição dos dados em "K-Vizinhos Mais Próximos", antes, neste capítulo).

```
> library(randomForest)
> rf <- randomForest(outcome ~ borrower_score + payment_inc_ratio,
                      data=loan3000)
Call:
 randomForest(formula = outcome ~ borrower_score + payment_inc_ratio,
              data = loan3000)
               Type of random forest: classification
                     Number of trees: 500
No. of variables tried at each split: 1

        OOB estimate of  error rate: 38.53%
Confusion matrix:
          paid off default class.error
paid off      1089     425   0.2807133
default        731     755   0.4919246
```

Por predefinição, 500 árvores são treinadas. Já que existem apenas duas variáveis no conjunto preditor, o algoritmo seleciona aleatoriamente a variável em que haverá a divisão em cada estágio (ou seja, uma subamostra bootstrap de tamanho 1).

A estimativa de erro *out-of-bag* (*OOB*) é a taxa de erro para os modelos treinados, aplicada nos dados não incluídos no conjunto de treinamento daquela árvore. Usando o resultado do modelo, o erro OOB pode ser plotado versus o número de árvores na floresta aleatória:

```
error_df = data.frame(error_rate = rf$err.rate[,'OOB'],
                      num_trees = 1:rf$ntree)
ggplot(error_df, aes(x=num_trees, y=error_rate)) +
  geom_line()
```

O resultado aparece na Figura 6-6. A taxa de erro diminui rapidamente em mais de .44 antes de se estabilizar em cerca de .385. Os valores previstos podem ser obtidos da função predict e plotados da seguinte forma:

```
pred <- predict(loan_lda)
rf_df <- cbind(loan3000, pred_default=pred[,'default']>.5)
ggplot(data=rf_df, aes(x=borrower_score, y=payment_inc_ratio,
                       color=pred_default, shape=pred_default)) +
  geom_point(alpha=.6, size=2) +
  scale_shape_manual( values=c( 46, 4))
```

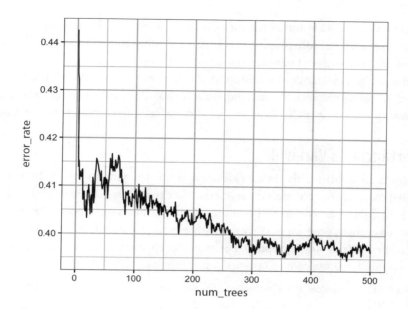

Figura 6-6. A melhora em precisão da floresta aleatória com a adição de mais árvores

O gráfico mostrado na Figura 6-7 revela muito sobre a natureza da floresta aleatória.

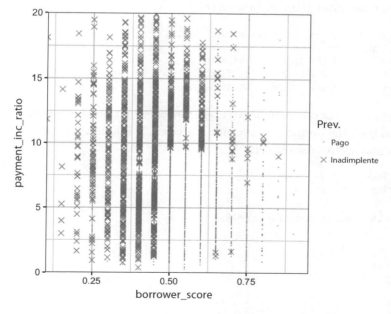

Figura 6-7. Os resultados previstos da floresta aleatória aplicados nos dados de empréstimos inadimplentes

O método da floresta aleatória é um método de "caixa-preta". Ele produz previsões mais precisas do que uma árvore simples, mas as regras de decisão intuitivas da árvore simples são perdidas. As previsões também são um tanto ruidosas: note que alguns tomadores com notas muito altas, indicando alto crédito, ainda ficam em previsão de inadimplência. Esse é o resultado de alguns registros incomuns nos dados e demonstra o perigo de sobreajuste da floresta aleatória (veja Compromisso de Viés de Variância, antes, neste capítulo).

Importância da Variável

A potência do algoritmo de floresta aleatória se mostra quando construímos modelos preditivos para dados com muitas características e registros. Ela tem a habilidade de determinar automaticamente quais preditoras são importantes e descobrir relacionamentos complexos entre as preditoras, correspondentes a termos de interação (veja "Interações e Efeitos Principais", no Capítulo 4). Por exemplo, ajustar um modelo aos dados de empréstimo inadimplente com todas as colunas inclusas:

```
> rf_all <- randomForest(outcome ~ ., data=loan_data, importance=TRUE)
> rf_all

Call:
 randomForest(formula = outcome ~ ., data = loan_data, importance = TRUE)
               Type of random forest: classification
                     Number of trees: 500
No. of variables tried at each split: 3

        OOB estimate of  error rate: 34.38%
Confusion matrix:
          paid off default class.error
paid off     15078    8058   0.3482884
default       7849   15287   0.3392548
```

O argumento `importance=TRUE` exige que `randomForest` armazene informações adicionais sobre a importância de diferentes variáveis. A função `varImpPlot` vai plotar o desempenho relativo das variáveis:

```
varImpPlot(rf_all, type=1)
varImpPlot(rf_all, type=2)
```

O resultado é mostrado na Figura 6-8.

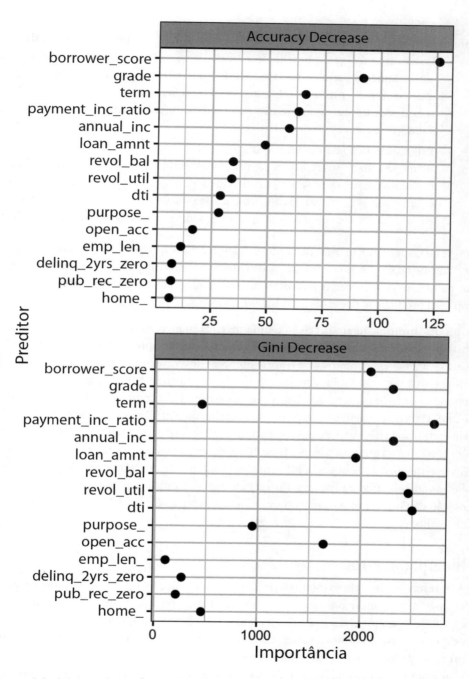

Figura 6-8. A importância das variáveis para o modelo completo ajustado aos dados de empréstimo

Existem dois jeitos de medir a importância da variável:

- Pela diminuição em precisão do modelo, se os valores de uma variável forem aleatoriamente permutados (`type=1`). Permutar aleatoriamente os valores tem o efeito de remover toda a potência preditiva daquela variável. A precisão é calculada dos dados out-of-bag (então essa medida é efetivamente uma estimativa de validação cruzada).

- Pela diminuição da média na pontuação de impureza de Gini (veja "Medindo Homogeneidade ou Impureza", antes, neste capítulo) para todos os nós que foram divididos em uma variável (`type=2`). Isso mede o quanto aquela variável contribui com a melhora da pureza dos nós. Essa medida se baseia no conjunto de treinamento, e portanto é menos confiável do que uma medida calculada em dados out-of-bag.

Os painéis superior e inferior da Figura 6-8 mostram a importância da variável conforme a diminuição de precisão e impureza de Gini, respectivamente. As variáveis em ambos os painéis são classificadas pela diminuição em precisão. As notas de importância de variável produzidas por essas duas medidas são muito diferentes.

Como a diminuição em precisão é uma métrica mais confiável, por que deveríamos usar a medida de diminuição em impureza de Gini? Por predefinição, `randomForest` calcula apenas essa impureza de Gini: a impureza de Gini é um subproduto do algoritmo, enquanto a precisão do modelo por variável exige cálculos extras (permutar aleatoriamente os dados e prever esses dados). Em casos em que a complexidade computacional é importante, como em um ajuste de produção no qual milhares de modelos estão sendo ajustados, pode não valer a pena o esforço computacional extra. Além disso, a diminuição em Gini mostra quais variáveis a floresta aleatória está usando para fazer suas regras de divisão (lembre-se de que essa informação, prontamente visível em uma árvore simples, é efetivamente perdida em uma floresta aleatória). Examinar a diferença entre a diminuição de Gini e a importância da variável na precisão do modelo pode sugerir meios de melhorar o modelo.

Hiperparâmetros

A floresta aleatória, como muitos algoritmos de aprendizado de máquina estatístico, pode ser considerada um algoritmo de caixa-preta com manivelas para ajustar o funcionamento da caixa. Essas manivelas são chamadas de *hiperparâmetros*, que são parâmetros que devem ser ajustados antes de ajustar um modelo. Eles não são otimizados como parte do processo de treinamento. Enquanto os modelos estatísticos tradicionais exigem escolhas (por exemplo, a escolha dos preditores a serem usados em um modelo de regressão), os hiperparâmetros para floresta aleatória são mais críticos, especialmente para evitar sobreajuste. Os dois hiperparâmetros mais importantes para a floresta aleatória são:

242 | Capítulo 6: Aprendizado de Máquina Estatístico

`nodesize`
> O tamanho mínimo para os nós terminais (folhas na árvore). O padrão é 1 para classificação e 5 para regressão.

`maxnodes`
> O número máximo de nós em cada árvore de decisão. Não existe um limite-padrão, e árvores maiores serão ajustadas conforme as restrições de `nodesize`.

Pode ser tentador ignorar esses parâmetros e simplesmente seguir com os valores-padrão. No entanto, usar o padrão pode levar a sobreajustes ao aplicar a floresta aleatória em dados ruidosos. Quando aumentamos `nodesize` ou definimos `maxnodes`, o algoritmo ajusta árvores menores e é menos provável que crie regras preditivas falsas. Pode-se usar a validação cruzada (veja "Validação Cruzada", no Capítulo 4) para testar os efeitos do ajuste de diferentes valores em hiperparâmetros.

Ideias-chave para Bagging e a Floresta Aleatória

- Modelos de agrupamento aumentam a precisão do modelo através da combinação de resultados de muitos modelos.

- Bagging é um tipo especial de modelo de agrupamento baseado no ajuste de muitos modelos para amostras bootstrapped dos dados e tirando a média dos modelos.

- A floresta aleatória é um tipo especial de bagging aplicado em árvores de decisão. Além da reamostragem dos dados, o algoritmo de floresta aleatória amostra as variáveis preditoras ao dividir as árvores.

- Um resultado útil da floresta aleatória é uma medida de importância de variável que classifica as preditoras em termos de sua contribuição para a precisão do modelo.

- A floresta aleatória tem um conjunto de hiperparâmetros que devem ser ajustados usando validação cruzada para evitar o sobreajuste.

Boosting

Os modelos agrupados se tornaram uma ferramenta-padrão para a modelagem preditiva. O *boosting* é uma técnica geral para criar um agrupamento de modelos. Foi desenvolvido na mesma época que o *bagging* (veja "Bagging e a Floresta Aleatória", antes, neste capítulo). Como o bagging, o boosting é mais usado com as árvores de decisão. Apesar de suas similaridades, o boosting assume uma abordagem muito diferente — uma com muito mais parafernálias. Como resultado, enquanto o bagging pode ser feito com relativamente pouco ajuste, o boosting exige muito mais cuidado em sua aplicação. Se esses dois métodos fossem carros, o bagging poderia ser considerado um Honda Accord (confiável e estável), enquanto o boosting poderia ser considerado um Porsche (potente, mas que exige mais cuidado).

Em modelos de regressão linear, os resíduos costumam ser examinados para ver se o ajuste pode ser melhorado (veja "Gráficos Residuais Parciais e Não Linearidade", no Capítulo 4). O boosting leva esse conceito muito além e ajusta uma série de modelos com cada modelo sucessivo ajustado para minimizar o erro dos anteriores. Algumas variantes do algoritmo costumam ser usadas: *Adaboost, boosting gradiente* e *boosting gradiente estocástico*. O último, boosting gradiente estocástico, é o mais geral e amplamente usado. É óbvio que, com a escolha correta de parâmetros, o algoritmo pode emular a floresta aleatória.

Termos-chave para Boosting

Agrupar
Formar uma previsão através do uso de uma coleção de modelos.

Sinônimo
cálculo da média do modelo

Boosting
Uma técnica geral para ajustar uma sequência de modelos através da aplicação de mais peso em registros com grandes resíduos para cada rodada sucessiva.

Adaboost
Uma versão anterior do boosting baseada em reponderação dos dados com base nos resíduos.

Boosting gradiente
Uma forma mais geral de boosting moldada em termos de minimizar uma função de custo.

Boosting gradiente estocástico
O algoritmo mais geral para boosting que incorpora a reamostragem de registros e colunas em cada rodada.

Regularização
Uma técnica para evitar o sobreajuste através da adição de um termo de penalidade para a função de custo no número de parâmetros no modelo.

Hiperparâmetros
Os parâmetros que precisam ser ajustados antes de ajustar o algoritmo.

O Algoritmo de Boosting

A ideia básica por trás dos diversos algoritmos de boosting é essencialmente a mesma. O mais fácil de entender é o Adaboost, cujo procedimento é o seguinte:

1. Inicialize M, o número máximo de modelos a serem ajustados, e ajuste o contador de iterações $m = 1$. Inicialize os pesos de observação $w_i = 1/N$ para $i = 1, 2, ..., N$. Inicialize o modelo de agrupamento $\hat{F}_0 = 0$.

2. Treine um modelo usando $\hat{f}_m$ utilizando os pesos de observação $w_1, w_2, ..., w_N$, que minimiza o erro ponderado e_m definido pela soma dos pesos para as observações classificadas erroneamente.

3. Adicione o modelo ao grupo: $\hat{F}_m = \hat{F}_{m-1} + \alpha_m \hat{f}_m$, onde $\alpha_m = \dfrac{\log 1 - e_m}{e_m}$.

4. Atualize os pesos $w_1, w_2, ..., w_N$ de forma que os pesos sejam aumentados para as observações que eram mal classificadas. O tamanho do aumento depende de α_m com valores maiores de α_m levando a maiores pesos.

5. Incremente o contador de modelo $m = m + 1$. Se $m \leq M$, volte ao Passo 1.

A estimativa boosted é dada por:

$$\hat{F} = \alpha_1 \hat{f}_1 + \alpha_2 \hat{f}_2 + ... + \alpha_M \hat{f}_M$$

Ao aumentar os pesos para as observações mal classificadas, o algoritmo força os modelos a treinarem mais pesadamente nos dados em que teve um mal desempenho. O fator α_m garante que os modelos com menor erro tenham maior peso.

O boosting gradiente é semelhante ao Adaboost, mas molda o problema como uma otimização de uma função de custo. Em vez de ajustar os pesos, o boosting gradiente ajusta modelos a um *pseudorresíduo*, que tem o efeito de treinar mais pesadamente em resíduos maiores. No âmbito da floresta aleatória, o boosting gradiente estocástico inclui aleatoriedade ao algoritmo através da amostragem de observações e variáveis preditoras em cada estágio.

XGBoost

O software de domínio público mais usado para boosting é o XGBoost, uma implementação do boosting gradiente estocástico originalmente desenvolvido por Tianqi Chen e Carlos Guestrin na Universidade de Washington. Uma implementação computacionalmente eficiente com muitas opções está disponível como um pacote para as principais linguagens de software de ciência de dados. Em R, o XGBoost está disponível como o pacote xgboost.

A função xgboost tem muitos parâmetros que podem, e devem, ser ajustados (veja "Hiperparâmetros e Validação Cruzada", adiante, neste capítulo). Dois parâmetros muito importantes são subsample, que controla a fração de observações que devem ser amostradas em cada iteração, e eta, um fator de encolhimento aplicado em am no algoritmo de boosting (veja "O Algoritmo de Boosting", antes, neste capítulo). Usar subsample faz o boosting agir como a floresta aleatória, exceto pelo fato de a amostragem ser feita sem reposição. O parâmetro de encolhimento eta é útil para prevenir o sobreajuste através da redução da mudança de pesos (uma mudança menor nos pesos significa que o algoritmo é menos propenso a sobreajustar o conjunto de treinamento). O código a seguir aplica o xgboost nos dados de empréstimo com apenas duas variáveis preditoras:

```
library(xgboost)
predictors <- data.matrix(loan3000[, c('borrower_score',
                                        'payment_inc_ratio')])
label <- as.numeric(loan3000[,'outcome'])-1
xgb <- xgboost(data=predictors, label=label,
               objective = "binary:logistic",
               params=list(subsample=.63, eta=0.1), nrounds=100)
```

Observe que xgboost não suporta uma sintaxe de fórmula, então os preditores precisam ser convertidos em uma data.matrix, e a resposta precisa ser convertida em variáveis 0/1. O argumento objective diz ao xgboost qual é o tipo do problema. Baseado nisso, o xgboost escolherá uma métrica para otimizar.

Os valores previstos podem ser obtidos através da função predict e, como há apenas duas variáveis, plotados contra os preditores:

```
pred <- predict(xgb, newdata=predictors)
xgb_df <- cbind(loan3000, pred_default=pred>.5, prob_default=pred)
ggplot(data=xgb_df, aes(x=borrower_score, y=payment_inc_ratio,
                        color=pred_default, shape=pred_default)) +
       geom_point(alpha=.6, size=2)
```

O resultado está na Figura 6-9. Qualitativamente, isso é semelhante às previsões da floresta aleatória; veja a Figura 6-7. As previsões são um tanto ruidosas, de modo que alguns tomadores com uma nota de tomador muito alta ainda ficam na previsão de inadimplência.

246 | Capítulo 6: Aprendizado de Máquina Estatístico

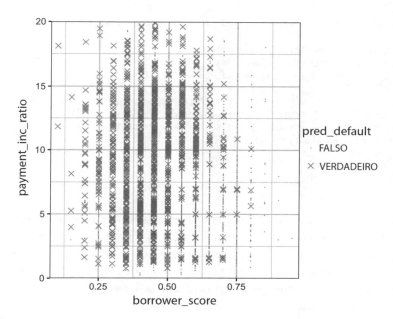

Figura 6-9. Os resultados previstos de XGBoost aplicados nos dados de empréstimo inadimplente

Regularização: Evitando Sobreajuste

A aplicação cega do xgboost pode levar a modelos instáveis como resultado de *sobreajuste* nos dados de treinamento. O problema com o sobreajuste é duplo:

- A precisão do modelo nos novos dados que não estão no conjunto de treinamento será degradada.
- As previsões do modelo são altamente variáveis, levando a resultados instáveis.

Qualquer técnica de modelagem é potencialmente inclinada ao sobreajuste. Por exemplo, se forem incluídas muitas variáveis em uma equação de regressão, o modelo pode acabar tendo previsões falsas. No entanto, para a maioria das técnicas estatísticas, o sobreajuste pode ser evitado através da seleção criteriosa das variáveis preditoras. Até mesmo a floresta aleatória costuma produzir um modelo razoável sem ajustar os parâmetros. Esse, no entanto, não é o caso do xgboost. Ajuste xgboost aos dados de empréstimo para um conjunto de dados com todas as variáveis inclusas no modelo:

```
> predictors <- data.matrix(loan_data[,-which(names(loan_data) %in%
                                               'outcome')])
> label <- as.numeric(loan_data$outcome)-1
> test_idx <- sample(nrow(loan_data), 10000)
> xgb_default <- xgboost(data=predictors[-test_idx,],
                         label=label[-test_idx],
                         objective = "binary:logistic", nrounds=250)
> pred_default <- predict(xgb_default, predictors[test_idx,])
> error_default <- abs(label[test_idx] - pred_default) > 0.5
> xgb_default$evaluation_log[250,]
   iter train_error
1:  250    0.145622
> mean(error_default)
[1] 0.3715
```

O conjunto de teste é composto por 10 mil registros aleatoriamente amostrados dos dados completos, e o conjunto de treinamento é composto pelos registros restantes. O boosting leva a uma taxa de erro de apenas 14,6% para o conjunto de treinamento. O conjunto de teste, no entanto, tem uma taxa de erro muito maior, de 36,2%. Isso é resultado de sobreajuste: o boosting pode explicar muito bem a variabilidade no conjunto de treinamento, mas as regras de previsão não se aplicam aos novos dados.

O boosting oferece diversos parâmetros para evitar o sobreajuste, incluindo os parâmetros eta e subsample (veja "XGBoost", antes, neste capítulo). Outra abordagem é a *regularização*, uma técnica que modifica a função de custo a fim de *penalizar* a complexidade do modelo. As árvores de decisão são ajustadas através da minimização dos critérios de custo como a nota de impureza de Gini (veja "Medindo Homogeneidade ou Impureza", antes, neste capítulo). Em xgboost é possível modificar a função de custo através da adição de um termo que mede a complexidade do modelo.

Existem dois parâmetros em xgboost para regularizar o modelo: alpha e lambda, que correspondem à distância de Manhattan e à distância Euclidiana quadrada, respectivamente (veja "Métricas de Distância", antes, neste capítulo). O aumento desses parâmetros penalizará modelos mais complexos e reduzirá o tamanho das árvores que estão ajustadas. Por exemplo, veja o que acontece se ajustarmos lambda em 1.000:

```
> xgb_penalty <- xgboost(data=predictors[-test_idx,],
                         label=label[-test_idx],
                         params=list(eta=.1, subsample=.63, lambda=1000),
                         objective = "binary:logistic", nrounds=250)
> pred_penalty <- predict(xgb_penalty, predictors[test_idx,])
> error_penalty <- abs(label[test_idx] - pred_penalty) > 0.5
> xgb_penalty$evaluation_log[250,]
   iter train_error
1:  250    0.332405
> mean(error_penalty)
[1] 0.3483
```

Agora, o erro de treinamento é apenas ligeiramente menor do que o erro no conjunto de teste.

O método `predict` oferece um argumento conveniente, `ntreelimit`, que força apenas as primeiras *i* árvores a serem usadas na previsão. Isso nos permite comparar diretamente as taxas de erro na amostra e fora da amostra conforme mais modelos são incluídos:

```
> error_default <- rep(0, 250)
> error_penalty <- rep(0, 250)
> for(i in 1:250){
    pred_def <- predict(xgb_default, predictors[test_idx,], ntreelimit=i)
    error_default[i] <- mean(abs(label[test_idx] - pred_def) >= 0.5)
    pred_pen <- predict(xgb_penalty, predictors[test_idx,], ntreelimit = i)
    error_penalty[i] <- mean(abs(label[test_idx] - pred_pen) >= 0.5)
}
```

O resultado do modelo retorna o erro do conjunto de treinamento no componente `xgb_default$evaluation_log`. Ao combinar isso com os erros fora da amostra, podemos plotar os erros contra o número de iterações:

```
> errors <- rbind(xgb_default$evaluation_log,
                  xgb_penalty$evaluation_log,
                  data.frame(iter=1:250, train_error=error_default),
                  data.frame(iter=1:250, train_error=error_penalty))
> errors$type <- rep(c('default train', 'penalty train',
                       'default test', 'penalty test'), rep(250, 4))
> ggplot(errors, aes(x=iter, y=train_error, group=type)) +
    geom_line(aes(linetype=type, color=type))
```

O resultado, que aparece na Figura 6-10, mostra como o modelo-padrão melhora consideravelmente a precisão do conjunto de treinamento, mas, na verdade, piora no conjunto de teste. O modelo penalizado não mostra esse comportamento.

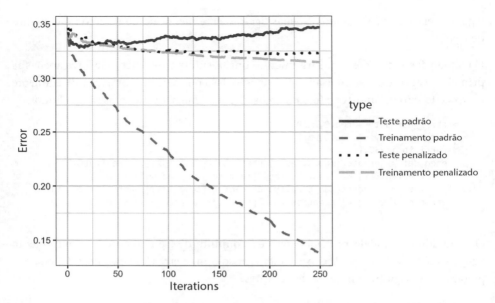

Figura 6-10. A taxa de erro do XGBoost padrão contra a versão penalizada de XGBoost

> ### Regressão Ridge e a Lasso
>
> A adição de uma penalidade à complexidade de um modelo para ajudar a evitar o sobreajuste tem origem nos anos 1970. A regressão de mínimos quadrados minimiza a soma residual dos quadrados (RSS) (veja "Mínimos Quadrados", no Capítulo 4. A *regressão ridge* minimiza a soma dos resíduos quadrados mais uma penalidade no tamanho e no número dos coeficientes:
>
> $$\sum_{i=1}^{n}\left(Y_i - \hat{b}_0 - \hat{b}_1 X_i - \ldots \hat{b} X_p\right)^2 + \lambda\left(\hat{b}_1^2 + \ldots + \hat{b}_p^2\right)$$
>
> O valor de λ determina o quanto os coeficientes são penalizados. Valores maiores produzem modelos que são menos propensos a sobreajustar os dados. A *Lasso* é semelhante, exceto por usar a distância de Manhattan, em vez da distância Euclidiana, como termo de penalidade:
>
> $$\sum_{i=1}^{n}\left(Y_i - \hat{b}_0 - \hat{b}_1 X_i - \ldots \hat{b} X_p\right)^2 + \alpha\left(|\hat{b}_1| + \ldots + |\hat{b}_p|\right)$$
>
> Os parâmetros `xgboost`, lambda e alpha estão agindo de forma semelhante.

Hiperparâmetros e Validação Cruzada

O `xgboost` tem um conjunto assustador de hiperparâmetros. Veja informações sobre isso em "Hiperparâmetros de XGBoost", a seguir, neste capítulo. Conforme visto em "Regularização: Evitando Sobreajuste", antes, neste capítulo, a escolha específica pode mudar drasticamente o ajuste do modelo. Dada uma grande combinação de hiperparâmetros entre os quais escolher, como podemos ser guiados na escolha? Uma solução padrão para esse problema é usar a *validação cruzada* (veja "Validação Cruzada", no Capítulo 4). A validação cruzada divide os dados aleatoriamente em K grupos diferentes, também chamados de *dobras*. Para cada dobra, um modelo é treinado nos dados fora da dobra e então avaliado ali. Isso gera uma medida de precisão de modelo em dados fora da amostra. O melhor conjunto de hiperparâmetros é aquele dado pelo modelo com o menor erro global conforme calculado pela média dos erros de cada uma das dobras.

Para ilustrar a técnica, a aplicamos à seleção de parâmetros para `xgboost`. Neste exemplo, exploramos dois parâmetros: o parâmetro de encolhimento `eta` (veja "XGBoost", antes, neste capítulo) e a profundidade máxima das árvores `max_depth`. O parâmetro `max_depth` é a profundidade máxima de um nó de folha até a raiz da árvore com um valor padrão de 6. Isso nos fornece outro meio de controlar o sobreajuste: árvores profundas tendem a ser mais complexas e podem sobreajustar os dados. Primeiro definimos as dobras e a lista de parâmetros:

```
> N <- nrow(loan_data)
> fold_number <- sample(1:5, N, replace = TRUE)
> params <- data.frame(eta = rep(c(.1, .5, .9), 3),
                       max_depth = rep(c(3, 6, 12), rep(3,3)))
```

Agora aplicamos o algoritmo anterior para calcular o erro de cada modelo e cada dobra usando cinco dobras:

```
> error <- matrix(0, nrow=9, ncol=5)
> for(i in 1:nrow(params)){
>   for(k in 1:5){
>     fold_idx <- (1:N)[fold_number == k]
>     xgb <- xgboost(data=predictors[-fold_idx,], label=label[-fold_idx],
                     params = list(eta = params[i, 'eta'],
                                   max_depth = params[i, 'max_depth']),
                     objective = "binary:logistic", nrounds=100, verbose=0)
>     pred <- predict(xgb, predictors[fold_idx,])
>     error[i, k] <- mean(abs(label[fold_idx] - pred) >= 0.5)
>   }
> }
```

Como estamos ajustando 45 modelos no total, isso pode demorar um pouco. Os erros são armazenados como uma matriz com os modelos nas linhas e as dobras nas colunas.

Usando a função `rowMeans`, podemos comparar a taxa de erro para os diferentes conjuntos de parâmetros:

```
> avg_error <- 100 * rowMeans(error)
> cbind(params, avg_error)
  eta max_depth avg_error

1 0.1         3     35.41
2 0.5         3     35.84
3 0.9         3     36.48
4 0.1         6     35.37
5 0.5         6     37.33
6 0.9         6     39.41
7 0.1        12     36.70
8 0.5        12     38.85
9 0.9        12     40.19
```

A validação cruzada sugere que o uso de árvores mais rasas com um menor valor de `eta` gera resultados mais precisos. Como esses modelos são também mais estáveis, os melhores parâmetros para uso são `eta=0.1` e `max_depth=3` (ou talvez `max_depth=6`).

Hiperparâmetros de XGBoost

Os hiperparâmetros de `xgboost` são usados principalmente para equilibrar o sobreajuste com precisão e complexidade computacional. Para informações completas sobre parâmetros, consulte a documentação xgboost, disponível em https://xgboost.readthedocs.io/en/latest/ (conteúdo em inglês).

`eta`

O fator de encolhimento entre 0 e 1 aplicado a α no algoritmo de boosting. O padrão é 0,3, mas, para dados ruidosos, recomenda-se valores menores (por exemplo, 0,1).

`nrounds`

O número de rodadas de boosting. Se `eta` for ajustado com um valor pequeno, é importante aumentar o número de rodadas, já que o algoritmo aprende mais lentamente. Contanto que alguns parâmetros sejam incluídos para evitar o sobreajuste, ter mais rodadas não atrapalha.

`max_depth`

A profundidade máxima da árvore (o padrão é 6). Ao contrário da floresta aleatória, que ajusta árvores muito profundas, o boosting costuma ajustar árvores rasas. Isso tem a vantagem de evitar interações falsas e complexas no modelo, as quais podem ser resultado de dados ruidosos.

`subsample` e `colsample_bytree`

A fração dos registros a amostrar sem reposição e a fração de preditoras a amostrar para uso no ajuste das árvores. Esses parâmetros, que são semelhantes àqueles das florestas aleatórias, ajudam a evitar o sobreajuste.

`lambda` e `alpha`

Os parâmetros de regularização para ajudar a controlar o sobreajuste (veja "Regularização: Evitando Sobreajuste", antes, neste capítulo).

Ideias-chave para Boosting

- O boosting é uma classe de modelos de agrupamento baseada no ajuste de uma sequência de modelos, com mais peso dado a registros com erros grandes e rodadas sucessivas.

- O boosting gradiente estocástico é o tipo mais geral de boosting e oferece o melhor desempenho. A forma mais comum de boosting gradiente estocástico usa modelos de árvore.

- O XGBoost é um pacote de software popular e computacionalmente eficiente para boosting gradiente estocástico; está disponível em todas as linguagens comumente usadas na ciência de dados.

- O boosting tende a sobreajustar os dados, e os hiperparâmetros precisam ser ajustados para evitar isso.

- A regularização é um jeito de evitar o sobreajuste através da inclusão de um termo de penalidade no número de parâmetros (por exemplo, tamanho da árvore) em um modelo.

- A validação cruzada é especialmente importante para o boosting devido ao grande número de hiperparâmetros que precisam ser ajustados.

Resumo

Este capítulo descreve duas classificações e métodos de previsão que "aprendem" flexível e localmente a partir dos dados, em vez de começar com um modelo estrutural (por exemplo, uma regressão linear) ajustado a todo o conjunto de dados. O K-Vizinhos Mais Próximos é um processo simples que procura registros semelhantes e atribui sua classe majoritária (ou valor médio) ao registro sendo previsto. Tentando diversos valores de corte (divisão) de variáveis preditoras, os modelos de árvore dividem iterativamente os dados em seções e subseções que são crescentemente homogêneas no que diz respeito à classe. Os valores de divisão mais eficientes formam um caminho, e também uma "regra", para uma classificação ou previsão. Os modelos de árvores são uma ferramenta preditiva muito potente e popular, geralmente superando outros métodos. Eles originaram diversos métodos de agrupamento (florestas aleatórias, boosting, bagging) que aprimoram o poder preditivo das árvores.

CAPÍTULO 7
Aprendizado Não Supervisionado

O termo *aprendizado não supervisionado* se refere a métodos estatísticos que extraem significado dos dados sem treinar um modelo em dados rotulados (dados em que um resultado de interesse é conhecido). Nos Capítulos 4 e 5, o objetivo é construir um modelo (conjunto de regras) para prever uma resposta de um conjunto de variáveis preditoras. O aprendizado não supervisionado também constrói um modelo dos dados, mas não distingue entre variável responsiva e variáveis preditoras.

O aprendizado não supervisionado pode ter diferentes objetivos possíveis. Em alguns casos, pode ser usado para criar uma regra preditiva, na ausência de uma resposta rotulada. Os métodos de *agrupamento* podem ser usados para identificar grupos de dados significativos. Por exemplo, usando os cliques da web e dados demográficos de usuários em um site, podemos ser capazes de agrupar diferentes tipos de usuários. O site poderia, então, ser personalizado para esses diferentes tipos.

Em outros casos, o objetivo pode ser *reduzir a dimensão* dos dados para um conjunto mais gerenciável de variáveis. Esse conjunto reduzido poderia, então, ser usado como entrada em um modelo preditivo, como regressão ou classificação. Por exemplo, podemos ter milhares de sensores para monitorar um processo industrial. Através da redução dos dados para um conjunto menor de características, podemos ser capazes de construir um modelo mais potente e interpretável para prever falhas no processo através da inclusão de linhas de dados de milhares de sensores.

Finalmente, o aprendizado não supervisionado pode ser visto como uma extensão da análise exploratória de dados (veja o Capítulo 1) em situações em que somos confrontados com um grande número de variáveis e registros. O objetivo é obter uma melhor percepção interna do conjunto de dados e de como as diferentes variáveis se relacionam umas com as outras. As técnicas não supervisionadas oferecem meios de filtrar e analisar essas variáveis e descobrir relacionamentos.

> ## Aprendizado Não Supervisionado e Previsão
>
> O aprendizado não supervisionado pode ter um papel importante na previsão para problemas de regressão e classificação. Em alguns casos, queremos prever uma categoria na ausência de qualquer dado rotulado. Por exemplo, podemos querer prever o tipo de vegetação em uma área de um conjunto de dados sensoriais de satélites. Como não temos uma variável responsiva para treinar o modelo, o agrupamento nos permite identificar padrões comuns e categorizar as regiões.
>
> O agrupamento é uma ferramenta especialmente importante para o "problema de partida a frio". Nesses tipos de problemas, como lançamento de uma nova campanha de marketing ou a identificação de potenciais novos tipos de fraude ou spam, podemos inicialmente não ter nenhuma resposta para treinar o modelo. Com o tempo, conforme os dados são coletados, podemos aprender mais sobre o sistema e construir um modelo preditivo tradicional. Mas o agrupamento nos ajuda a iniciar o processo de aprendizado mais rapidamente através da identificação de seguimentos populacionais.
>
> O aprendizado não supervisionado também é importante como um bloco de construção para técnicas de regressão e classificação. Com big data, se uma pequena subpopulação não for bem representada na população global, o modelo treinado pode não ter um bom desempenho naquela subpopulação. Com o agrupamento, é possível identificar e rotular subpopulações. Modelos separados podem então ser ajustados às diferentes subpopulações. Ou então a subpopulação pode ser representada com sua própria característica, forçando o modelo global a considerar explicitamente a identidade da subpopulação como uma preditora.

Análise dos Componentes Principais

Geralmente as variáveis variam em conjunto (covariam), e algumas variações em uma delas são, na verdade, duplicadas pela variação em outra. A análise de componentes principais (PCA) é uma técnica para descobrir o modo como as variáveis numéricas covariam.[1]

> ## Termos-chave para Análise de Componentes Principais
>
> *Componente principal*
> Uma combinação linear das variáveis preditoras.

---

1 Esta seção e as subsequentes deste capítulo têm © 2017 Datastats, LLC, Peter Bruce e Andrew Bruce, usado com autorização.

> **Cargas**
>   Os pesos que transformam as preditoras em componentes.
>   *Sinônimo*
>   pesos
> **Screeplot**
>   Um gráfico das variâncias dos componentes, mostrando a importância relativa dos componentes.

A ideia na PCA é combinar múltiplas variáveis preditoras numéricas em um conjunto menor de variáveis, que são combinações lineares ponderadas do conjunto original. O menor conjunto de variáveis, os *componentes principais*, "explica" a maior parte da variabilidade do conjunto completo de variáveis, reduzindo a dimensão dos dados. Os pesos usados para formar os componentes principais revelam as contribuições relativas das variáveis originais para os novos componentes principais.

A PCA foi originalmente proposta por Karl Pearson. No que foi possivelmente o primeiro artigo sobre aprendizado não supervisionado, Pearson reconheceu que em muitos problemas existe variabilidade nas variáveis preditoras; então, ele desenvolveu a PCA como uma técnica para modelar essa variabilidade. A PCA pode ser vista como a versão não supervisionada da análise discriminante linear (veja "Análise Discriminante", no Capítulo 5).

Um Exemplo Simples

Para duas variáveis, X_1 e X_2, existem dois componentes principais Z_i (i = 1 ou 2):

$$Z_i = w_{i,1}X_1 + w_{i,2}X_2$$

Os pesos ($w_{i,1}$, $w_{i,2}$) são conhecidos como as *cargas* dos componentes. Elas transformam as variáveis originais nos componentes principais. O primeiro componente principal, Z_1, é a combinação linear que melhor explica a variação total. O segundo componente principal, Z_2, explica a variação restante (também é a combinação linear com o pior ajuste).

Também é comum calcular os componentes principais nos desvios das médias das variáveis preditoras, em vez dos próprios valores.

Podemos calcular os componentes principais em R usando a função princomp. O código a seguir realiza uma PCA nos retornos de preços das ações para Chevron (CVX) e ExxonMobil (XOM):

```
oil_px <- sp500_px[, c('CVX', 'XOM')]
pca <- princomp(oil_px)
pca$loadings

Loadings:
    Comp.1 Comp.2
CVX -0.747  0.665
XOM -0.665 -0.747
```

Os pesos para CVX e XOM para o primeiro componente principal são −0.747 e −0.665, e para o segundo componente principal são 0.665 e −0.747. Como interpretar isso? O primeiro componente principal é basicamente uma média de CVX e XOM, refletindo a correlação entre as duas companhias de energia. O segundo componente principal mede quando os preços de ação de CVX e XOM divergem.

É instrutivo plotar os componentes principais com os dados:

```
loadings <- pca$loadings
ggplot(data=oil_px, aes(x=CVX, y=XOM)) +
  geom_point(alpha=.3) +
  stat_ellipse(type='norm', level=.99) +
  geom_abline(intercept = 0, slope = loadings[2,1]/loadings[1,1]) +
  geom_abline(intercept = 0, slope = loadings[2,2]/loadings[1,2])
```

O resultado está na Figura 7-1.

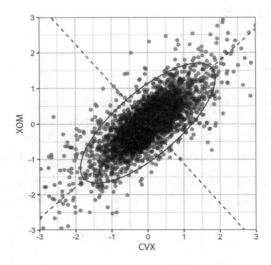

Figura 7-1. Os componentes principais para os retornos das ações para Chevron e ExxonMobil

As linhas pontilhadas sólidas mostram os dois componentes principais: o primeiro ao longo do eixo longo da elipse, e o segundo ao longo do eixo curto. Podemos ver que a maior parte da variabilidade nos dois retornos de ação é explicada pelo primeiro componente principal. Isso faz sentido, já que os preços das ações de energia tendem a se mover como um grupo.

Os dois pesos para o primeiro componente principal são negativos, mas reverter o sinal de todos os pesos não muda o componente principal. Por exemplo, usar pesos de 0.747 e 0.665 para o primeiro componente principal é equivalente aos pesos negativos, como uma linha infinita definida pela origem e 1,1 é igual ao definido pela origem e –1, –1.

Calculando os Componentes Principais

Passar de duas variáveis para mais variáveis é fácil. Para o primeiro componente, simplesmente inclua as variáveis preditoras adicionais na combinação linear, atribuindo pesos que otimizem a coleção da covariação de todas as variáveis preditoras nesse primeiro componente principal (*covariância* é o termo estatístico; veja "Matriz de Covariância", no Capítulo 5). O cálculo dos componentes principais é um método estatístico clássico, baseado na matriz de correlação dos dados ou na matriz de covariância, e é executado rapidamente, sem depender de iterações. Conforme observado anteriormente, funciona apenas com variáveis numéricas, não com categóricas. O processo completo pode ser descrito da seguinte forma:

1. Ao criar o primeiro componente principal, a PCA chega à combinação linear das variáveis preditoras que maximiza o percentual da variância total explicada.
2. Essa combinação linear se torna, então, a primeira "nova" preditora, Z_1.
3. A PCA repete esse processo, usando as mesmas variáveis, com diferentes pesos para criar uma segunda nova preditora, Z_2. A ponderação é feita de modo que Z_1 e Z_2 não sejam correlacionadas.
4. O processo continua até que tenhamos tantas novas variáveis, ou componentes, Z_i, quanto as variáveis originais X_i.
5. Opte por reter quantos componentes forem necessários para contabilizar a maior parte da variância.
6. O resultado até então é um conjunto de pesos para cada componente. O passo final é converter os dados originais em novas pontuações de componente principal através da aplicação de pesos nos valores originais. Essas novas pontuações podem então ser usadas como o conjunto reduzido de variáveis preditoras.

Interpretando os Componentes Principais

A natureza dos componentes principais geralmente revela informações sobre a estrutura dos dados. Existem algumas visualizações padrões para ajudar a obter conhecimento sobre os componentes principais. Um dos métodos para visualizar a importância relativa dos componentes principais é o *Screeplot* (o nome vem da semelhança com o gráfico com scree slope [encosta de cascalhos]). A seguir, temos um exemplo para algumas companhias superiores no S&P 500:

```
syms <- c( 'AAPL', 'MSFT', 'CSCO', 'INTC', 'CVX', 'XOM',
    'SLB', 'COP', 'JPM', 'WFC', 'USB', 'AXP', 'WMT', 'TGT', 'HD', 'COST')
top_sp <- sp500_px[row.names(sp500_px)>='2005-01-01', syms]
sp_pca <- princomp(top_sp)
screeplot(sp_pca)
```

Conforme vimos na Figura 7-2, a variância do primeiro componente principal é bastante grande (como costuma ser o caso), mas os outros componentes principais superiores são significativos.

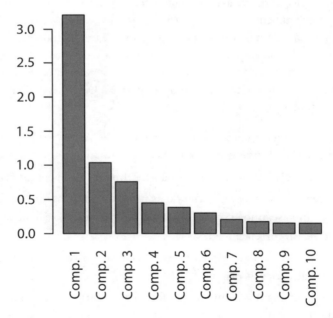

Figura 7-2. Um screeplot para uma PCA das principais ações do S&P 500

Pode ser muito revelador plotar os pesos dos primeiros componentes principais. Um jeito de fazer isso é usando a função `gather` do pacote `tidyr` juntamente ao `ggplot`:

```
library(tidyr)
loadings <- sp_pca$loadings[,1:5]
loadings$Symbol <- row.names(loadings)
loadings <- gather(loadings, "Component", "Weight", -Symbol)
ggplot(loadings, aes(x=Symbol, y=Weight)) +
  geom_bar(stat='identity') +
  facet_grid(Component ~ ., scales='free_y')
```

As cargas dos primeiros cinco componentes aparecem na Figura 7-3. As cargas do primeiro componente principal têm o mesmo sinal, e isso é normal em dados que todas as colunas têm um fator comum (nesse caso, a tendência geral do mercado de ações). O segundo componente captura as mudanças de preço das ações de energia comparadas com as outras ações. O terceiro componente é principalmente um contraste nos movimentos da Apple e da CostCo. O quarto componente contrasta os movimentos de Schlumberger com as outras ações de energia. Finalmente, o quinto componente é dominado principalmente por empresas financeiras.

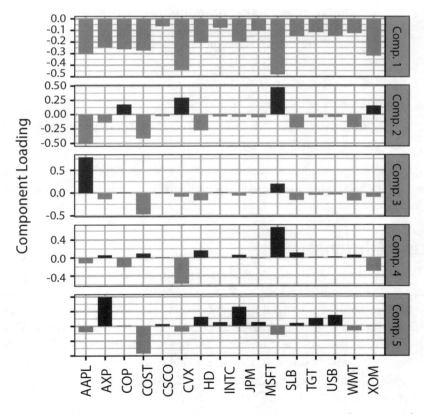

Figura 7-3. As cargas para os cinco primeiros componentes principais de retornos de preço de ações

Quantos Componentes Escolher?

Se o objetivo é reduzir a dimensão dos dados, é preciso decidir quantos componentes principais selecionar. A abordagem mais comum é usar uma regra ad hoc para selecionar os componentes que explicam "a maior parte" da variância. Podemos visualizar através do screeplot. Por exemplo, na Figura 7-2, seria natural restringir a análise aos cinco primeiros componentes. Alternativamente, poderíamos selecionar os primeiros componentes de modo que a variância cumulativa excedesse um limite, como de 80%. Além disso, podemos inspecionar as cargas para determinar se o componente tem uma interpretação intuitiva. A validação cruzada oferece um método mais formal para escolher o número de componentes significativos (veja mais em "Validação Cruzada", no Capítulo 4).

Ideias-chave para Componentes Principais

- Os componentes principais são combinações lineares de variáveis preditoras (apenas dados numéricos).
- São calculados de modo a minimizar a correlação entre os componentes, reduzindo a redundância.
- Um número limitado de componentes normalmente explicará a maior parte da variância na variável resultante.
- O conjunto limitado de componentes principais pode então ser usado no lugar das (mais numerosas) preditoras originais, reduzindo a dimensionalidade.

Leitura Adicional

Para uma visão detalhada do uso da validação cruzada em componentes principais, veja o artigo de Rasmus Bro, K. Kjeldahl, A. K. Smilde e Henk A. L. Kiers, "Cross-Validation of Component Models: A Critical Look at Current Methods" (Validação Cruzada de Modelos de Componentes: Uma Análise Crítica dos Métodos Atuais, em tradução livre), em *Analytical and Bioanalytical Chemistry,* 390, n. 5 (2008), disponível em https://www.researchgate.net/profile/Rasmus_Bro/publication/5638191_Cross-validation_of_component_models_A_critical_look_at_current_methods._Anal_Bioanal_Chem_5_1241-1251/links/0fcfd50151695a7792000000.pdf (conteúdo em inglês).

Agrupamento por K-Médias

O agrupamento é uma técnica para dividir os dados em diferentes grupos, na qual os registros em cada grupo são semelhantes uns aos outros. Um objetivo do agrupamento é identificar grupos de dados significantes e significativos. Os grupos podem ser usados diretamente, analisados mais a fundo ou passados como uma característica ou resultado para um modelo de regressão ou classificação. *K-médias* foi o primeiro método de agrupamento desenvolvido, e ainda é muito usado, devendo sua popularidade à relativa simplicidade do algoritmo e sua habilidade de escalar grandes conjuntos de dados.

Termos-chave para Agrupamento por K-Médias

Grupo
Um conjunto de registros que são semelhantes.

Média do grupo
O vetor das médias das variáveis para os registros em um grupo.

K
O número de grupos.

As *K*-médias dividem os dados em *K* grupos através da minimização da soma das distâncias quadráticas de cada registro à média de seu grupo atribuído. Isso é chamado de *soma dos quadrados dentro do grupo* ou *SS dentro do grupo*. As *K*-médias não garantem que os grupos tenham o mesmo tamanho, mas encontra grupos que sejam melhores separados.

Normalização

É comum normalizar (padronizar) variáveis contínuas através da subtração da média e divisão pelo desvio-padrão, ou então as variáveis com grande escala dominarão o processo de agrupamento (veja "Padronização (Normalização, Escores Z)", no Capítulo 6).

Um Exemplo Simples

Comece considerando um conjunto de dados com n registros e apenas duas variáveis, x e y. Suponha que queiramos dividir os dados em $K = 4$ grupos. Isso significa atribuir cada registro (x_i, y_i) a um grupo k. Dada uma atribuição de n_k registros a um grupo k, o centro do grupo $(\bar{x}_k, \bar{y}_k)$ é a média dos pontos no grupo:

$$\bar{x}_k = \frac{1}{n_k} \sum_{i \in \text{Cluster } k} x_i$$

$$\bar{y}_k = \frac{1}{n_k} \sum_{i \in \text{Cluster } k} y_i$$

Média do Grupo

No agrupamento de registros com múltiplas variáveis (o caso comum), o termo *média do grupo* não se refere a um único número, mas ao vetor das médias das variáveis.

A soma dos quadrados dentro de um grupo é dada por:

$$SS_k = \sum_{i \in \text{Cluster } k} (x_i - \bar{x}_k)^2 + (y_i - \bar{y}_k)^2$$

As *K*-médias encontram a atribuição dos registros que minimizam a soma dos quadrados dentro do agrupamento ao longo de todos os quatro grupos $SS_1 + SS_2 + SS_3 + SS_4$.

$$\sum_{k=1}^{4} SS_i$$

O agrupamento por *K*-médias pode ser usado para obter informações de como os movimentos de preço das ações tendem a se agrupar. Observe que os retornos de ações são reportados, na verdade, de modo padronizado, então não precisamos padronizar os dados. No R, o agrupamento por *K*-médias pode ser realizado usando a função `kmeans`. Por exemplo, o código a seguir encontra quatro agrupamentos com base em duas variáveis: os retornos de ações de ExxonMobil (XOM) e Chevron (CVX):

```
df <- sp500_px[row.names(sp500_px)>='2011-01-01', c('XOM', 'CVX')]
km <- kmeans(df, centers=4)
```

A atribuição de grupos para cada registro é retornada como componente `grupo`:

```
> df$cluster <- factor(km$cluster)
> head(df)
                  XOM        CVX cluster
2011-01-03 0.73680496  0.2406809       2
2011-01-04 0.16866845 -0.5845157       1
2011-01-05 0.02663055  0.4469854       2
2011-01-06 0.24855834 -0.9197513       1
2011-01-07 0.33732892  0.1805111       2
2011-01-10 0.00000000 -0.4641675       1
```

Os primeiros seis registros são atribuídos aos grupos 1 ou 2. As médias dos grupos também são retornadas:

```
> centers <- data.frame(cluster=factor(1:4), km$centers)
> centers
  cluster       XOM       CVX
1       1 -0.3284864 -0.5669135
2       2  0.2410159  0.3342130
3       3 -1.1439800 -1.7502975
4       4  0.9568628  1.3708892
```

Os grupos 1 e 3 representam mercados "baixos", enquanto os grupos 2 e 4 representam mercados "altos". Neste exemplo, com apenas duas variáveis, é simples visualizar os grupos e suas médias:

```
ggplot(data=df, aes(x=XOM, y=CVX, color=cluster, shape=cluster)) +
  geom_point(alpha=.3) +
  geom_point(data=centers,  aes(x=XOM, y=CVX), size=3, stroke=2)
```

O gráfico resultante, dado pela Figura 7-4, mostra as atribuições de grupo e as médias dos grupos.

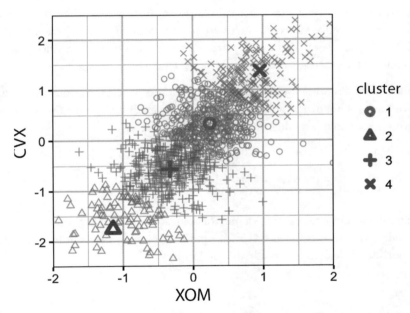

Figura 7-4. Os grupos das K-médias aplicadas nos dados de preço de ação de ExxonMobil e Chevron (os centros de grupo na área densa são difíceis de distinguir)

Algoritmo de K-Médias

Em geral, as K-médias podem ser aplicadas em um conjunto de dados com p variáveis $X_1, ..., X_p$. Enquanto a solução exata das K-médias é computacionalmente muito difícil, os algoritmos heurísticos oferecem um jeito eficiente de calcular uma solução localmente ótima.

O algoritmo começa com um K especificado pelo usuário e um conjunto inicial de médias de grupo, então itera os seguintes passos:

1. Atribui cada registro à média de grupo mais próxima conforme a medida da distância quadrada.
2. Calcula a nova média do grupo com base na atribuição de registros.

O algoritmo converge quando a atribuição de registros a grupos não muda.

Para a primeira iteração, será necessário especificar um conjunto inicial de médias de grupo. Geralmente, isso é feito pela atribuição aleatória de cada registro a um dos K grupos e, então, encontrando a média de tais grupos.

Como não é certo que se encontre a melhor solução possível com esse algoritmo, recomenda-se executá-lo diversas vezes usando diferentes amostras aleatórias para inicializá-lo. Quando se usa mais de um conjunto de iterações, o resultado das K-médias é dado pela iteração que tenha a menor soma dos quadrados dentro do grupo.

O parâmetro nstart para a função de R kmeans permite especificar o número de tentativas de inícios aleatórios. Por exemplo, o código a seguir executa K-médias para encontrar cinco grupos usando dez médias de grupo iniciais diferentes:

```
syms <- c( 'AAPL', 'MSFT', 'CSCO', 'INTC', 'CVX', 'XOM', 'SLB', 'COP',
           'JPM', 'WFC', 'USB', 'AXP', 'WMT', 'TGT', 'HD', 'COST')
df <- sp500_px[row.names(sp500_px)>='2011-01-01', syms]
km <- kmeans(df, centers=5, nstart=10)
```

A função retorna automaticamente a melhor solução entre os dez pontos iniciais diferentes. Podemos usar o argumento iter.max para definir o número mínimo de iterações que o algoritmo deve fazer para cada início aleatório.

266 | Capítulo 7: Aprendizado Não Supervisionado

Interpretando os Agrupamentos

Uma parte importante da análise de agrupamento pode envolver a interpretação dos grupos. Os dois resultados mais importantes de kmeans são os tamanhos dos agrupamentos e as médias dos grupos. Para o exemplo na subseção anterior, os tamanhos dos grupos resultantes são dados por este comando R:

```
km$size
[1] 186 106 285 288 266
```

Os tamanhos dos grupos são relativamente equilibrados. Grupos desequilibrados podem resultar de outliers distantes, ou grupos de registros muito distintos do resto dos dados — ambos podem necessitar de maior inspeção.

Podemos plotar os centros dos grupos usando a função gather juntamente ao ggplot:

```
centers <- as.data.frame(t(centers))
names(centers) <- paste("Cluster", 1:5)
centers$Symbol <- row.names(centers)
centers <- gather(centers, "Cluster", "Mean", -Symbol)
centers$Color = centers$Mean > 0
ggplot(centers, aes(x=Symbol, y=Mean, fill=Color)) +
   geom_bar(stat='identity', position = "identity", width=.75) +
   facet_grid(Cluster ~ ., scales='free y')
```

O gráfico resultante está na Figura 7-5 e revela a natureza de cada grupo. Por exemplo, os grupos 1 e 2 correspondem aos dias em que o mercado está baixo e alto, respectivamente. Os grupos 3 e 5 são caracterizados por dias de mercado alto para ações de consumidores e mercado baixo para ações de energia, respectivamente. Finalmente, o grupo 4 captura os dias em que as ações de energia estavam altas e as ações de consumidor estavam baixas.

Agrupamento por K-Médias | 267

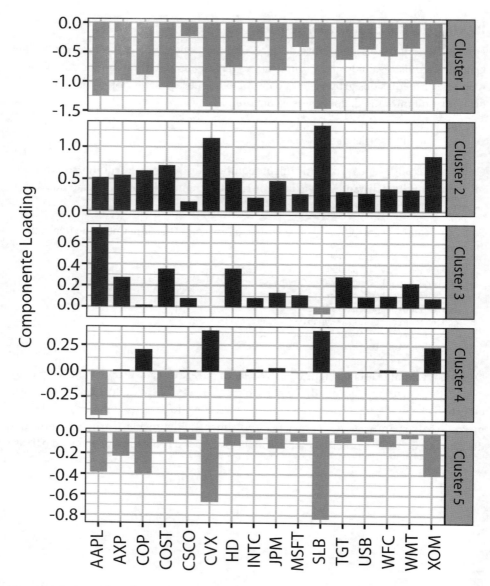

Figura 7-5. As médias das variáveis em cada grupo ("médias de grupo")

Análise de Grupos versus PCA

O gráfico das médias de grupo é essencialmente semelhante a observar as cargas na análise de componente principal (PCA). Veja "Interpretando os componentes principais", antes, neste capítulo. Uma grande diferença é que, diferente da PCA, o sinal das médias de grupo é significante. A PCA identifica as principais direções de variação, enquanto a análise de grupos encontra grupos de registros localizados próximos uns dos outros.

Escolhendo o Número de Grupos

O algoritmo de *K*-médias exige a especificação do número de grupos *K*. Às vezes, o número de grupos é direcionado pela aplicação. Por exemplo, uma empresa gerenciando uma força de vendas pode querer agrupar clientes em "personas" para focar e direcionar as ligações de venda. Nesse caso, considerações gerenciais ditariam o número desejado de seguimentos de clientes — por exemplo, dois poderiam não resultar em uma diferenciação de clientes útil, enquanto oito poderiam ser muito para gerenciar.

Na ausência de um número de grupos orientado por considerações práticas ou gerenciais, poderia ser usada uma abordagem estatística, pois não há um único método padrão para encontrar o "melhor" número de grupos.

Uma abordagem comum, chamada de *método cotovelo*, é identificar quando o conjunto de grupos explica a "maioria" da variância nos dados. Adicionar novos grupos além desse gera uma contribuição incremental relativamente pequena na variância explicada. O cotovelo é o ponto em que a variância explicada cumulativa se estabiliza depois de uma subida brusca, por isso o nome do método.

A Figura 7-6 mostra o percentual cumulativo de variância explicada para os dados-padrão para o número de grupos variando de 2 a 15. Onde está o cotovelo nesse exemplo? Não há um candidato óbvio, já que o aumento incremental na variância explicada cai gradualmente. Isso é bastante comum em dados que não têm grupos bem definidos. Essa é, talvez, uma desvantagem do método cotovelo, pois ele não revela a natureza dos dados.

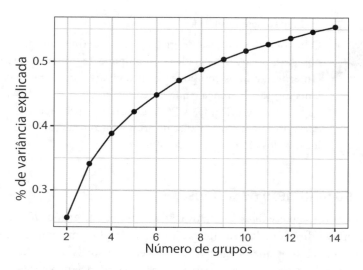

Figura 7-6. O método cotovelo aplicado em dados de ações

No R, a função kmeans não oferece um único comando para a aplicação do método cotovelo, mas pode ser prontamente aplicado a partir dos resultados da kmeans, conforme mostrado aqui:

```
pct_var <- data.frame(pct_var = 0,
                      num_clusters=2:14)
totalss <- kmeans(df, centers=14, nstart=50, iter.max = 100)$totss
for(i in 2:14){
  pct_var[i-1, 'pct_var'] <- kmeans(df, centers=i, nstart=50, iter.max = 100)
    $betweenss/totalss
}
```

Talvez esse seja o teste mais importante ao avaliar quantos grupos reter: qual é a probabilidade de os grupos serem replicados nos novos dados? Os grupos são interpretáveis e se relacionam com uma característica geral dos dados, ou apenas refletem um caso específico? Podemos avaliar isso, em parte, usando a validação cruzada. Veja "Validação Cruzada", no Capítulo 4.

Em geral, não há uma regra única que guiará confiavelmente quantos grupos produzir.

Existem diversos jeitos mais formais de determinar o número de grupos com base em teorias estatísticas e de informação. Por exemplo, Robert Tibshirani, Guenther Walther e Trevor Hastie (*http://www.stanford.edu/~hastie/Papers/gap.pdf* — conteúdo em inglês) propuseram uma estatística "gap" baseada em teoria estatística para identificar o cotovelo. Para a maioria das aplicações, uma abordagem teórica provavelmente não será necessária ou até mesmo adequada.

> ## Ideias-chave para Agrupamento por K-Médias
>
> - O número de grupos desejados, K, é escolhido pelo usuário.
> - O algoritmo desenvolve agrupamentos através da atribuição iterativa dos registros à média de grupo mais próxima até que as atribuições de agrupamento não mudem.
> - As considerações práticas geralmente dominam a escolha de K. Não há um número ótimo de grupo estatisticamente determinado.

Agrupamento Hierárquico

O *agrupamento hierárquico* é uma alternativa às K-médias que podem gerar grupos diferentes. Ele é mais flexível que as K-médias, acomoda mais facilmente variáveis não numéricas e é mais sensível na descoberta de grupos ou registros anormais ou outliers. O agrupamento hierárquico também se presta à exibição gráfica intuitiva, levando a uma interpretação mais fácil dos grupos.

> ## Termos-chave para Agrupamento Hierárquico
>
> **Dendrograma**
> Uma representação visual dos registros e da hierarquia dos grupos aos quais pertencem.
>
> **Distância**
> Uma medida da proximidade entre um *registro* e outro.
>
> **Dissimilaridade**
> Uma medida da proximidade entre um *grupo* e outro.

A flexibilidade do agrupamento hierárquico tem um custo, e o agrupamento hierárquico não escala bem para grandes conjuntos de dados com milhões de registros. Mesmo para dados de tamanho modesto, com apenas dezenas de milhares de registros, o agrupamento hierárquico pode exigir recursos de computação intensivos. Na verdade, a maioria das aplicações de agrupamento hierárquico é focada em conjuntos de dados relativamente pequenos.

Um Exemplo Simples

O agrupamento hierárquico funciona em um conjunto de dados com n registros e p variáveis e se baseia em dois blocos de construção básicos:

- Uma métrica de distância $d_{i,j}$ para medir a distância entre dois registros i e j.
- Uma métrica de dissimilaridade $D_{A,B}$ para medir a diferença entre dois grupos A e B com base nas distâncias $d_{i,j}$ entre os membros de cada grupo.

Para aplicações envolvendo dados numéricos, a escolha mais importante é a métrica de dissimilaridade. O agrupamento hierárquico começa definindo cada registro com seu próprio grupo e itera a fim de combinar os grupos menos dissimilares.

Em R, a função hclust pode ser usada para realizar agrupamento hierárquico. Uma grande diferença entre hclust e kmeans é que ele opera nas distâncias pareadas $d_{i,j}$, em vez de nos próprios dados. Podemos calcular isso usando a função dist. Por exemplo, o código a seguir aplica agrupamento hierárquico aos retornos de ações para um conjunto de empresas:

```
syms1 <- c('GOOGL', 'AMZN', 'AAPL', 'MSFT', 'CSCO', 'INTC', 'CVX',
           'XOM', 'SLB', 'COP', 'JPM', 'WFC', 'USB', 'AXP',
           'WMT', 'TGT', 'HD', 'COST')
# take transpose: to cluster companies, we need the stocks along the rows
df <- t(sp500_px[row.names(sp500_px)>='2011-01-01', syms1])
d <- dist(df)
hcl <- hclust(d)
```

Os algoritmos de agrupamento agruparão os registros (linhas) de um quadro de dados. Como queremos agrupar as empresas, precisamos *transpor* o quadro de dados e colocar as ações ao longo das linhas e as datas nas colunas.

O Dendrograma

O agrupamento hierárquico se presta a uma exibição gráfica natural, chamada de *dendrograma*. O nome vem das palavras gregas *dendro* (árvore) e *gramma* (desenho). No R, podemos produzir isso facilmente usando o comando plot:

```
plot(hcl)
```

O resultado está na Figura 7-7. As folhas da árvore correspondem aos registros. O comprimento dos galhos da árvore indica o grau de similaridade entre os grupos correspondentes, e os retornos de Google e Amazon não são nada similares aos retornos das outras ações. As outras ações ficam nos grupos naturais: ações energéticas, ações financeiras e ações de consumidor são todas separadas em suas próprias subárvores.

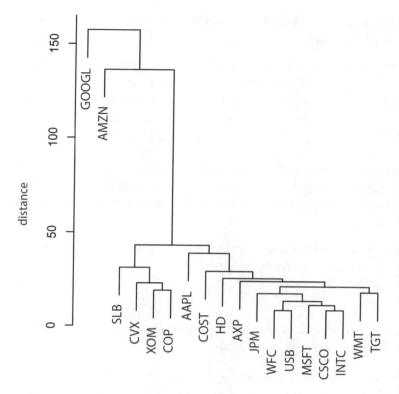

Figura 7-7. Um dendrograma de ações

Ao contrário das *K*-médias, não é necessário pré-especificar o número de grupos. Para extrair o número específico de grupos, podemos usar a função cutree:

```
cutree(hcl, k=4)
GOOGL  AMZN  AAPL  MSFT  CSCO  INTC  CVX  XOM  SLB  COP  JPM  WFC
    1     2     3     3     3     3    4    4    4    4    3    3
  USB   AXP   WMT   TGT    HD  COST
    3     3     3     3     3     3
```

O número de grupos a excluir está ajustado em quatro, e pode-se ver que Google e Amazon pertencem a seu próprio grupo. As ações de petróleo (XOM, CVS, SLB, COP) todas pertencem a outro grupo, e as ações restantes estão no quarto grupo.

O Algoritmo Aglomerativo

O principal algoritmo para agrupamento hierárquico é o algoritmo *aglomerativo*, que funde iterativamente grupos semelhantes. O algoritmo aglomerativo começa com cada registro constituindo seu próprio grupo de um registro, e então constrói grupos cada vez maiores. O primeiro passo é calcular as distâncias entre todos os pares de registros.

Para cada par de registros $(x_1, x_2, ..., x_p)$ e $(y_1, y_2, ..., y_p)$, medimos a distância entre os dois registros, $d_{x,y}$, usando uma métrica de distância (veja "Métricas de Distância", no Capítulo 6). Por exemplo, podemos usar a distância Euclidiana:

$$d(x, y) = \sqrt{(x_1 - y_1)^2 + (x_2 - y_2)^2 + ... + (x_p - y_p)^2}$$

Agora nos concentramos na distância intergrupos. Considere dois grupos A e B, cada um com um conjunto de registros distinto, $A = (a_1, a_2, ..., a_m)$ e $B = (b_1, b_2, ..., b_q)$. Podemos medir a dissimilaridade entre os grupos $D(A, B)$ usando as distâncias entre os membros de A e os de B.

Uma medida de dissimilaridade é o método *ligação total*, que é a distância máxima ao longo de todos os pares de registros entre A e B:

$$D(A, B) = \max d(a_i, b_j) \text{ para todos os pares } i, j$$

Isso define a dissimilaridade como a maior diferença entre todos os pares. Os passos principais do algoritmo aglomerativo são:

1. Criar um conjunto inicial de grupos em que cada grupo é composto de um único registro para todos os registros nos dados.
2. Calcular a dissimilaridade $D(C_k, C_\ell))$ entre todos os pares de grupos k, ℓ.
3. Unir os dois grupo Ck e $C\ell$, que são menos dissimilares conforme medido por $D(C_k, C_\ell))$.
4. Se houver mais de um grupo restante, retornar ao Passo 2. Se não, terminamos.

Medidas de Dissimilaridade

Existem quatro medidas de dissimilaridade comuns: *ligação total, ligação única, ligação média* e *variância mínima*. Essas (mais outras medidas) são todas suportadas pela maioria dos softwares de agrupamento hierárquico, inclusive hclust. O método de ligação total definido anteriormente tende a produzir grupos com membros que são semelhantes. O método de ligação única é a distância mínima entre os registros em dois grupos:

$$D(A, B) = \min d(a_i, b_j) \text{ para todos os pares } i, j$$

274 | Capítulo 7: Aprendizado Não Supervisionado

Esse método é "ganancioso" e produz agrupamentos que podem conter elementos bastante discrepantes. O método de ligação média é a média de todos os pares de distâncias, e representa um meio-termo entre os métodos de ligação única e total. Finalmente, o método de variância mínima, também chamado de método de *Ward*, é semelhante ao *K*-médias, pois minimiza a soma dos quadrados dentro do grupo (veja "Agrupamento por *K*-Médias", antes, neste capítulo).

A Figura 7-8 aplica o agrupamento hierárquico usando as quatro medidas nos retornos das ações de ExxonMobil e Chevron. Para cada medida são retidos quatro grupos.

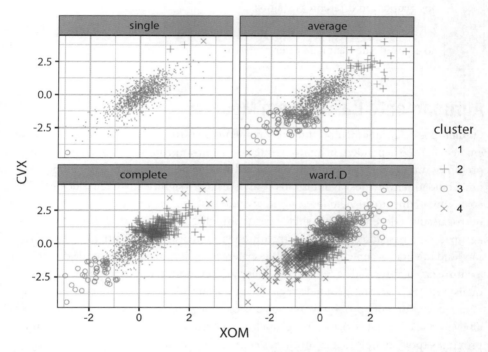

Figura 7-8. Uma comparação de medida de dissimilaridade aplicada a dados de ações

Os resultados são muito diferentes: a medida de ligação única atribui quase todos os pontos a um único grupo. Com exceção do método de variância mínima (Ward.D), todas as medidas acabam com ao menos um grupo com apenas alguns pontos remotos. O método de variância mínima é mais semelhante ao agrupamento por *K*-médias. Compare com a Figura 7-4.

Ideias-chave para Agrupamento Hierárquico

- Começa com todos os registros em seu próprio grupo.

- Progressivamente, os grupos são unidos aos grupos próximos até que todos os registros pertençam a um único grupo (o algoritmo aglomerativo).

- O histórico de aglomeração é retido e plotado, e o usuário (sem especificar o número de grupos com antecedência) pode visualizar o número e a estrutura dos grupos em diferentes estágios.

- As distâncias intergrupos são calculadas de jeitos diferentes, todas baseadas no conjunto de distância inter-registros.

Agrupamento Baseado em Modelos

Os métodos de agrupamento, como agrupamento hierárquico e K-médias, são baseados em heurística e dependem primariamente de encontrar grupos cujos membros estejam próximos uns dos outros, conforme medidos diretamente com os dados (sem modelos de probabilidade envolvidos). Nos últimos 20 anos, esforços significativos têm sido dedicados ao desenvolvimento de *métodos de agrupamento baseados em modelos*. Adrian Raftery e outros pesquisadores na Universidade de Washington fizeram contribuições críticas ao agrupamento baseado em modelos, incluindo tanto teoria quanto software. As técnicas são fundamentadas em teorias estatísticas e oferecem jeitos mais rigorosos de determinar a natureza e o número de grupos. Elas poderiam ser usadas, por exemplo, em casos nos quais poderia haver um grupo de registros que sejam semelhantes uns aos outros, mas não necessariamente próximos uns aos outros (por exemplo, ações de tecnologia com alta variância de retornos), e outros grupos de registros que sejam semelhantes e também próximos (por exemplo, ações utilitárias com baixa variância).

Distribuição Normal Multivariada

Os métodos de agrupamento baseados em modelos mais usados se apoiam na distribuição normal *multivariada*. A distribuição normal multivariada é uma generalização da distribuição normal para definir um conjunto de p variáveis $X_1, X_2, ..., X_p$. A distribuição é definida por um conjunto de médias $\mu = \mu_1, \mu_2, ..., \mu_p$ e uma matriz de covariância Σ. A matriz de covariância é uma medida de como as variáveis se correlacionam umas com as outras (veja mais detalhes sobre covariância em "Matriz de Covariância", no Capítulo 5), e a matriz de covariância Σ é composta por p variâncias $\sigma_1^2, \sigma_2^2, ..., \sigma_p^2$ e covariâncias $\sigma_{i,j}$ para todos os

276 | Capítulo 7: Aprendizado Não Supervisionado

pares de variáveis $i \neq j$. Com as variáveis colocadas ao longo das linhas e duplicadas ao longo das colunas, a matriz fica assim:

$$\Sigma = \begin{bmatrix} \sigma_1^2 & \sigma_{1,2} & \cdots & \sigma_{1,p} \\ \sigma_{2,1} & \sigma_2^2 & \cdots & \sigma_{2,p} \\ \vdots & \vdots & \ddots & \vdots \\ \sigma_{p,1} & \sigma_{p,2}^2 & \cdots & \sigma_p^2 \end{bmatrix}$$

Como uma matriz de covariância é simétrica, e $\sigma_{i,j} = \sigma_{j,i}$, existem apenas $p \times (p-1) - p$ termos de covariância. Ao todo, a matriz de covariância tem $p \times (p-1)$ parâmetros. A distribuição é denotada por:

$$\left(X_1, X_2, \ldots, X_p \right) \widetilde{N}_p(\mu, \Sigma)$$

Esse é um jeito simbólico de dizer que as variáveis são todas normalmente distribuídas, e a distribuição geral é completamente descrita pelo vetor das médias variáveis e a matriz de covariância.

A Figura 7-9 mostra os contornos de probabilidade para uma distribuição normal multivariada para duas variáveis X e Y (o contorno de probabilidade 0.5, por exemplo, contém 50% da distribuição).

As médias são $\mu_x = 0.5$ e $\mu_y = -0.5$, e a matriz de covariância é:

$$\Sigma = \begin{bmatrix} 1 & 1 \\ 1 & 2 \end{bmatrix}$$

Como a covariância σ_{xy} é positiva, X e Y são positivamente correlacionadas.

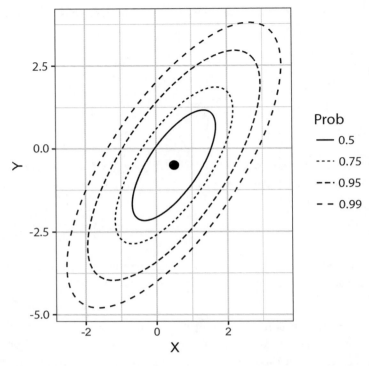

Figura 7-9. Contornos de probabilidade para uma distribuição normal bidimensional

Misturas de Normais

A ideia-chave por trás do agrupamento baseado em modelos é que cada registro é tido como sendo distribuído como uma das K distribuições multivariadas normais, em que K é o número de grupos. Cada distribuição tem uma média μ e uma matriz de covariância Σ diferentes. Por exemplo, se tivermos duas variáveis, X e Y, então cada linha (X_i, Y_i) será modelada como tendo sido amostrada de uma das K distribuições $N_1(\mu_1), \Sigma_1), N1(\mu_2), \Sigma_2), ..., N_1(\mu_K), \Sigma_K)$.

R tem um pacote muito rico para agrupamento baseado em modelos chamado mclust, originalmente desenvolvido por Chris Fraley e Adrian Raftery. Com esse pacote, podemos aplicar o agrupamento baseado em modelo nos dados de retorno de ações que analisamos anteriormente usando K-médias e agrupamento hierárquico:

```
> library(mclust)
> df <- sp500_px[row.names(sp500_px)>='2011-01-01', c('XOM', 'CVX')]
> mcl <- Mclust(df)
> summary(mcl)
Mclust VEE (ellipsoidal, equal shape and orientation) model with 2 components:
```

```
log.likelihood    n df      BIC     ICL
     -2255.134 1131  9 -4573.546 -5076.856

Clustering table:
  1   2
963 168
```

Se executarmos esse código, perceberemos que a computação demora significativamente mais do que outros procedimentos. Extraindo as atribuições de agrupamento usando a função predict, podemos visualizar os grupos:

```
cluster <- factor(predict(mcl)$classification)
ggplot(data=df, aes(x=XOM, y=CVX, color=cluster, shape=cluster)) +
  geom_point(alpha=.8)
```

O gráfico resultante aparece na Figura 7-10. Existem dois grupos: um no meio dos dados, e um segundo grupo na borda externa dos dados. Isso é muito diferente dos grupos obtidos usando *K*-médias (Figura 7-4) e agrupamento hierárquico (Figura 7-8), que encontram grupos que são compactos.

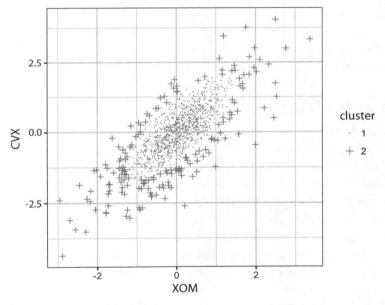

Figura 7-10. Dois grupos são obtidos para os dados de retorno de ações usando mclust

Podemos extrair os parâmetros para as distribuições normais usando a função summary:

```
> summary(mcl, parameters=TRUE)$mean
         [,1]        [,2]
XOM 0.05783847 -0.04374944
CVX 0.07363239 -0.21175715
> summary(mcl, parameters=TRUE)$variance
, , 1
          XOM       CVX
XOM 0.3002049 0.3060989
CVX 0.3060989 0.5496727
, , 2

          XOM       CVX
XOM 1.046318 1.066860
CVX 1.066860 1.915799
```

As distribuições têm médias e correlações semelhantes, mas a segunda distribuição tem variâncias e covariâncias muito maiores.

Os agrupamentos de mclust podem ser surpreendentes, mas, na verdade, ilustram a natureza estatística do método. O objetivo do agrupamento baseado em modelo é encontrar o conjunto de distribuições normais com o melhor ajuste. Os dados de ações parecem ter um formato de aparência normal. Veja os contornos da Figura 7-9. Na verdade, porém, os retornos de ações têm uma distribuição de cauda mais longa que uma distribuição normal. Para tratar isso, o mclust ajusta uma distribuição ao grosso dos dados, mas então ajusta uma segunda distribuição com uma variância maior.

Selecionando o Número de Grupos

Diferente das K-médias e do agrupamento hierárquico, o mclust seleciona automaticamente o número de grupos (nesse caso, dois). Ele faz isso escolhendo o número de grupos para os quais o *critério Bayesiano de informação* (*BIC*) tem o maior valor. O BIC (similar ao AIC) é uma ferramenta geral para encontrar o melhor modelo entre um conjunto de modelos candidatos. Por exemplo, o AIC (ou BIC) é normalmente usado para selecionar um modelo em regressão passo a passo. Veja "Seleção de Modelo e Regressão Passo a Passo", no Capítulo 4. O BIC atua selecionando o modelo de melhor ajuste com uma penalidade para o número de parâmetros no modelo. No caso de agrupamentos baseados em modelos, adicionar mais modelos sempre melhorará o ajuste ao custo de introduzir mais parâmetros ao modelo.

Podemos plotar o valor de BIC para cada tamanho de grupo usando uma função em hclust:

```
plot(mcl, what='BIC', ask=FALSE)
```

O número de agrupamentos — ou número de modelos normais multivariados diferentes (componentes) — aparece no eixo x (veja a Figura 7-11).

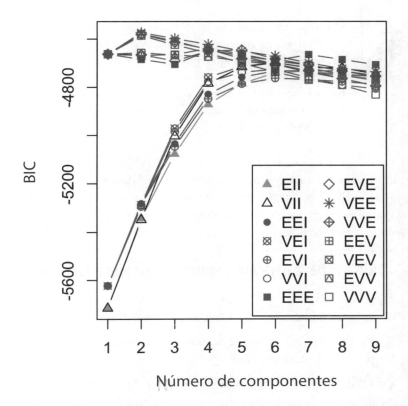

Figura 7-11. Pontuações BIC para os dados de retorno de ações para diferentes números de grupos (componentes)

Esse gráfico é semelhante ao gráfico de cotovelo usado para identificar o número de grupos a serem escolhidos para *K*-médias, exceto pelo valor plotado ser do BIC, em vez do percentual de variância explicada (veja a Figura 7-6). Uma grande diferença é que, em vez de uma linha, o mclust mostra 14 linhas diferentes! Isso acontece porque o mclust está, na verdade, ajustando 14 modelos diferentes para cada tamanho de grupo, para afinal escolher o modelo de melhor ajuste.

Por que o mclust ajusta tantos modelos para determinar o melhor conjunto de normais multivariadas? É porque existem jeitos diferentes de parametrizar a matriz de covariância Σ para ajustar um modelo. Para a maior parte, não é necessário se preocupar com os detalhes dos modelos, e podemos simplesmente usar o modelo escolhido pelo mclust. Nesse exemplo, de acordo com o BIC, três modelos diferentes (chamados VEE, VEV e VVE) têm o melhor ajuste usando dois componentes.

O agrupamento baseado em modelo é uma área de estudo rica e em rápido desenvolvimento, e este texto cobre apenas uma pequena parte deste campo. Fato é que o arquivo de ajuda do mclust tem atualmente 154 páginas. Desvendar as nuances do agrupamento baseado em modelo exige um esforço provavelmente maior que o necessário para a resolução da maioria dos problemas encontrados pelos cientistas de dados.

As técnicas de agrupamento baseado em modelo têm algumas limitações. Os métodos exigem uma suposição subjetiva de um modelo para os dados, e os resultados de agrupamento são muito dependentes de tal suposição. As exigências computacionais são maiores que as do agrupamento hierárquico, tornando-o difícil de escalar para big data. Finalmente, o algoritmo é mais sofisticado e menos acessível do que o de outros métodos.

> **Ideias-chave para Agrupamento Baseado em Modelo**
>
> - Os grupos são tidos como sendo derivados de diferentes processos geradores de dados com diferentes distribuições de probabilidade.
> - São ajustados diferentes modelos, assumindo diferentes números de distribuições (geralmente, normal).
> - O método escolhe o modelo (e o número associado de grupos) que ajusta bem os dados usando parâmetros em excesso (ou seja, sobreajustando).

Leitura Adicional

Para mais detalhes sobre agrupamento baseado em modelo, veja a mclust documentation em https://www.stat.washington.edu/sites/default/files/files/reports/2012/tr597.pdf (conteúdo em inglês).

Escalonamento e Variáveis Categóricas

As técnicas de aprendizado não supervisionado costumam exigir que os dados sejam adequadamente escalados. Isso é diferente de muitas das técnicas para regressão e classificação nas quais o escalonamento não é importante (uma exceção são os *K*-vizinhos mais próximos. Veja "*K*-Vizinhos Mais Próximos", no Capítulo 6).

Termos-chave para Escalonamento de Dados

Escalonamento
Comprimir ou expandir dados, geralmente para trazer múltiplas variáveis à mesma escala.

Normalização
Um método de escalonamento — subtraindo a média e dividindo pelo desvio-padrão.
Sinônimo
    padronização

Distância de Gower
Um algoritmo de escalonamento aplicado a dados numéricos e categóricos para trazer todas as variáveis para uma amplitude de 0–1.

Por exemplo, com os dados de empréstimo pessoal, as variáveis têm unidades e magnitudes muito diferentes. Algumas variáveis têm valores relativamente pequenos (por exemplo, anos de emprego), enquanto outras têm valores muito grandes (por exemplo, quantia de empréstimo em dólares). Se os dados não forem escalonados, então o PCA, *K*-médias e outros métodos de agrupamento serão dominados pelas variáveis com valores altos e ignorarão as variáveis de valores baixos.

Os dados categóricos podem ser um problema especial para alguns procedimentos de agrupamento. Como nos *K*-vizinhos mais próximos, as variáveis fatoriais desordenadas são geralmente convertidas em um conjunto de variáveis binárias (0/1) usando o one hot encoding (veja "One Hot Encoder", no Capítulo 6). As variáveis binárias não estão apenas em uma escala diferente dos outros dados, e o fato de as variáveis binárias terem apenas dois valores pode ser um problema em técnicas como PCA e *K*-médias.

Escalonando as Variáveis

Variáveis com escala e unidades muito diferentes precisam ser adequadamente normalizadas antes da aplicação de um procedimento de agrupamento. Por exemplo, vamos aplicar kmeans em um conjunto de dados de empréstimos inadimplentes sem normalização:

```
df <- defaults[, c('loan_amnt', 'annual_inc', 'revol_bal', 'open_acc',
                    'dti', 'revol_util')]
km <- kmeans(df, centers=4, nstart=10)
centers <- data.frame( size=km$size, km$centers)
round(centers, digits=2)
  size loan_amnt annual_inc revol_bal open_acc   dti revol_util
1   55  23157.27  491522.49  83471.07    13.35  6.89      58.74
2 1218  21900.96  165748.53  38299.44    12.58 13.43      63.58
```

Escalonamento e Variáveis Categóricas | 283

```
3   7686   18311.55   83504.68   19685.28   11.68  16.80   62.18
4  14177   10610.43   42539.36   10277.97    9.60  17.73   58.05
```

As variáveis annual_inc e revol_bal dominam os agrupamentos, e os grupos têm tamanhos muito diferentes. O grupo 1 tem apenas 55 membros com renda comparativamente alta e bom crédito rotativo.

Uma abordagem comum para escalonar as variáveis é convertê-las em escores z, subtraindo a média e dividindo pelo desvio-padrão. Isso é chamado de padronização ou normalização (veja mais discussões sobre o uso de escores z em "Padronização (Normalização, Escores Z)", no Capítulo 6):

$$z = \frac{x - \bar{x}}{s}$$

Veja o que acontece com os grupos quando aplicamos kmeans nos dados normalizados:

```
df0 <- scale(df)
km0 <- kmeans(df0, centers=4, nstart=10)
centers0 <-scale(km0$centers, center=FALSE,
            scale=1/attr(df0, 'scaled:scale'))
centers0 <- scale(centers0, center=-attr(df0, 'scaled:center'), scale=F)
data.frame(size=km0$size, centers0)
  size loan_amnt annual_inc revol_bal open_acc   dti revol_util
1 5429  10393.60   53689.54   6077.77     8.69 11.35      30.69
2 6396  13310.43   55522.76  16310.95    14.25 24.27      59.57
3 7493  10482.19   51216.95  11530.17     7.48 15.79      77.68
4 3818  25933.01  116144.63  32617.81    12.44 16.25      66.01
```

Os tamanhos dos grupos são mais equilibrados, e os grupos não são dominados apenas por annual_inc e revol_bal, revelando uma estrutura mais interessante nos dados. Observe que os centros são reescalonados para as unidades originais no código anterior. Se os deixássemos sem escalonamento, os valores resultantes seriam em termos de escores z e, portanto, menos interpretáveis.

O escalonamento também é importante para o PCA. Usar os escores z é equivalente a usar a matriz de correlação (veja "Correlação", no Capítulo 1), em vez da matriz de covariância, ao calcular os componentes principais. O software para calcular PCA geralmente tem uma opção para usar a matriz de correlação (em R, a função princomp tem o argumento cor).

Variáveis Dominantes

Mesmo em casos em que as variáveis são medidas na mesma escala e refletem precisamente importância relativa (por exemplo, movimento nos preços de ações), às vezes pode ser útil reescalonar as variáveis.

Suponha que adicionamos Alphabet (GOOGL) e Amazon (AMZN) à análise em "Interpretando os Componentes Principais", antes, neste capítulo.

```
syms <- c('AMZN', 'GOOGL' 'AAPL', 'MSFT', 'CSCO', 'INTC', 'CVX', 'XOM',
    'SLB', 'COP', 'JPM', 'WFC', 'USB', 'AXP', 'WMT', 'TGT', 'HD', 'COST')
top_sp1 <- sp500_px[row.names(sp500_px)>='2005-01-01', syms]
sp_pca1 <- princomp(top_sp1)
screeplot(sp_pca1)
```

O screeplot mostra as variâncias para os primeiros componentes principais. Nesse caso, o screeplot na Figura 7-12 revela que as variâncias do primeiro e do segundo componentes são muito maiores do que as outras. Isso costuma indicar que uma ou duas variáveis dominam as cargas. Isso é, na verdade, o caso neste exemplo:

```
round(sp_pca1$loadings[,1:2], 3)
        Comp.1 Comp.2
GOOGL    0.781  0.609
AMZN     0.593 -0.792
AAPL     0.078  0.004
MSFT     0.029  0.002
CSCO     0.017 -0.001
INTC     0.020 -0.001
CVX      0.068 -0.021
XOM      0.053 -0.005
...
```

Os dois primeiros componentes principais são quase que totalmente dominados por GOOGL e AMZN. Isso acontece porque os movimentos de preços de ações de GOOGL e AMZN dominam a variabilidade.

Para lidar com essa situação, podemos tanto incluí-las como estão, reescalonar as variáveis (veja "Escalonando as Variáveis", antes, neste capítulo) ou excluir as variáveis dominantes da análise e tratá-las separadamente. Não existe abordagem "correta", e o tratamento depende da aplicação.

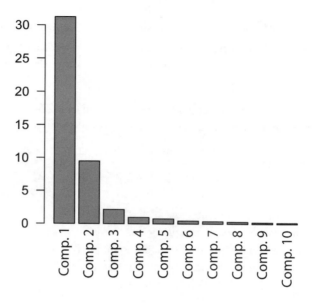

Figura 7-12. Um screeplot para um PCA das principais ações do S&P 500 incluindo GOO-GL e AMZN

Dados Categóricos e Distância de Gower

No caso dos dados categóricos, é necessário convertê-los em dados numéricos através de classificação (para um fator ordenado) ou de codificação como um conjunto de variáveis binárias (fictícias). Se os dados forem compostos por variáveis contínuas e binárias misturadas, normalmente será melhor escalar as variáveis de modo que as amplitudes sejam semelhantes; (veja "Escalonando as Variáveis", antes, neste capítulo). Um método popular é usar a *distância de Gower*.

A ideia básica por trás da distância de Gower é a aplicação de uma métrica de distância diferente para cada variável conforme o tipo dos dados:

- Para variáveis numéricas e fatores ordenados, a distância é calculada como o valor absoluto da diferença entre dois registros (*distância de Manhattan*).
- Para variáveis categóricas, a distância é 1 se as categorias entre dois registros são diferentes, e 0 se as categorias são iguais.

A distância de Gower é calculada da seguinte forma:

1. Calcule a distância $d_{i,j}$ para todos os pares de variáveis i e j para cada registro.
2. Escale cada par $d_{i,j}$ de modo que o mínimo seja 0, e o máximo, 1.

3. Some as distâncias pareadas entre as variáveis, seja usando uma média simples ou ponderada, para criar a matriz de distância.

Para ilustrar a distância de Gower, pegue algumas linhas dos dados de empréstimo:

```
> x = defaults[1:5, c('dti', 'payment_inc_ratio', 'home', 'purpose')]
> x
# A tibble: 5 × 4
    dti payment_inc_ratio  home              purpose
  <dbl>             <dbl> <fctr>              <fctr>
1  1.00           2.39320   RENT                 car
2  5.55           4.57170    OWN      small_business
3 18.08           9.71600   RENT               other
4 10.08          12.21520   RENT debt_consolidation
5  7.06           3.90888   RENT               other
```

A função daisy no pacote cluster pode ser usada para calcular a distância de Gower:

```
> library(cluster)
> daisy(x, metric='gower')
Dissimilarities :
          1         2         3         4
2 0.6220479
3 0.6863877 0.8143398
4 0.6329040 0.7608561 0.4307083
5 0.3772789 0.5389727 0.3091088 0.5056250
```

Todas as distâncias estão entre 0 e 1. O par de registros com a maior distância é 2 e 3: nenhum tem os mesmos valores em home ou purpose, e têm níveis muito diferentes de dti (débito-a-renda) e payment_inc_ratio. Os registros 3 e 5 têm a menor distância porque têm os mesmos valores em home ou purpose.

Podemos aplicar o agrupamento hierárquico (veja "Agrupamento Hierárquico", antes, neste capítulo) na matriz de distâncias resultante usando hclust no resultado de daisy:

```
df <- defaults[sample(nrow(defaults), 250),
               c('dti', 'payment_inc_ratio', 'home', 'purpose')]
d = daisy(df, metric='gower')
hcl <- hclust(d)
dnd <- as.dendrogram(hcl)
plot(dnd, leaflab='none')
```

O dendrograma resultante aparece na Figura 7-13. Os registros individuais não são distinguíveis no eixo x, mas podemos examinar os registros em uma das subárvores (à esquerda, usando um "corte" de 0.5), com este código:

```
> df[labels(dnd_cut$lower[[1]]),]
# A tibble: 9 × 4
```

```
     dti payment_inc_ratio  home purpose
   <dbl>             <dbl> <fctr>  <fctr>
1  24.57           0.83550   RENT   other
2  34.95           5.02763   RENT   other
3   1.51           2.97784   RENT   other
4   8.73          14.42070   RENT   other
5  12.05           9.96750   RENT   other
6  10.15          11.43180   RENT   other
7  19.61          14.04420   RENT   other
8  20.92           6.90123   RENT   other
9  22.49           9.36000   RENT   other
```

Essa subárvore é totalmente composta por locadores com propósito de empréstimo rotulado como "outros". A separação estrita não é verdade para todas as subárvores, mas essa ilustra que as variáveis categóricas tendem a ser agrupadas juntas nos grupos.

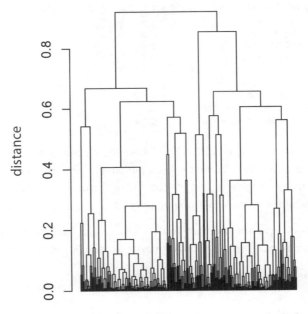

Figura 7-13. Um dendrograma de hclust aplicado em uma amostra de dados de empréstimos inadimplentes com tipos misturados de variáveis

Problemas com Agrupamento de Dados Mistos

K-médias e PCA são mais adequados para variáveis contínuas. Para conjuntos de dados menores, é melhor usar o agrupamento hierárquico com distância de Gower. Em princípio, não existe razão pela qual K-médias não possa ser aplicado em dados binários ou categóricos. Seria mais comum usar a representação "one hot encoder" (veja "One Hot

Encoder", no Capítulo 6) para converter os dados categóricos em valores numéricos. Na prática, no entanto, usar *K*-médias e PCA com dados binários pode ser difícil.

Se forem usados escores *z* padrão, as variáveis binárias dominarão a definição do grupo. Isso acontece porque as variáveis 0/1 assumem apenas dois valores, e as *K*-médias conseguem obter apenas uma pequena soma dos quadrados dentro do grupo através da atribuição de todos os registros com um 0 ou 1 a um único grupo. Por exemplo, aplicar kmeans aos dados de empréstimo inadimplente incluindo as variáveis fatoriais home e pub_rec_zero:

```
df <- model.matrix(~ -1 + dti + payment_inc_ratio + home + pub_rec_zero,
              data=defaults)
df0 <- scale(df)
km0 <- kmeans(df0, centers=4, nstart=10)
centers0 <-scale(km0$centers, center=FALSE,
              scale=1/attr(df0, 'scaled:scale'))
scale(centers0, center=-attr(df0, 'scaled:center'), scale=F)
    dti payment_inc_ratio homeMORTGAGE homeOWN homeRENT pub_rec_zero
1 17.02              9.10         0.00       0     1.00         1.00
2 17.47              8.43         1.00       0     0.00         1.00
3 17.23              9.28         0.00       1     0.00         0.92
4 16.50              8.09         0.52       0     0.48         0.00
```

Os quatro primeiros grupos são basicamente proxies para os diferentes níveis de variáveis fatoriais. Para evitar esse comportamento, podemos escalar as variáveis binárias para ter uma variância menor do que as outras variáveis. Ou então, para conjuntos de dados muito grandes, podemos aplicar o agrupamento em diferentes subconjuntos de dados assumindo valores categóricos específicos. Por exemplo, podemos aplicar o agrupamento separadamente naqueles empréstimos feitos a alguém que tem uma hipoteca, possui uma casa ou aluga.

Ideias-chave para Escalonamento de Dados

- As variáveis medidas em diferentes escalas precisam ser transformadas em escalas semelhantes, de modo que seu impacto nos algoritmos não seja determinado principalmente por sua escala.

- Um método de escalonamento comum é a normalização (padronização) — subtrair a média e dividir pelo desvio-padrão.

- Outro método é a distância de Gower, que escalona todas as variáveis para a amplitude 0–1 (costuma ser usada com dados categóricos e numéricos misturados).

Resumo

Para a redução de dimensão de dados numéricos, as principais ferramentas são a análise de componentes principais ou o agrupamento por K-médias. Ambos exigem atenção ao escalonamento adequado dos dados para garantir uma redução significativa deles.

Para o agrupamento de dados altamente estruturados em que os grupos são bastante separados, todos os métodos possivelmente produzirão um resultado semelhante. Cada método oferece sua própria vantagem. K-médias escala para dados muito grandes e é facilmente compreendido. O agrupamento hierárquico pode ser aplicado em tipos misturados de dados — numéricos e categóricos — e se presta a uma exibição intuitiva (o dendrograma), e o agrupamento baseado em modelo é fundamentado em teoria estatística e oferece uma abordagem mais rigorosa, diferente dos métodos heurísticos. Para dados muito grandes, no entanto, o K-médias é o principal método usado.

Com dados ruidosos, como os dados de empréstimo e ações (e a maioria dos dados que um cientista de dados terá que encarar), a escolha é mais difícil. K-médias, agrupamento hierárquico e especialmente o agrupamento baseado em modelos produzem soluções muito diferentes. Como um cientista de dados deveria proceder? Infelizmente não existe uma regra de ouro simples para guiar a escolha. No final das contas, o método usado dependerá do tamanho dos dados e do objetivo da aplicação.

Bibliografia

[bokeh] Time de Desenvolvimento Bokeh. "Bokeh: Python library for interactive visualiza- tion" (conteúdo em inglês) (2014). *http://www.bokeh.pydata.org*.

[Deng-Wickham-2011] Deng, H. e Wickham, H. "Density estimation in R" (conteúdo em inglês) (2011). *http://vita.had.co.nz/papers/density-estimation.pdf*.

[Wikipedia-2016] "Diving" (conteúdo em inglês). Wikipedia: The Free Encyclopedia. Wikimedia Foundation, Inc. 10 mar. 2016. Web. 19 mar. 2016.

[Donoho-2015] Donoho, David. "50 Years of Data Science" (conteúdo em inglês) (2015). *http://courses.csail.mit.edu/18.337/2015/docs/50YearsDataScience.pdf*.

[Duong-2001] Duang, Tarn. "An introduction to kernel density estimation" (conteúdo em inglês) (2001). *http://www.mvstat.net/tduong/research/seminars/seminar-2001-05.pdf*.

[Few-2007] Few, Stephen. "Save the Pies for Dessert" (conteúdo em inglês). Visual Intelligence Newsletter, Perceptual Edge (2007). *https://www.perceptualedge.com/articles/visual_busi ness_intelligence/save_the_pies_for_dessert.pdf*.

[Hintze-Nelson-1998] Hintze, J. e Nelson, R. "Violin Plots: A Box Plot-Density Trace Synergism" (conteúdo em inglês). *The American Statistician* 52.2 (Maio 1998): 181–184.

[Galton-1886] Galton, Francis. "Regression towards mediocrity in Hereditary stature" (conteúdo em inglês). *The Journal of the Anthropological Institute of Great Britain and Ireland*, 15:246-273. JSTOR 2841583.

[ggplot2] Wickham, Hadley. *ggplot2: Elegant Graphics for Data Analysis* (obra em inglês). SpringerVerlag New York (2009). ISBN: 978-0-387-98140-6. *http://had.co.nz/ggplot2/book*.

[Hyndman-Fan-1996] Hyndman, R. J. e Fan, Y. "Sample quantiles in statistical packages" (conteúdo em inglês). *American Statistician* 50, (1996) 361–365.

[lattice] Sarkar, Deepayan. *Lattice: Multivariate Data Visualization with R* (conteúdo em inglês). Springer (2008). ISBN 978-0-387-75968-5. *http://lmdvr.r-forge.r-project.org*.

[Legendre] Legendre, Adrien-Marie. *Nouvelle methodes pour la determination des orbites des cometes* (conteúdo em francês). F. Didot, Paris (1805).

[NIST-Handbook-2012] *NIST/SEMATECH e-Handbook of Statistical Methods* (conteúdo em inglês) (2012). *http://www.itl.nist.gov/div898/handbook/eda/section3/eda35b.htm*.

[R-base-2015] R Core Team. "R: A Language and Envirwonment for Statistical Computing" (conteúdo em inglês). R Foundation for Statistical Computing (2015). *http:// www.R-project.org/*.

[seaborne] Wasdom, Michael. "Seaborn: statistical data visualization" (conteúdo em inglês) (2015). *http://stanford.edu/~mwaskom/software/seaborn/#*.

[Stigler-Gauss] Stigler, Stephen M. "Gauss and the Invention of Least Squares" (obra em inglês). *Ann. Stat.* 9(3), 465–474 (1981).

[Trellis-Graphics] Becker, R., Cleveland, W., Shyu, M. e Kaluzny, S. "A Tour of Trellis Graphics" (conteúdo em inglês) (1996). *http://polisci.msu.edu/jacoby/icpsr/graphics/ manuscripts/Trel lis_tour.pdf*.

[Tukey-1962] Tukey, John W. "The Future of Data Analysis" (conteúdo em inglês). *Ann. Math. Statist.* 33 (1962), n. 1, 1–67. *https://projecteuclid.org/download/pdf_1/euclid. aoms/1177704711*

[Tukey-1977] Tukey, John W. *Exploratory Data Analysis*. Pearson (obra em inglês) (1977). ISBN: 978-0-201-07616-5.

[Tukey-1987] Tukey, John W. Editado por Jones, L. V. *The Collected Works of John W. Tukey: Philosophy and Principles of Data Analysis 1965–1986* (obra em inglês). Volume IV. Chapman and Hall/CRC (1987). ISBN: 978-0-534-05101-3.

[UCLA] "R Library: Contrast Coding Systems for Categorical Variables" (conteúdo em inglês). UCLA: Statistical Consulting Group. *http://www.ats.ucla.edu/stat/r/library/ contrast_coding.htm*. Acessado em junho de 2016.

[Zhang-Wang-2007] Zhang, Qi e Wang, Wei. 19th International Conference on Scientific and Statistical Database Management, IEEE Computer Society (2007).

Índice

A

agrupamento, 255–290
  hierárquico, 271–290
algoritmo, 120–128
  aglomerativo, 273–290
  Naive Bayes, 178–214
alvo, 131–175
amostra, 44–78
  de validação, 199–214
amostragem, 43–78
  aleatória, 44–78, 47–78
  com reposição, 45–78
  de Thompson, 122–128
  estratificada, 47–78
amplitude, 17, 21–42
análise
  bivariada, 34
  de dados, 1–42
  de variância, 107
  discriminante, 183–214
  discriminante linear, 183–214
  exploratória de dados, 1–42
  exploratórias, 32
  multivariada, 34
  univariada, 34
aprendizado
  de agrupamento, 215–254

de máquina, 5–42, 131–175
de máquina estatístico, 215–254
não supervisionado, 255–290
árvore
  boosted, 236–254
  de decisão, 59, 215–254
assimetria, 24–42

B

bagging, 59–78, 88–128
bancos de dados relacionais, 5
big data, 43–78
boosting, 226–254
bootstrap, 57, 58, 60, 88–128
bootstrapping, 60–78
boxplots, 20–42

C

característica, 131–175
cargas, 257–290
caudas, 20
chances, 189–214
classificação, 177–214
codificação
  de desvio, 150–175
  polinomial, 150–175

coeficiente
de correlação, 30
de determinação, 139–175
de Gini, 231–254
coeficientes, 131–175
condicionamento, 40
controle, 80–128
covariância, 184–214, 259–290
critério Bayesiano de informação, 280–290
curtose, 24–42
curva ROC, 203–214

D

dados retangulares, 5, 6
decisões automatizadas, 177–214
declive, 131
dedução, tipo. *Consulte* dedução de tipo
dendrograma, 272–290
design experimental, 1–42
desvio absoluto
mediano da mediana, 16
médio, 15
desvio-padrão, 15–42
desvios quadráticos, 15–42
detecção de anomalias, 11, 129–175
diagramas, 7
dispersão, 13–42
distância
de Cook, 162–176
de Gower, 286–290
de Manhattan, 219–254
Euclidiana, 219–254
distribuição, 19–42

binomial, 73–78
de amostragem, 53
gaussiana, 66–78
normal, 66–78
campanular, 64
multivariada, 276–290
Poisson, 76–78

E

efeito de busca vasta, 51–78
efeitos principais, 157
eliminação regressiva, 143–175
embaralhamento de alvos, 51–78
ensaios, 73–78
entropia, 231–254
erro, 66–78
erro-padrão, 56, 58
escala, 77
especificidade, 203–214
estabilidade, 59
estatística
de teste, 83–128
ordinal, 17
estatística moderna, 1
estimação
de densidade, 24–42
de máxima verossimilhança, 195
estimativa, 9–42
enviesada, 16
não enviesada, 16
pontual, 61–78
robusta, 11
estudo cego, 83–128
exatidão, 202–214

F

facetas, 41
fatoriais, 148–175
floresta
    aleatória, 226–254, 236–254
fold, 141
função
    de resposta logística, 189–214
    padronizada. *Consulte* funções
      membro padronizadas
    perda, 211–214
    quantil, 18–42

G

geração de dados, 211–214
gráfico, 7
    de influência, 162–176
    Trellis, 41
    violino, 39
gráficos residuais parciais, 167–175
graus de liberdade, 16–42

H

heteroscedasticidade, 164–176
hiperparâmetros, 242–254
hipótese, 79, 85–128
    de normalidade, 65
hipótese alternativa, 87
hipótese nula, 86, 88
histograma, 25–42, 54–78

I

impureza de Gini, 231–254
inferência, 1–42, 79–128

estatística, 79
informação, 231–254
interações, 157
intercepto, 131
Internet das Coisas, 2–42
intervalo
    de confiança, 146, 147–175
    de predição, 64
    de previsão, 147–175

L

lift, 207–214
ligação
    média, 274–290
    total, 274–290
    única, 274–290
localização, 24–42
logito, 189–214

M

mapas de calor, 37
matriz
    de confusão, 200–214
    de correlação, 31
    de covariância, 276–290
média
    ponderada, 10
média aparada, 13
mediana, 11
    ponderada, 11–42
mensuração da variabilidade, 146
método
    cotovelo, 269–290
    de Ward, 275–290
métrica de distância, 219–254

moda, 28
modelagem
    de dados, 1–42
    preditiva, 3–42
modelo
    aditivos generalizados, 173–175
    de árvore, 158, 226–254
    de probabilidade, 88–128
    de regressão logística, 197–214
    linear, 132–175
        generalizado, 190–214
momentos, 24–42
multicolinearidade, 155–175

N

navalha de Occam, 141
nível de confiança, 63–78
normalização, 66–78, 221
normal padrão, 66–78
nós, 172–175
nota de propensão, 214

O

observação influente, 161–176
one hot encoding, 149–175
ordinary least squares — OLS, 134–175
outliers, 11–42, 160–176

P

padronização, 66–78
parâmetro
    de complexidade, 232–254
    de forma, 77
parâmetros de modelo, 62–78

percentil, 17–42
permutação, 60–78, 89–128
ponto
    alavanca, 161–176
    de decisão, 200–214
população, 44–78
potência, 124–128
preditora, 131–175
previsão, 129–175, 145–175, 177–214
probabilidade, 77–78
    condicional exata, 180
pureza de classe, 230–254

Q

quantil, 20–42

R

randomizados, 81–128
reamostragem, 60–78, 88–128
    repetitiva do bootstrap, 59–78
referência, 150
regressão, 145–175
    de mínimos quadrados, 134–175
    de todos os subconjuntos, 142
    lasso, 143–175
    linear, 139–175
    não linear, 169
    passo a passo, 142
    penalizada, 143–175
    polinomial, 170–175
    ponderada, 144–175
    ridge, 143–175, 250
Regressão à média, 51, 52
repartição recursiva, 229–254
representatividade, 45–78

residual sum of squares (RSS), 134–175

resíduos, 133–175
  padronizados, 160–176
resposta, 131–175
revocação, 202–214

S

seleção
  progressiva, 143
  regressiva, 143–175
sensibilidade, 202–214
Significância estatística, 94
similaridade, 219–254
simulação, 77–78
sistemas de codificação de contraste, 150–175
soma dos quadrados dentro do grupo, 263–290
splines, 171–175

T

tabela de frequências, 21–42, 25–42
tamanho de efeito, 124–128
taxa, 76–78, 201
teorema de limite central, 55–78
teoria
  da informação, 142
  das probabilidades, 1–42
  do cisne negro, 68–78
teste, 199–214
  de hipótese, 123–128
testes
  de permutação, 88–128
testes de hipótese, 85, 87

testes de significância, 85
tipos de dados, 3–42

U

undersample, 209–214
uplift, 207–214

V

validação cruzada, 141–175, 224
valor
  chapéu, 161–176
  esperado, 29
valores
  ajustados, 133–175
  previstos, 133–175
variabilidade, 13–42, 24–42, 88–128, 124–128
  amostral, 54
variância, 15–42
  mínima, 274–290
variáveis
  categóricas, 148–175
  de confundimento, 156–175
  preditoras, 135–175
variável
  condicionante, 41
  dependente, 131–175
  independente, 131–175
  preditora, 157
variável proxy, 90
viés, 78
  de amostragem, 45–78
visualizações, 7

Sobre os Autores

Peter Bruce fundou e desenvolveu o Instituto de Educação Estatística no Statistics.com, que agora oferece cerca de 100 cursos de estatística, com aproximadamente um terço deles sendo direcionados a cientistas de dados. Ao recrutar grandes autores como instrutores e formar uma estratégia de marketing para atingir cientistas de dados profissionais, Peter desenvolveu, ao mesmo tempo, uma ampla visão do mercado-alvo e os conhecimentos necessários para atingi-lo.

Andrew Bruce tem mais de 30 anos de experiência em estatística e ciência de dados no meio acadêmico, governamental e corporativo. É Ph.D. em estatística pela Universidade de Washington e publicou inúmeros artigos em publicações especializadas. Desenvolveu soluções baseadas em estatística para um grande número de problemas enfrentados por diversas indústrias, de empresas financeiras consagradas a startups da internet, e oferece profundo conhecimento sobre a prática da ciência de dados.

Cólofon

O animal na capa de *Estatística Prática para Cientistas de Dados* é o caranguejo da espécie *Pachygrapsus crassipes*, também conhecido como caranguejo listrado. Encontrado nas costas e praias do Oceano Pacífico das Américas do Norte e Central, Coreia e Japão, esse crustáceo vive sob rochas, em poças de maré e dentro de fendas. Passa cerca de um terço de seu tempo na terra, e retorna periodicamente para a água a fim de molhar suas brânquias.

O caranguejo listrado tem esse nome devido às listras verdes em sua carapaça marrom e preta. Ele tem garras vermelhas e pernas roxas, que também são listradas ou manchadas. Geralmente cresce até o tamanho de três a cinco centímetros, e as fêmeas são um pouco menores. Seus olhos possuem hastes flexíveis que podem girar para conceder total campo de visão conforme andam.

É um animal onívoro, alimentando-se principalmente de algas, mas também de moluscos, larvas, fungos, animais mortos e outros crustáceos (conforme a disponibilidade). Ele faz diversas mudas conforme cresce e se torna adulto, ingerindo água para expandir e rachar sua carapaça antiga, para abri-lo. Devido a isso, passa diversas horas difíceis se libertando, para então se esconder até que a nova carapaça endureça.

Muitos dos animais nas capas da O'Reilly estão em risco, e todos são importantes para o mundo. Para saber mais sobre como ajudar, acesse *animals.oreilly.com* (conteúdo em inglês).

A imagem da capa é do *Pictorial Museum of Animated Nature*. As fontes da capa são URW Typewriter e Guardian Sans. A fonte do texto é a Adobe Minion Pro, a fonte do cabeçalho é a Adobe Myriad Condensed, e a fonte de códigos é a Ubuntu Mono de Dalton Maag.

CONHEÇA OUTROS LIVROS DE INFORMÁTICA!

Negócios - Nacionais - Comunicação - Guias de Viagem - Interesse Geral - Informática - Idiomas

Todas as imagens são meramente ilustrativas.

SEJA AUTOR DA ALTA BOOKS!

Envie a sua proposta para: autoria@altabooks.com.br

Visite também nosso site e nossas redes sociais para conhecer lançamentos e futuras publicações!
www.altabooks.com.br

f /altabooks ▪ /altabooks ▪ /alta_books

ALTA BOOKS
EDITORA

Este livro foi impresso nas oficinas gráficas da Editora Vozes Ltda.,
Rua Frei Luís, 100 – Petrópolis, RJ.